新 潮 文 庫

新 潮 社 版

4521

1 《豚》もしくは《もぐら》がぼくの綽名《あだな》である

2 いずれユープケッチャを図案化して、グループの旗にしてもいい

3 サクラに［生きのびるための切符］を持ち逃げされた

4 ぼくの生物学上の父親は通称［猪突《いのとつ》］と呼ばれ……

5 便器にしゃがんで、旅をする

6 廃車のドア

7 罠《わな》と便器

8 失意の水っぽさは、履きなれた靴《くつ》のようによくなじむ

9 再び便器について

10 サクラ失踪《しっそう》、尻叩《しりたた》きの儀式

11 坑道口は一見したところ、壁の角にそそり立つ鋭い裂け目にみえる

12 脛《すね》に傷のない者はいない

13 ［ほうき隊］のことは新聞の地方版にも掲載された

扉カット　渡辺冨士雄
本文カット　著　　者

方舟《はこぶね》さくら丸

I

月に一度、県庁のある街まで買い物に出る。車で小一時間かかってしまうが、蛇口《じゃぐち》のパッキング、電動工具の替え刃、大型積層乾電池といった特殊な品物が多いので、地元の商店街では間に合わないのだ。それに出来れば顔見知りとは顔を合わせたくない。影のように綽名《あだな》がついてまわるからだ。

《豚》もしくは《もぐら》がぼくの綽名である。身長一メートル七十、体重九十八キロ、撫《な》で肩《がた》で手足は短かめだ。体形を目立たせまいとして、丈の長い黒のレインコートを試してみたこともある。しかし駅前の大通りに面して新築された合同市庁舎の前で、そんな幻想はあっけなく吹き飛ばされてしまった。市庁舎は黒い鉄骨と黒いガラスに覆《おお》われた、黒い鏡のような建物で、列車を利用しようと思えばどうしてもその前を通らざるを得ないのだ。黒いガラスに映ったぼくは道に迷った仔鯨《こくじら》か、ゴミ捨て場で変色したラグビーのボールに見えた。背景の街が歪《ゆが》んで映るのは面白《おもしろ》いが、歪んだぼくはみじめなだけだ。それに汗をかく季節になると、二重顎《あご》の皺《しわ》のあいだが汗でふやけて、湿疹《しっしん》ができやすい。顎の下は、足の裏や額みたいに石壁にあてがって冷すわけにもいかず、睡眠不足になりがちだ。とてもレインコートなんか着ていられない。ますます出不精が嵩《こう》じてしまう。

どうせ綽名で呼ばれるのなら、《豚》よりは《もぐら》のほうがいい。まだ可愛《かわ》いげがあるし、事実にも即している。三年ほど前から洞穴《ほらあな》暮しなのだ。洞穴と言っても《もぐら》式の円筒ではない。建築用石材の採石場跡で、切り口はすべて九十度で交わる直線で構成されている。室内競技場ほどもある大ホールから、試掘用の小部屋まで、すくなくも七十を越える石室が縦横に積み重なり、石段やトンネルで連結された、数千人の収容能力をもつ大地下街なのだ。もっとも上下水道や送電線などの公共施設は一切ない。商店も交番も郵便局も存在せず、住民はぼく一人っきりである。他に適切な言い回しが見当らないかぎり、やはり《もぐら》がふさわしいだろう。

外出の際には、かならず二つの品物を持参することにしている。採石場跡の出入り口の扉《とびら》の合鍵《あいかぎ》と、裏に地図を描《か》き込んだ名刺大のカードである。表には［乗船券　生きのびるための切符」と打ち込んである。去年の暮、この二つを組にして革のケースに納めたものを三十五個用意した。外出用のズボンのポケットに常時三個しのばせている。乗船適格者に巡り会ったとき、勧誘の機会を逸《のが》さないためだ。この半年間、ずっとそう心掛けてきたのに、まだこれといった相手には出会えずにいる。

出航準備はほぼ完了し、あとは乗組員の協力なしには不可能な段階に来てしまった。船員募集はいまや最優先事項なのだ。かと言って求人のためにあらたまった努力をしようとは思わない。報酬として金銭には換算できない生命の支払いが受けられるのだ。応募者が殺到するのは目に見えている。窓口の混雑をさばくことのほうがむしろ問題だろう。出不精の口実かもしれないが、本当の仲間は無理に探さなくても、自然に向こうからやって来るはずだという心づもりがあった。特別な買い物がなくても、月に一度くらいは雑踏にもまれて他人と接触し、人間観察をする必要があったのだ。

いつもは公園脇《わき》の県営駐車場を利用している。露天なので料金が安いし、かならずすいているからだ。しかし今日は駅前のデパートの地下に乗り入れることにした。屋上から吊《つ》り下げられた垂れ幕の、いっぷう変った文句に気をひかれたのだ。

［見たことないもの売ります　家伝の宝物展示即売会］

見たことないもの、という胡散臭《うさんくさ》い言いまわしに、好奇心をそそのかされたし、集まる客層にも興味があった。デパートに入ると売り場案内のアナウンスが、屋上の即売会の売手はぜんぶ素人《しろうと》で、商品は各自持ち寄りの珍品ぞろいだと繰り返している。好奇心を刺激されたのはぼくだけでないらしく、エレベーターの中のほとんどが屋上行きの客だった。エレベーターを出ると露店ふうの屋台が百軒以上、迷路をつくって広い屋上いっぱいに立ち並んでいる。急ぐ足、戸惑う足、もつれあって縁日特有の汗っぽい熱気をかもし出していた。

▽ふくろうの鉤爪《かぎづめ》のキー・ホールダー
▽親父《おやじ》の遺産　手巻タバコ製造機と火縄《ひなわ》式ライター
▽熊《くま》の尻拭《しりふ》き　干した海草のようなもの（寄生木《やどりぎ》の一種らしいが売っている当人にも用途は分らないようだ）
▽各種ゼンマイと歯車をダンボール箱にいっぱい
▽馬の歯三頭分
▽アルコール・ランプを使う昔の吸入器
▽蓄音機用竹針カッター
▽直径三十センチにまるめた鯨の糞《ふん》のボール二個

▽ガラス製の釘《くぎ》
▽象が風邪をひいたとき鼻に塗り込んでやるシンガポール製の軟膏《なんこう》
▽日本海海戦で使用された（と称する）血染めの信号用手旗
▽プラスチック製のボールペン付き指輪（フリー・サイズ）
▽足首に着け脈拍に合わせて刺激を加えるマイコン応用入眠器
▽中身の保証はない六十五年物の壺《つぼ》入り焼酎《しょうちゅう》
▽水圧を梃子《てこ》の原理に使ったアルミ缶圧搾機《かんあっさくき》
▽これ一冊ですべて間に合う私家版電話帳（練馬区在住者用）
▽バナナの皮の粉末一・五キログラム（マリファナの代用品？）
▽体長四十七センチのどぶ鼠《ねずみ》の剝製《はくせい》
▽実際に乳首に吸い付くミルク飲み人形
…………………

そしてユープケッチャと出会ったのだ。
迷路の中ほどに陣取った、昆虫《こんちゅう》の標本を並べた屋台。夏休みの宿題を当て込んだのだろうが、子供によろこばれそうな蝶《ちょう》や大型甲虫《こうちゅう》の類《たぐい》は一匹もなく、売り場の中央にタバコほどの小箱が数十個かためて置いてあるだけだ。箱はアクリル樹脂製で透明だが、どれも空っぽに見える。アルミ箔《はく》のラベルにユープケッチャとタイプ印刷され、下に［時計虫］と和名が括弧《かっこ》でくくって添えられていた。

空っぽに見えたのは、容器にくらべて中身が貧弱すぎたからだ。どう見ても、ゴミのなかを這《は》いまわるだけで、名前では呼ばれたこともない虫けらの仲間である。売手もぱっとしなかった。瓶《びん》の底なみの眼鏡をかけ、頭の鉢《はち》だけが目立つ陰気な男だ。さいわい先客がいた。分別がありそうな男女の二人連れで、箱をひねりまわして観察しながら、昆虫屋の口上に聞き入っている。つられてぼくも足をとめていた。足をとめてみると、ユープケッチャという響きにはそれらしい素性《すじょう》が感じられたし、時計虫の呼び名にも人をひきつけるものがあった。

ユープケッチャは棲息地《せいそくち》のエピチャム語で昆虫の名前であると同時に時計のことも意味しているのだそうだ。体長一センチ五ミリ、鞘翅目《しょうしもく》に属し、ずんぐりした黒い体に茶褐色《ちゃかっしょく》の縦縞《たてじま》が走っている。ほかに特徴らしいものはと言えば、肢《あし》が一本もないことくらいだろうか。肢が退化してしまったのは、自分の糞を餌《えさ》にしているので、移動の必要がないためらしい。消化吸収してしまった残りかすの排泄物《はいせつぶつ》が主食では、燃えかすの灰にもう一度火をつけるような心もとなさを感じるが、そこは上手《うま》くしたもので食べる速度がひどく遅い。その間に繁殖したバクテリアが養分の再生産をしてくれる。ユープケッチャは船底型にふくらんだ腹を支点に、長くて丈夫な触角をつかって体を左に回転させながら食べ、食べながら脱糞しつづける。糞はつねにきれいな半円をえがいている。夜明けとともに食べはじめ、日没とともに食べおわり、睡《ねむ》りにつく。頭をつねに太陽の方角にむけているので、時計としても役に立つ。

長いあいだ機械仕掛けの時計は、この地方の住民に受け入れられなかったらしい。右まわりの時間はなじみにくかったし、太陽の位置にかかわらず均等に時を刻む針の動きも、単純すぎてかえって胡散臭かったのだろう。いまでも機械仕掛けの時計はユープケ・ヌであり、本物のユープケッチャとははっきり区別されているという。たしかにユープケッチャには、実用以上に人をひきつけるものがあるようだ。完璧《かんぺき》にちかい閉鎖生態系が傷ついた心をなごませてくれるのかもしれない。島に一軒しかないホテル・ユープケッチャの泊り客は、軒下や敷石のあいだでユープケッチャを見付け（支配人が考えついたサービスである）、その場に釘付けになってしまう。来る日も来る日も虫眼鏡を手に坐《すわ》りつづけ、ついには自分の排便を頰張りながら狂死した時計業者（日本人のセールスマンだという説と、スイスの製造業者だという二説があるらしい）の記録さえ残っているという。客寄せのための誇張にきまっているが、信じることにした。

地元の住民は、そこまで夢中にはなりきれない。雨期が来て旅行者が立去ってしまう頃には、バクテリアによる糞の再生能力もおとろえはじめ、時の推移もとどこおりがちになる。つづいて年に一度の交尾期を迎え、糞の文字盤からユープケッチャの針が飛び立ち、時は死ぬ。受精した雌はシャボンの膜のような羽をふるわせ不器用に地上を飛び交い、半月状の糞の痕《あと》を探しだしては卵を産みつけてまわるのだ。こうしていったん生態系の環《わ》が閉じられ、時間は見えないものになる。針をむしられた時計は地面につけた爪跡のようで、いかにも虚《むな》しく不吉にみえる。

かと言って島民が時間そのものを拒否したという話はまだ聞いたことがない。再生の予兆はいつだって似たようなものだろう。

それにしてもぼくによく似た虫がいたものだ。からかわれているような気がした。しかし昆虫屋がぼくを知っているはずはない。

「すねているんじゃないのかい、虫のくせして」

男の客が梅干しをしゃぶっているように舌を鳴らした。唾液《だえき》が多すぎるのだ。連れの女が男を見上げ、こちらは氷砂糖をしゃぶっている感じ。口が渇《かわ》きがちなのだろう。

「買おうよ、一匹。可愛いじゃない」

透明な唇《くちびる》の両端をくぼませた形のいい微笑。男が顎を突き出し、芝居がかった仕種《しぐさ》で財布を取り出す。とっさにぼくも買うことに決めていた。自分の汗を嗅《か》いだような親近感を感じていた。ぼくだって虫ピンで留めれば、ユープケッチャに劣らず個性的な標本になるはずだ。二万円という値段が高いのか安いのか、すぐに判断はしかねたが、探しものに巡り会えたという確信はあった。

ユープケッチャは、上蓋《うわぶた》も底板も素通しのアクリル容器のなかに、十文字に張られた極細のナイロンの糸で宙吊りにされている。裏側からも観察できるのが狙《ねら》いらしい。たしかに退化した肢の痕跡《こんせき》を確認できなかったら、肢をむしり取られたクソムシとだって区別は難しい。

先客に続いて支払いを済ませ、箱の上下を乾燥剤の粒で埋めてもらった。ポケットにおさめると、なじんだ靴《くつ》を履いたように気持がやわらいだ。

「何匹くらいです、今日の売り上げ……」

質問が気に入らなかったのか、昆虫屋は口をつぐんだままだ。厚いレンズで視線が屈折し、表情は読みとれない。聞えないふりをしただけだろうか、本当に聞えなかったのだろうか。景気づけの音楽が風に合わせてうねっていた。

「エピチャム島が実在している島かどうか、帰ったらさっそく地図の索引で当ってみますよ……なんて言うのは冗談です」

やはりなんの反応も返ってこなかった。冗談にしては、きわどすぎたかもしれない。重ねて声をかけるのはさすがにためらわれた。

2

正面奥に一段高いテント張りの休憩所があった。野外コンサートを開くときにはステージになるのだろう。アイス・コーヒーやハンバーガーのスタンドと並んで、掻《か》き氷の売り場があった。氷小豆を注文した。危険防止の金網ごしに見おろすと、粉っぽい街並が引きちぎられた古い魚網のようだ。雨が近いらしく、遠くの山は雲に隠れてしまっている。数千台のエンジン音が空に反射して融《と》けあい、デパートが流している音楽と干渉し合って、鳴き疲れた食用蛙《がえる》のようにあえいでいた。

氷小豆の容器から、掌《てのひら》いっぱいに冷気がしみわたる。出口に向う客が目立ちはじめたのに、空席はほとんどない。紺に白抜きで、ＰＯ　ＰＯ　ＰＯ、とプリントしたＴシャツを着て冷し中華の皿《さら》に顔をふせている学生（細い首筋にかかった長髪と、血走った目付きからまず学生とにらんだ）に相席を頼む。掻き氷の小豆をスプーンの腹でならし、半々にすくって口に含んでいると、学生が首の関節を鳴らして顔をあげた。品定めするようなぼくの視線が気に障ったらしい。［乗船切符］を持ち歩くようになってからの悪い癖である。月に一度の外出なので、物色を怠るわけにはいかないのだ。

「掘出し物はありましたか」

「ぜんぜん」学生は唇から垂れたソバを指で押し込み、腹立たしげに、「どれもこれも、子供だましもいいとこさ」

「ユープケッチャも、駄目《だめ》ですか」

「なんだって」

「ユープケッチャ……」

アクリル樹脂の箱をポケットから出して見せてやる。

「昆虫ですよ。奥から二本目の通路の中ほどの左側の店、気づかなかったかな」

「何か特別な虫ですか」

「甲虫類の一種でしょう。肢が退化していて、同じところを時計みたいにぐるぐる回りつづけているんだ、自分の糞を餌にしてね」

「それで」

「面白くありませんか」

「べつに」

失格。

多少もったいをつけて言うと、ユープケッチャはある哲学、もしくは思想をあらわす記号だと思う。いくら移動を重ねても、ただ動きまわるだけでは本当に動いたことにはならないのだ。肝心なのは静止の心である。いずれユープケッチャを図案化して、グループの旗にしてもいいくらいだ。図案化するなら腹より背中だろう。腹は節《ふし》だらけでシャコの干物《ひもの》みたいだ。背中は楕円《だえん》を二つ並べるだけで表象化できる。ＢＭＷのラジエーター・グリルみたいで悪くない。ＢＭＷは世界一運転性能のいい車だそうだ。ユープケッチャの置場も決ったようなものである。作業場の便器の上の棚《たな》以外にない。旅行関係の荷物はすべてあそこにまとめて置いてある。独り笑い。ユープケッチャを旅行用品にたとえたことで気をよくしたのだ。

気味悪そうに学生が立去った。引き留めるつもりはなかった。無神経なソバの食い方までは問わないまでも、生きることについての真剣さを欠いている。今後ユープケッチャは乗船資格の審査基準としても役立ちそうだ。地球という円を描くためのコンパスの支点のようなこの虫に、好奇心のかけらも示せないのはいくらなんでも鈍感すぎる。

むしろ、ぼくの前にユープケッチャを買っていたあの二人連れのほうに未練が残る。何処《どこ》に行ったのだろう。適性検査なら彼等にしてみるべきだった。いつもこんなふうに後手《ごて》にまわってしまう。もっとも男のほうは審査の対象から外してもよさそうだ。頭の中にピンポン台を持ち込んだような落ち着きの無さ。しかし連れの女は違う。とても《もぐら生活》には耐えられそうにない。しかし連れの女は違う。乗組員候補としてじゅうぶんに検討の余地がありそうだ。ユープケッチャを買いたがったのも彼女のほうだった。乗組員の第一号は女性がいいに決っている。氷で口を冷しては、未練がましく何度も思い返した。なぜあの場ですぐに声を掛けなかったのだろう。いま頃はユープケッチャを買った同士として意気投合しあえていたかもしれないのに。問題は彼等の間柄《あいだがら》である。夫婦のようでもあるし、違うようでもある。夫婦かそれに近い関係だったら、せっかくの期待も無駄骨だ。もっともユープケッチャは独り言の世界である。夫婦の買い物にはふさわしくない。だが夫婦のような他人よりも、他人のような夫婦のほうが多いのも現実だ。

引揚げよう。せっかくユープケッチャという収穫にめぐまれたのだから、これ以上欲はかくまい。こんな風の日に、暗くなってから車で海岸の岩棚に降りるのは禁物だ。潮をかぶって車体に早く錆《さび》が出る。

学生が立去ったあとの空席に、影が落ちた。ひときわ目立つ頭の鉢、重そうな近眼用の眼鏡、薄よごれた顔色……昆虫屋だ。サンドイッチの紙包みをひろげ、音をたてて椅子《いす》を引き寄せる。ぼくには気付いていないようだ。空席が少ないのだから、驚くほどの偶然というわけではない。昆虫屋は表面のパンだけを剝《は》がして筒状にまるめ、缶コーヒーといっしょに丁寧に嚙《か》みしめる。

「休憩ですか」

昆虫屋は口を休め、ゆっくり上目づかいにぼくを見た。

「おれに聞いているの」

「憶《おぼ》え、ありませんか。さっきユープケッチャを売ってもらったでしょう」

相手はまた数秒間、口をつぐんだまま、防弾ガラスなみの眼鏡越しにぼくを見据《みす》える。警戒しているらしい。《豚》だからだろうか。肥満はとかく愚鈍と結びつけられやすい。異性からはうとまれるし、同性からは馬鹿《ばか》にされる。就職の障害にさえなるようだ。体と脳の容積の比率から、鮫《さめ》や恐竜《きょうりゅう》のたぐいを類推してしまうのだろう。ぼく自身もデブは嫌《きら》いで、同類のくせに口をきく気がしない。

「嫌《いや》がらせかい」

ぼくだってユープケッチャを信じきっていたわけではない。出来れば疑わずにすませたかった。打ち明け話なんか聞きたくもなかった。

「めっそうもない、気に入ったな、考えさせられましたよ、本当……自分で採集したんですか。最近じゃ環境破壊で、昆虫もいなくなって、専門に飼育している業者もいるそうですね」

「そうらしいね、餌で飼育するだけじゃなく、接着剤やピンセットでいもしない虫を飼育する手品師みたいのもいるらしいね」

「ぜんぶで何匹くらい売れました」ここは話をそらせたほうが無難だろう。

「一匹」

「まさか」

「返品が希望なら、引き取りますよ」

「なぜ」

「むしゃくしゃするのさ」

「ぼくの前に買ってた人がいたでしょう」

「いないね」

「いたよ、ほら、二人連れで……」

「お人好《ひとよ》しだな。あれはサクラさ、客寄せのサクラ」

「サクラには見えなかったよ」

「いちおうデパートと契約らしいから、縁日の的屋《てきや》よりは堅気なんだろ。それに連れの女がいいじゃないか。あれだけの女とつるめば、目くらましにはなる」

「だまされますよね」

「いい女さ、最高だよ。あの野郎……」

「女のタイプの最新の分類法、新聞で見たんだけど、クィンティプル・アプローチだったっけ、五つのタイプに分けるらしいですね。母型、主婦型、妻型、女性型、人間型……彼女、どのタイプだと思います」

「分類なんて興味ないね」

「でも電通の研究成果ですよ。市場分析に開発された方法らしいから、かなり信頼性があるんじゃないかな」

「あんた、信じているの」

雀《すずめ》の群れが低く頭上を横切った。追いかけるように雨雲がデパートの屋上をかすめて走る。露店の天幕がはためき、客が浮き足立つ。はやばやと店をたたみはじめる者も出はじめた。売り切った者か、これ以上売る自信をなくした者だろう。

「売り場に戻《もど》ったほうがいいんじゃないですか、雨になりそうだ」

「もう店じまい」

昆虫屋は薄いハムとトマトを重ね、フォークでつき刺し、微笑《ほほえ》んだ。子供っぽい笑いがけっこう頭の鉢に似合っている。

「あきらめることはないよ。夢がある商品だし、まだ一つや二つ売れるんじゃないかな」

「変り者だね、あんたも。なんの商売」

昆虫屋は毛深い指で何度も頭を撫であげた。煙のような髪が頭皮に貼《は》りつき、鉢の広さがひときわ目立つ。

休憩所と隣合った露店に客がついた。扱っている商品は万能振動機だ。楕円形をした一種のバイブレーターで、特徴は電気ドリルの取り付け金具を流用した先端部分にあるようだ。孫の手、歯ブラシ、洗顔用スポンジ、ワイヤ・ブラシ、肩叩き用ゴム球、小型ハンマー、など身のまわりにある物をなんでも部品として組込めるらしい。たしかに発明ではある。しかし夢がない。それに売り場には見本品しかなく、一割を手付金として納め、申し込み用紙に住所氏名を記載すれば、一週間以内に送料負担で宅配という怪しげな条件だ。何が客に財布の紐《ひも》をゆるめさせるのか首をひねりたくなる。

「夢の反対概念は、けっきょく実用ってことかな」

「あんなもの、詐欺《さぎ》の入門だよ。とにかく突飛なものは駄目。日用品、とくに台所用品なんかが一番さ。手際《てぎわ》よくやると同業者だってひっかかってしまうからね。ただし繰り返しはきかない、一場所で一回こっきり。だから次の手を思いつくまで、町から町への旅烏《たびがらす》だろ、しんどい話さ」

「ユープケッチャは繰り返しがききますか」

「こんどは頭から偽物あつかいか」

「かまわずサンドイッチ食べてくださいよ。朝の食事はなんでした」

「関係ないだろ」

「ぼくはスイート・ポテトかホットケーキ、それにコーヒー。ホットケーキは自分で焼くんですよ」

「おれは駄目さ」

「ぼくだって駄目です」

「朝飯なんて、もう十年も食ったことがない」

「雷かな」

「関係ないね」

サンドイッチを食いちぎる。世間の裏切りを食いちぎろうとしているようだ。無理もないと思った。ぼくがユープケッチャの発見者でも、この売れ行きでは似たような心境になっていたはずだ。夢人間にしか理解できない砂の柱。砂の柱でも地中に立てれば立派に高層ビルを支えることが可能なのである。

「ユープケッチャの残り、なんなら引き受けてもいいですよ。四、五匹くらいなら」

「なぜ」昆虫屋がサンドイッチの残りを口に押し込んだ。「気色の悪いこと言うなよ、なんの魂胆か知らないけど」

「ぼくがデブだからって、そう慳貪《けんどん》にしなくてもいいでしょう」

「肥満と人格は無関係さ」咀嚼《そしゃく》中のパンを頰の片側によせ、くぐもった口調で、「肥満は黒色脂肪の自己増殖によるもので、皮下数センチの問題にすぎないんだ」

「詳しいんですね」

「新聞の受け売りさ」

「残りのユープケッチャ、何処かほかで売るつもりですか」

「あんな虫、もうこりごりだね」

「だからって、捨てるわけじゃないんでしょう」

「つぶして薬にするのなら、木炭のほうが手っ取り早い。容器は残しておくよ、元手がかかっているし」

「だったら譲ってくれてもいいじゃないか。乗船券と交換しませんか。捨てるものなら物々交換でも損はないでしょう」

乗船券を持ち出すのは時期尚早《しょうそう》だったかもしれない。口を滑らせてしまってから、尻の穴に氷をあてがわれたようにうろたえる。自分の買い物にけちをつけられまいとしすぎたのだ。ユープケッチャにけちをつけられることは自分の判断力にけちをつけられることである。時計虫には人間を敵意と不安から救済する手段の啓示が彫り込まれているような気がしていた。たとえば人類と祖先をともにする類人猿《るいじんえん》には、はっきり二つの傾向が認められる。集団をつくって社会化しようとする拡張傾向と、縄張りにこもって城を築こうとする定着傾向だ。人間はなぜかこの二つの矛盾する傾向を同時に身につけてしまった。ネズミやゴキブリ以上の適応力で地上にはびこる力を手にすることが出来た半面、たがいに殺しあう憎悪《ぞうお》の才能も手にしてしまったのだ。すでに自然と対等になってしまった人間に、この両刃の剣は重すぎる。巨大な電動鋸《のこぎり》で白魚の腹を割《さ》くような政治に血道をあげることになる。もしぼくらがユープケッチャのように……

「何と交換だって」

「乗船券」

「アンケート屋の手口だな」昆虫屋は缶コーヒーの残りを飲みほし、厚いレンズの縁からぼくを見据えた。「同業者をカモにするのなら、もっと年季を積んでからにしな」

「アンケート屋って……」

「知らないのかい。知らないらしいね、その顔じゃ。ほら、よくいるじゃないか、紙とボールペンを持って交差点なんかに立っているやつ」

「いますね。何をしているんだろう」

「夏休みの旅行のプラン、お決まりでしょうか……てな具合に切り出して、けっきょくは特典付き旅行友の会の割引入会金をふんだくる」

「誤解ですよ」ためらいながらも、革のケースを取り出さざるを得なくなる。「ほら、鍵と乗船券、生きのびるための切符です」

誰《だれ》かが後ろからぼくの肩を叩いた。刺激的なポマードの臭《にお》いがした。

「駄目だよ、無届けの商売は。皆さんちゃんと場所代を納めて店を開いているんだ」

髪を七三に分けた箱のような男が、金壺眼《かなつぼまなこ》をうるませて立ちはだかっている。よく伸びた背筋と背広の胸のバッジから、デパートの警備関係者らしいことはすぐに分った。

「していませんよ、商売なんか」

「同行ねがいましょう。文句は事務所の方で伺います」

周囲の視線が集中する。見世物を期待する好奇心の壁。金壺眼がぼくの腕を摑《つか》んだ。筋肉のあいだに指が食い込み、手首にしびれが走った。心得のある扱いだ。目くばせで昆虫屋に救いを求める。ひとこと口添えくらいあってしかるべきだろう。だが彼は顔を伏せ、しきりにポケットを探りつづけるばかりだ。口先ばかりで頼りがいがない。今後の教訓にしよう。めったなことで切符を手放したりしてはいけないのだ。

あきらめて腰を上げかける。急に金壺眼の手がゆるんだ。昆虫屋が右手を突き出していた。二本の指の間に薄茶のカードがはさまれている。

「許可証、ホの十八番」

「駄目、駄目、商売していたのはこっちの人さ」

「私の相棒ですよ。名義人以外の使用を禁じるなんて、そんな項目が契約書の何処かにあったっけ」

「そういうことなら、まあ、なんだけど……」

「しょうがない、事務所にお供しましょう」

「いや、事情が分ればけっこう」

「そうはいかない。こんなふうに人前で恥をかかされたからには、それなりに決着をつけていただきたいしね」

「申し訳ありません。でも、決まりの場所以外での取り引きは、原則的にご遠慮ねがっておりますので」

「分っているよ。ご苦労さん」

金壺眼は掌を垂直に立て、素早いすり足で後退しながら姿を消してしまう。ぼくは反省していた。ほんの数分間でも昆虫屋に疑いを抱いたことに悪びれていた。

「すみません、助かりました」

「警官上りが多いんだ。点数稼《かせ》ぎに熱心なのさ」

「とにかく、受け取って下さい」乗船券を押しやって、「ユープケッチャの容器ほどじゃないけど、ケースもよく出来ているでしょう、手造りの本革ですよ」

「箱だけ立派で、中身は屑《くず》ってわけか。正直に言ってくれたもんだね」

「とんでもない、生きのびるための切符です。開けて見てください」

「生きのびるって、何から」

「危機からに決っているでしょう」

「なんの危機」

「危機に瀕《ひん》しているとは思わないんですか、自然も、人間も、地球も、世界も」

「思うよ。思うけど、思ったってどうしょうもないじゃないか」

「出掛けましょう。案内します」

立ち上ってうながしたが、昆虫屋は乗船券のケースに手を触れようとはせず、腰を上げようともしない。

「苦手だね、社会運動みたいなのは。万事成り行きまかせが性に合っているんだ」

「他人の心配をしようってわけじゃありません、自分のための切符です」

「遠慮しておくよ。他人を出し抜いてまで生きのびるほどの柄じゃない。希望の持ちすぎは一種の罪悪じゃないかな」

筋の通った返事だ。痛いところを突いてくる。

「分らないな、売れ残りのユープケッチャと交換なんですよ」

「またの話にしよう、慌《あわ》てることはないさ」

「認識不足だな、危機はすぐそこまで迫っているんだ、新聞読まないんですか」

「すぐって、どのくらい」

「明日でも不思議はないくらい」

「今日じゃなく、明日か」

「譬《たとえ》ですよ。いまこの瞬間かもしれない。とにかく差し迫っているんだ」

「賭《か》けようか」

「何を」

「今から十秒後に」ストップウォッチ付きの腕時計のリューズに指をのせ、「あんたの言うとおり危機がくるかどうか、一万円。おれは来ないほうに賭けるね」

「可能性を論じているだけです」

「二十秒に延長してもいいよ」

「そんなの、五分《ぶ》と五分でしょう、いずれにしても」

「二十分たっても、二時間たっても、二日たっても、二箇月たっても、二年たっても、けっきょくは五分と五分なんだろ」

「賭けられないと、関心もてないんですか」

「そうむきになりなさんな、言いたいことは分っている。仮に二十秒後に危機が来たとしようか。せっかく勝っても、あの世じゃ金は使えない。何も起らなかった場合だけ、起らないほうに賭けた者が金をせしめることになる。いずれ賭は成立しないのさ」

「だったら乗船券、受け取ってもいいじゃないか」

「うっとうしいんだな、あんたの話は」

「なぜ」

「この世の終わりを売ってまわる奴《やつ》とは、どうもそりが合わなくてね」

勝手にくたばってしまえ。せっかくの大頭だが、中身は豆腐の屑にちがいない。ユープケッチャもぼくの買いかぶりだったのだろう。

「後悔したときには、もう手遅れだからね」

「おれ、小便に行ってくるよ」

「乗船券、本当にいらないんですね」

昆虫屋は腰を上げた。これ以上大事な乗船券を晒《さら》しものにしておくにはしのびない。のばしかけたぼくの手の下に、昆虫屋の手がすべり込んできた。素早くケースを摑み上げ、ずり落ちた眼鏡をなおしながら顔じゅうを笑いでいっぱいにする。和解を求めているようでもあり、からかっているようでもある。

「売り場のほうで待っていてくれないか、すぐ戻るから」

「待ち呆《ぼう》けはご免ですよ」

「荷物、置きっぱなしのままなんだ」

「捨てるつもりのユープケッチャでしょう。そんなの、なんの保証にもなりゃしない」

昆虫屋は腕時計を外し、ケースがあった位置に置いた。

「セイコーのクロノグラフの新型だよ。あんたこそ持ち逃げはご免だぜ」

3

　昆虫屋の屋台はすっかり片付けられていた。売る気をなくしたという言葉を信用してもよさそうだ。向って左側の店（何を扱っていたかよくは思い出せない）も看板を下している。今にもひと雨来そうな空模様だし、そろそろ六時二十分、閉店が近いのだ。屋台の袖《そで》をくぐって内側に入ると、大型のトランクが椅子がわりに据えてある。ユープケッチャはこの中なのだろう。他人の目を意識しすぎる何時《いつ》もの癖で、背をこごめて腰を下す。気の遣いすぎだ。客足はまばらだし、引き潮に乗りおくれた子《こ》蟹《がに》みたいにせわしげだった。

　昆虫屋からあずかった腕時計をズボンの尻ポケットからシャツの胸に移しかえる。気が滅入《めい》る。天気のせいばかりではなさそうだ。昆虫屋に乗船券を渡したことを悔んでいるのだろうか。空想の中ではあれほど待望していた仲間が、現実に姿を現わしたとたんにずるずる尻込みを始めてしまう。嫌な癖だ。もっと積極的に考えよう。けっして悪い男ではない。無愛想だが口先だけのきれい事よりはましである。誰もがユープケッチャの発見者になれるわけではない。たぶん見せ掛け以上に頭の回転が速いのだろう。とくに最初の仲間は、ただの従卒では困るのだ。

それでも心配なら、彼が小便から戻り次第ぼくが船長であることを告げ、下船勧告には無条件に従うという誓約書に署名してもらえばいい。ぼくが発見し、設計し、建造した船である。乗組員が船長の方針に従うのは当然のことだ。もっとも署名くらい、その気になればいくらだって反故《ほご》に出来る。その時はその時で懲罰システムを作動させるしかないだろう。もともと外敵にそなえた防衛装置だから致命傷を与えかねないが、共同生活をいとなむ以上最低限の秩序は必要である。べつに船長風を吹かすつもりはないし、吹かしたいとも思わないが、船を棺桶《かんおけ》がわりにするわけにはいかないのだ。

いずれ決断は避けられない。どこかで妥協しなければ、永遠の独り相撲になりかねないことは目に見えている。一人や二人の手に負える船ではないのだ。最終的には三百八十五人を乗り込ませる計画である。錨《いかり》を上げる前に老朽船にしたくなければ、思い切って昆虫屋に乗り込んでもらうべきだろう。

通路をへだてた真向いのラベル屋（数千種類ものマッチ箱と菓子の包み紙などのコ

レクション）も、あわただしく荷物をまとめはじめた。はかばかしくない売れ行きによほど腹を据えかねたらしく、シートを留めてある画鋲《がびょう》を外す手間も惜しんでボストンバッグにつめ込んでいく。売れないのが当然だ。ユープケッチャとは事情がちがうが、商品が個人的趣味にかたよりすぎている。売り場の女性も、初老を過ぎているくせに黄色いサングラスに粋《いき》な和服といういでたちで、屋台にはふさわしくない。おまけに［亡夫の思い出］という泣かせ文句が看板の下に書き添えてあり、かえって客足を遠ざける効果をあげている。たしかに昆虫屋の言うとおり、世間に希望を持ちすぎるのは罪悪なのかもしれない。

右隣の水大砲屋（水鉄砲ではない）は、台を取りはらった床に直接据えた奇妙な機械に頰杖《ほおづえ》をつき、口上はテープレコーダーまかせ。恨みがましく空を見つめている。雲はさっきよりも高くなり、むらのある渦《うず》がヘリコプターほどの速さで飛んでいた。なんとか雨はもちこたえてくれそうだ。しかし水大砲が売れる見込みはありそうにない。第一に値段が高すぎる。一千万円というのは、将来の値上がりが見込まれるか、ただ実用価値が伴わなければ成り立つ値段ではない。テープの口上を聞いていると、製作日数を原価計算の根拠にしているようだ。元国鉄の職員で、蒸気機関車の原理を応用したものだという。実用新案を申請中らしいが、素人考えでも蒸気圧が火薬の起爆力に匹敵できるとは思えない。低騒音、無公害の短距離用物体発射機としてならゴム動力でじゅうぶんだろう。デザインも感心しない。不格好な石炭ストーブから、ずんぐりと砲身がのび、男子生殖器にそっくりだ。笑う気にはなれても、百円だって払う気にはなれない。

どうやらデパートの触れ込みどおり、この連中は本物の素人らしい。素人の出る幕ではないと思った。好奇心をくすぐられはするが、それ以上に落胆させられる。突っ張った欲の皮が見えるだけで、他人の気持にはまるで配慮が欠けている。騙《だま》してもいいから、楽しませてほしいものだと思う。その点ユープケッチャはちがう。これはまぎれもない玄人《くろうと》の作品だ。

通路の角に男が一人姿を現わした。ふわりと鳥のように立ちどまる。そば屋の調理場のような熱気のなかの背広姿は、いやでも目立つ。胸のバッジが見えなくても、休憩所でいちゃもんをつけてきた例の警備員であることはすぐに分った。また何かあら探しをしに来たのだろうか。邪魔されたくなかった。屋台が空っぽのままでは相手につけ込まれかねない。残りの乗船券二つを取り出して売り場の台に並べた。たたみ一畳分もない白木の台が、持て余すほど広々と見える。悪びれることはない。ケースの中身はこんな屋台一万台を並べても間に合わないくらいの価値があるのだ。警備員は無表情に通り過ぎた。視線の端がぼくの手許《てもと》をかすめた。顎《あご》の先から汗がしたたっている。ぼくも水源地なみに汗まみれだった。

昆虫屋は何をぐずついているのだろう。小便にしては時間がかかりすぎる。腎臓《じんぞう》結石にでもかかっているのだろうか。

二人連れが屋台のまえに立ち止まった。男は短いスポーツ刈り、黒いズボンに白の開襟《かいきん》シャツ、脂《あぶら》ぎった腸詰めのような首に金色のネックレス。女は指で掻きまぜたままの髪、紫がかった口紅、派手にハワイの海岸風景をプリントしたTシャツ。場違いだ。こちらは体裁をととのえただけで、まともな売り物を用意しているわけではない。断ろうとしかけて、気が付いた。あの女だ。間違いなくぼくの前にユープケッチャを買った(あるいは買うふりをしていた)サクラの一人である。髪型も化粧も衣装もすっかり変っていたが、見間違えようがない。昆虫屋もしきりに「いい女」を連発していたが、ちょっとした変装くらいでは変りようのない際立った雰囲気《ふんいき》がある。

しかし男については同一人物かどうか確信が持てなかった。さっきの長髪は鬘《かつら》かもしれない。女が変装しているのなら、男だってその可能性はある。そのつもりになって見ても、なかなか印象が一致してくれないのだ。気にくわないと外見だけが目につ いてしまうのだろうか。残念なことに十年は若返り、おかげで二人は似合いの組み合わせに見えた。

「虫屋さん、何処に行ったの」

男が台の上に指をすべらせる。ほこりを調べる手つきだ。どう応対すべきかとっさに判断しかね、口ごもる。

「トイレでしょう……」

「店はたたんだの、商品の入れ替えかい」

電信機を打つような指先の動き、平板なしゃがれ声、答える義務はないと思いながらも答えてしまう。

「店じまいです。彼、売る気をなくしちゃったらしい」

「どうして」女が細い首を傾《かし》げ、さりげなく乗船券に手をのばした。「せっかく可愛《かわい》い虫だったのに」

手を出したのが男だったら、反応も違っていたはずだ。しかし女の指は骨がないように透けて見えた。乗船券が傷《いた》む気遣いはない。

「弱ったな、集金に寄ったんだけど、立て替えてもらえますか」

「売れ行き、さっぱりだったようですよ」

「そんなはずはないさ」男が語気を強めた。職業的な自尊心かもしれない。「この目で見たんだから間違いない、売れてたよ」

女も小刻みにうなずく。張りつめた視線。ユープケッチャの価値を本気で強調しているようにもとれる。考えられないことだ。彼女だってサクラの片棒をかついでいたのだから、本心であるはずはない。客寄せのための演技にきまっている。そう思いながらも親近感をおさえきれないのだ。子猫《こねこ》ににじり寄られた猫嫌いの心境。つい軽口を叩《たた》いて、相手に居坐《いすわ》る口実を与えてしまう。

「憶えていないのかな、ぼくのこと」あせもでひりつく首に顎を埋め、ことさら肥満を誇張しながら、「こっちじゃ憶えているけど」

「憶えている」女が手を打ち合わせ、瞳孔《どうこう》がさらに輝きを増す。「私たちのすぐ後でユープケッチャを買っていた人、そうでしょう」

「そう、あれ一匹だけですよ、売れたのは」

「馬鹿な、計算が合わないじゃないか。おれたちも買ったんだから、最低二個は売れたはずだぞ」

「無理しないでいいよ、分っているんだ」

「何を」

「あんたたちの商売さ」

二人は顔を見合わせ、さりげなく笑った。笑いの下に困惑が透けて見える。

「どういう関係だい、虫屋さんとは」

「関係なんかないよ。ユープケッチャが気に入っただけさ」

「妙だな。そんな行きずりの相手に、店番を頼んだりしますかね」

「小便の我慢は体に毒だから」

「なんだろう、これ」

女が乗船券のケースを耳元で強く振ってみる。やや高めの澄んだ声、緊張が感じられなくもない。サクラであることを見破られた狼狽《ろうばい》だろうか。

「その薄っぺらさじゃ、どうせ紙虫《かみむし》だろ」皮肉でまぶした、ひしゃげ声。右肩をゆすって、指の関節を鳴らした。「当節ジャリ物は角《つの》を生やしてなきゃ商売にならないんだ」

「ユープケッチャに角なんかないよ」

「だから売れないのさ」

「なにかもっと硬いもの、金属製みたい」

素早く男の手が屋台に残された最後のケースにのびてきた。そうはさせない。摑み取ってポケットに戻す。

「そりゃないだろう」

「売る気はないんだ」

「見てもいいでしょう」女が上目づかいにぼくをうかがう。

「遠慮することあるかよ、開けてみな」

女がケースの両端をつまみ、中身を屋台の上に振り出した。飾り付きの真鍮《しんちゅう》の合鍵《あいかぎ》が音をたてて落ち、プラスチックのカードが風に乗って滑った。男が虫を叩く手付きで落ちる寸前をあやうく食い止める。同時に動いたぼくの手を振り切って後退し、いたずらっぽく笑った。あくまでもゲームをよそおうつもりらしい。

「へえ、乗船券だとさ。生きのびるための切符とは意味深長だね。何かの会員募集かな」

合鍵を掌《てのひら》のうえではずませながら、女が男の手許をのぞきこむ。

「裏は地図よ」

昆虫屋はなにをぐずついているのだろう。いくら便所が混《こ》んでいたって遅すぎる。あれから五分はたっている。戻ってこないつもりなのだろうか。トランクと時計を犠牲にしてまで逃げ出したくなるほど、ぼくが気に入らなかったのだろうか。皮肉なことにこの連中のほうが乗り気になっている。これでよかったのかもしれない。負け惜しみではなく、とくに昆虫屋である必要はなかったのだ。女を見た。男と見較《みくら》べた。もし女がサクラの連れでなく、一人で現われていたとしたら、ぼくは無条件にこの新事態を受け入れていただろう。乗組員の第一号は、女がいいにきまっている。

「変な質問だけど、あんたたち、どういう間柄ですか。仕事上のパートナーなのか、それとも……」

まったく変な質問だ。自分で尋ねておいて、耳をふさぎたくなる。男が笑いやめ、手の甲で唇《くちびる》の端をぬぐった。

「分るよ、似合わないんだろ。よく尋ねられるんだ。質問を受けるたんびに、鮎《あゆ》の友《とも》釣《づ》りのことを思っちゃうんだな」

「よく尋ねられるって、なぜ……」

「この人」女の微笑を顎でしゃくって示し、「よほど淋《さび》しげに見えるらしいね。嫌な男にしぶしぶ仕えさせられている、気の毒な女って感じ……で、男の闘争心をかきたてる。すかさず竿《さお》をあげると、鮎の友釣りってわけ」

この人、という言い方はいかにも他人行儀だ。希望が持てるような気もした。同時に釣り師の立場を誇示されたようでもあり、よけい男が目ざわりになる。

「あいにく釣りは嫌いでね」

女がゆっくり微笑を消していく。ちょっぴり上目づかい、唇の両端の刻み、厚めの化粧のくせに本当に淋しげだ。効果を承知した上での計算ずくの表情なのかもしれない。

「それはそうと、この商品について、ひとこと説明くらいあってもいいんじゃないですか」男がカードを爪《つめ》ではじいて、尻上りに語気を強めた。「客の選《え》り好みはいけません。いったん売り場に陳列した以上、そういう態度はまずいんだ。虫屋からも聞いているだろ、ここの出店の半分は私の口利《くちき》きでね。請負ったからには私にも責任がある。客の選り好みをされちゃ困るんだ」

「誤解ですよ、売り物じゃないって、最初から言っているでしょう」

「そうはいかない、陳列されたものはすべて売り物さ」

「だったら、謝ります、すみません。返して下さいよ」

「あんた、虫屋によほど変なこと吹き込まれたらしいね、サクラだとかなんとか」

「違うんですか」

「辞書によると、サクラは売手とぐるになって客の購買欲をあおる役目の大道商人の仲間、または演者と共謀して観衆の扇動をはかる者、となっている。語源は《桜の只《ただ》見《み》》らしいね。しかし今はもうサクラなんて言い方はしないんだ。実体はともかく、もうそんな外聞の悪い呼び方はしません。販売促進員ていうんだよ。デパートの方でも、正規の出入り業者と認めてちゃんと口座を開いてくれているくらいだからな」

女が男の手首をつかんだ。乗船券の裏の地図からさらに正確な情報を見きわめたいのに、興奮気味の男が体をゆすりつづけるので視点が定まらず、苛立《いらだ》ったのだろう。この機会を逃せない。乗船券めがけて手をのばす。思った位置に、思った速度で指が届く感触があった。体重がかかる下半身はともかく、上半身の動きなら、肥満はべつに機敏さの敵ではないのである。

失敗だった。サクラの手から乗船券は消えていた。手品だ。男がこれ見よがしに反対側の腕をひと振りする。別の二本の指の間にカードが姿を現わした。息を吹きかける。風車になって回りだす。

「降参だ。返して下さい。その上で、話し合いは続けることにして」

「よほどの貴重品らしいよ、このこだわりようだと」

「逆効果ね」笑って女がぼくとカードを見較べる。「猫に鰹節《かつおぶし》……」

「貴重品です」われながらうんざりさせられる弱々しい声。「値段だって、屋台の客には無理だと思うな」

「見くびられたもんだね」

「そんなつもりじゃない」昆虫屋のやつ、いつまで小便を続ければ気がすむのだろう。

「正しい使用法を知らなければ、なんの役にも立たないんだ」彼が戻るのを待って、助けを求めるしか手はなさそうだ。「宝の持ち腐れもいいとこでしょう」援軍としてどこまで期待できるかは、その場になってみなければ分らない。「一般の商品のように、金を払えば自分のものになるっていうわけにはいかないんだ」腕力だけなら昆虫屋のほうに分がありそうだ。しかし実戦力はサクラのような気もする。いい勝負になるだろう。サクラに針金の鋭さがあるとすれば、昆虫屋には針金切りのしぶとさがある。それにぼくだってまったくの非力というわけではない。体重も使い方しだいでは立派な戦力だ。

「乗船券っていうと、船でしょう。どういう船かが問題よね」

「問題は鍵じゃないかな。どういう鍵穴の鍵か、そいつが問題だろう」

「案ずるよりは産むが易《やす》し……」

旅行案内のページでもめくっているような、女のはずんだ声。その場の空気を和らげるつもりか、おどけた仕種《しぐさ》で合鍵を鼻先で鈴のように振って見せる。乗船券は駄目《だめ》でも、合鍵だけは取り戻したい。とまっている蠅《はえ》を素手で捕えるのがぼくの特技である。女の手許に目をすえる。男にはしてやられたが、彼女が相手なら自信があった。

しかし何かがぼくをためらわせる。感情的になりすぎていることへの自戒だったようだ。さっぱり乗り気になってくれない昆虫屋には、乗船券を受け取らせようとして説得に努め、さっそく餌《えさ》に食いついてきたサクラからは、取り戻そうとしてやっきになっている。衝動に流されてはいけない。ここは時間稼ぎをして、昆虫屋との合流を待つことにしよう。[生きのびるための切符] が分散して、管理不能になる事態だけはなんとしても避けなければならない。

激しい雨が叩きつけてきた。大水塊の墜落だ。しぶきで視界がかすみ、コンクリートの床が共鳴して鳴る。客がいっせいに出口に向って走り出す。店番は商品のかたづけに追立てられる。

どさくさにまぎれてサクラたちも駆けだした。呼びとめる間もなかった。追い掛けようとして屋台の隙間《すきま》に割り込むと、天幕にたまった雨の重さで支柱が傾ぎ、腕木に足をとられてしまう。つんのめった。膝頭《ひざがしら》に白熱光が走った。膝が弱いのは肥満体の宿命である。

誰かが後ろから抱え起してくれた。わきがの臭いがした。昆虫屋だった。

「何をぐずぐずしていたんです」

「すまん、すまん、小便だけかと思ったら、糞《くそ》にまで付き合わされてしまった。ここのところ、ずっと下痢《げり》気味でね。低気圧のせいかな」

「追いかけてくださいよ、急いで」

「誰を」

「サクラに決っているでしょう」

先に立って駆け出そうとしたが、左足がゴムのように無感覚だ。昆虫屋の肩にすがり、かろうじて転倒をまぬかれる。

「いかす女だろ。顔を見ると抱きたくなる、尻《しり》を見ると抱かれたくなる」

「それどころじゃない、持ち逃げされたんだ」

「何を」

「乗船券さ。やつら、かっぱらって行きやがった」

「なぜ」

昆虫屋は雨を避けようとして、ぼくを天幕の下に押し込んだ。さからおうとしても、足が言うことをきいてくれない。

「あの切符がどれだけの値打ちのものか、知らないからそんな悠長《ゆうちょう》なことを言っていられるんだ」

「知るわけないさ。連中だって知っちゃいないだろ」

「君よりは勘がいいみたいだったね」

濡《ぬ》れた大頭にボールペンで描《か》き込んだような髪。耳たぶと顎の先の蛇口《じゃぐち》がゆるんで、水がしたたっている。

「やきもきしなさんな、居場所の心当りはあるんだ。歩けるのなら肩を貸すよ」

折れ針を散らしたような痛みが走るが、感覚は戻りかけている。トランクを下げた昆虫屋の肩につかまり、水びたしになって出口に向った。蛍《ほたる》の光を伴奏にしてスピーカーが閉店のアナウンスを流しはじめた。非常階段から駆け上ってきた設営担当の裏方が、腰の道具袋のバールを抜いて端から屋台の解体作業にとりかかる。

エレベーターの前に五メートル四方ほどの軒があり、雨を避けようとして殺到した連中がもみあっていた。積載量超過を告げるベルが鳴り響き、エレベーターの扉《とびら》は開けっぱなしのままだ。誰ひとり譲ろうとする者はいない。譲ろうにも身動きが出来ないのだ。怒鳴り合う声……子供の泣き声……女の悲鳴……ベルが鳴りつづける。

「どうしようもないな、くそったれ」

「早く探してくれよ。男はスポーツ刈りで、女はパーマ。何かの風景をプリントしたTシャツに……」

「無理だよ、見たら分るだろう」

「階段を使ったら」

「九階だぜ、ここは」

「いいよ、何階だって……」

エレベーターの昇降口を回り込むと、白いペンキを塗った鉄の扉があった。［非常口・関係者以外ご遠慮ねがいます］活字体の木札がさがっていた。

4

ドアを開けたとたん、一万匹の虻《あぶ》のうなり。吹き抜けの竪穴《たてあな》に反響するモーターの音だ。店内の賑《にぎ》わいからは想像もつかない実用一点張りの急な階段。踊り場の端に各階の番号をふってある以外、なんの化粧もしていない打ちっぱなしのコンクリートの壁。干した生皮の臭いがした。

手摺《てす》りが左にあるので、痛む左膝をかばうのには都合がいい。六階の踊り場で一息いれ、関節をのばして体重をかけてみる。水がたまった感じはあるが、痛みの放散はなく局所的だ。昆虫屋《こんちゅうや》の眼鏡が白く曇りはじめる。

「連中の行先、心当りがあるって確かなんでしょうね」

「事務所をかまえているんだ、電話一本の貸事務所だけど」

「そこでサクラの注文を受けているんですか」

「露店の斡旋《あっせん》。ショバ割りが商売さ」

「やはり的屋じゃないか。販売促進とかなんとか、きれいごと言っていたけど」

「直接に組とは関係ないらしいんだ。やくざの紐付《ひもつ》きじゃ、表向きデパートに出入りは御法度《ごはっと》だろ。まあ、こっそり上納金くらいは納めているのかな」

「そんな事だろうと思っていたよ。虫が好かない連中さ」

「彼女もかい」即答するには重すぎる質問。膝が痛んだふりをして足をとめる。昆虫屋がトランクを持ちかえ、振り向いて薄笑いを浮べた。「気になるんだろ、彼女のこと。あんたはどうだか知らないけど、おれは気になるね。あんな奴にはもったいないよ」

「鮎の友釣りなんだってさ」

「まあね」舌の先で上下の唇を交互に舐《な》めた。歩調に合わせてトランクが階段の角を打つ。「隅《すみ》に置けない野郎だよ、ゴキブリだって一目おくね」

「でも、まっすぐ事務所に戻《もど》っているかな、こんな時間に。訪ねる前に電話で確めてみたほうがいいんじゃないか」

五階を過ぎ、四階の踊り場を通過した。せわしげな制服の警備員二人とすれ違う。エレベーターの運転を再開するため、客の整理に急いでいるのだろう。明かり取りの天窓を雨が洗っている。

「おれがあんただったら、そんなことで手間どるより、さっさと港に直行しちゃうだろうね」

「港って」

「港だろう。乗船券というからには、船に乗るわけだ。船が停泊しているのは、港に決っているじゃないか」

「でもぼくの船は、海に浮べてあるわけじゃない。正確にはドックかな。うん、ドックはいいね、これからはドックにしよう」

「連中、遅かれ早かれ乗り込んでくるよ」

「なぜ」

「地図がのっていただろ、切符の裏に」

「早いな、もう見たんですか」

「見たさ。糞をするあいだ、なんでもいいから読みたくなる癖があってね」

「あの地図だけで場所が分るだろうか」

「釣り好きならね。おれは海釣りだから、よけいぴんときたよ」

「そうか、あいつも釣り好きなのかな。鮎の友釣りなんて言っていたけど」

「あの辺、いい釣り場が多いだろう」尻のポケットを派手に叩いた。乗船券を入れてあるらしい。「あの地形、憶《おぼ》えがあるよ。たしか古い釣り宿があったんじゃないか」

ズボンの前の閉め忘れを指摘された気まずさ。話はそこまでにしてほしい。船の中にまで過去を持ち込まれるのは真っ平である。帆をあげるときには赤ん坊みたいに白紙に戻っていたい。

「うっかりしていた、時計返すの忘れていたっけ」

二階の踊り場で最後の休憩をとる。膝の痛みはほとんど引き、わずかにだるさが残っているだけだ。しかし相手を油断させるために、痛むふりを続けるほうが賢明かもしれない。昆虫屋は受け取った時計を腕にはめ、ユープケッチャのトランクを椅子《いす》がわりにしてタバコをくわえた。

「禁煙ですよ」

「くわえるだけさ。一日五本に制限しているんだ」

「やはり生きのびたがっているわけか」

「ちがう、死にぎわをよくしようとしているだけさ。肺癌《はいがん》の最後は、惨憺《さんたん》たるものらしいからな」

顔を見合わせ、意味もなく笑いだす。

「そうかもしれない。たしかに事務所を訪ねて手間取ったりするより、船に先回りするほうが賢明かもしれないね。付き合ってくれますか」

「もちろん付き合うよ、医務室までならね。たしかこの階の奥にあったはずだ。捻挫《ねんざ》はこじらすと、後がやっかいだからな」

「話がちがうじゃないか。一緒に行ってくれる約束でしょう、連中のいるところまで」

「そんな約束したっけ」

「医務室の応急処置くらいじゃ、運転なんか出来ないよ、ジープだからね。下の駐車場に置いてあるけど、やたらクラッチが重くて……」

「おれに運転しろっていうの」

「出来ないんですか」

「笑わせないでくれよ、宅配便をやっていたんだ。でも、そこまで付き合わされる義理があるのかな」

「時計を返してやったのに、乗船券を返さないじゃないか」

「返してほしけりゃ、そう言ってくれよ。ユープケッチャの残りが欲しくて、交換したのだとばかり思っていた」

昆虫屋が腰を浮かせ、尻ポケットを探りはじめる。テーブルの上を卵がころがりはじめたような狼狽。

「誰も返せなんて言っちゃいないだろ」

「そうわめくなって。嫌《きら》いなんだ、大声でわめく奴は。犬でも、豚でも、人間でも」

「豚だって……」

豚はいけない。耳の中を虫が這《は》いまわる音。ぼくだって昔から豚だったわけではないのだ。子供の頃は焼き鳥の串《くし》みたいに細かった。それに豚だって昔からのデブだったわけではない、たしかにヨークシャー種が飼育頭数の九十パーセントを占めていた時代には、豚が肥満の代名詞だった、この種は別名ラード型とも呼ばれ、化学合成油脂が実用化されるまでの重要な脂肪供給源だったのだ、単に食用油としてだけでなく、ガマの油、万金膏《まんきんこう》、それから坐薬《ざやく》に使われている不思議膏、ルイ王朝時代に流行《はや》ったという髭《ひげ》用のポマード、そういった物にも広く利用されていた、しかしやがて需要が食肉用に向うにつれ、ベーコン型のランドレース種、もしくはハム精肉型のバークシャー種に母屋《おもや》を明け渡す、つまり脂肪層が薄く、赤身率が高いタイプである、肋骨《ろっこつ》が四本も増えて身長は長くなり、体質強健、もう以前のような異常肥満の心象はどこにもない。

ぼくの生物学上の父親は通称［猪突］と呼ばれ、地元の鼻つまみ者だった。猪突猛《ちょとつ》進の猪突だが、チョトツではなくイノトツと読む。性格がまさに猪突猛進だっただけでなく、むかし［猪口］（地名）という岩棚《いわだな》で釣り宿（昆虫屋が噂《うわさ》を耳にしていたとは驚きだ）を経営していたことから、そんな綽名《あだな》がつけられたのだろう。［猪口］もチョコではなく、イノクチと読む。猪山（イノヤマ）の先端が海に落ち込む、鼻面《はなづら》の形をした入江なので、イノクチなのだろう。

生物学上の父親である猪突とぼくの間に多少の共通点があるのはやむを得ない。たとえば百キロ近い体重である。ただ猪突は身長が一メートル九十以上あり、既成のシャツが合わないほど首が短く、豚というよりはやはり大猪《おおいのしし》の威圧感をそなえていた。実際には動作が鈍く、気も弱いのだが、一目おかれ敬遠されていたのはその外観のせいだろう。奇妙に波打っている生え際《はえぎわ》を隠すため、いつも派手な緑色のハンチングをかぶり、それも人に不安を抱かせる原因になっていたようだ。とにかく目立ちたがり屋で、用もないのに市役所周辺をうろついてまわり、勝手に役職名をつくって名刺に刷り込んだりしていた。やがて欲が出て本物の市会議員バッジを欲しがりはじめる。しっかり者の彼の妻（つまりぼくの義理の母）は、さからうかわりに、釣り宿を自分の名義に書き換えさせることにした。部屋ごとに調理場のついた、間数の多い旅館で、釣り好きの板前などにはとくに喜ばれていたようだ。猪突の資産としては、ほかにも二十五トンほどの漁船が二隻《せき》あった。妻が案じていたとおり立候補のたびに次々と手放し、ハンチングをソフトに替えても効果がなく、財布が空になった時にはひどいアルコール中毒になっていた。風呂《ふろ》ぎらいの猪突は、やがて犬も逃げ出すほど体臭がひどくなり、市役所でも門前払いをくわされるようになった。ある日、昼寝中の妻につまずいて倒れ、本人は鼻をくじいただけで済んだが、妻は死んでしまった。内臓破裂だったので、踏み殺されたのだという噂が立ち、証拠不十分で不起訴になりはしたが、おびえた従業員全員に逃げられてしまった。猪突はぼくと母（実の母である）を引き取った。母は市道をへだててすぐの裏山（猪山）でタバコ屋をやっていたのだが、猪突に強姦《ごうかん》されてぼくを産んだらしい。釣り宿に引き取られた翌年、十二歳の夏、今度はぼくが強姦の嫌疑《けんぎ》をかけられるはめになってしまった。相手は三十歳年上のおでん屋の女である。強姦したのは誰か別の男で、ぼくはたまたまその現場を覗《のぞ》いていただけなのだが、猪突の血をひく小豚ともなると申し開きは難しい。猪突はとつぜん正義の代行人になり、ぼくを捕えて裏山の地下採石場跡（現在の船）に閉じ込め、一週間ものあいだ鎖でつなぎっぱなしにしてしまったのだ。母がこっそり鎖を切ってくれた。

ぼくが肥《ふと》り始めたのはそれ以来である。くどいようだが生れつきのデブではない。不当な暴力による代償性の肥満なのだ。今でも左の足首に鎖の跡が残っている。十四歳で家を出た。その後も肥りつづけ、鎖の跡といっしょに、猪突にたいする憎悪《ぞうお》も増殖しつづけた。噂によると猪突はいまだに市会議員の夢を捨てきれないでいるらしい。しかし前科四犯とも七犯とも言われる乱暴者で、アルコール中毒患者で、十メートル周辺に異臭をまき散らしている男を誰が相手にするものか。生物学上の息子であるぼくでさえ、おなじ市内に住みながら、この数年間にたった一度しか顔を合わせていないくらいである。

たのむから豚を話題にするのはやめてほしい。耳にしただけで、人格をまるごと挽《ひき》肉《にく》機に詰め込まれた気分になってしまう。ぼくを豚あつかいする地元の連中は、事前に乗組員の審査対象から除外してやった。顔見知りのほとんどが除外の対象だ。ぼくを豚と呼びそうなやつは想像のなかで端から蚤《のみ》に変えてやる。蚤にしておいて、親指の爪のあいだでつぶしてやる。

「そうむきになることはないだろう。悪気じゃないよ。うるさく吠《ほ》え立てさえしなけりゃ、犬なんか大好きさ。いまも一匹飼っているんだ、雑種だけどね」

「犬くらいぼくだって飼っていますよ」

「スピッツだろう」

「まさか」

「君が嫌《いや》なら、無理にとは言わない」昆虫屋は火のついていないタバコをくわえなおし、存在しない窓を見上げた。どんな風景を見ているのだろう。「この時間の医務室は、デパート酔いの患者でごったがえしているからな。デパート酔いって知っているかい、帰っても誰もいない家庭の主婦の持病なんだとさ」

「付き合ってくれるんですね、船まで」

「そうは言っていない。乗船券はもらっておくよ、いずれまたの機会ってこともあるし。日が暮れはじめると、まず一杯やりたくなるんだ。そのために毎日こうして生きながらえているようなものでね。ユープケッチャは車まで運んでやるよ」

「君には事の重大性が分っていないらしい」

「買いかぶりさ」作業用のゴム手袋を思わせる肉厚の両手を、派手に打ち合わせ、はずみをつけて立ち上る。「あんたみたいに思いつめるたちじゃないんでね」

「そう言わずに付き合って下さいよ、酒なら船にもあるし。バイパスに上ってしまえば、一時間足らずの距離なんだ。ジープしか通れない近道も知っているし」

「分らないね、なんだっておれがそう頼りにされるのか」

「ユープケッチャが取り持つ縁ですよ」

「おれとしちゃユープケッチャは、最近の失敗作でね、その証拠にたったの一匹しか売れなかった。読みが狂ったのさ。なんとかいうドイツの心理学者の説によると、現代はシミュレーション・ゲームの時代なんだそうだ。そこで現実と記号の混同がおこる。一種の閉所願望、トーチカ願望、それに攻撃性が加わったら戦車願望なんだとさ。分らなけりゃ、分らなくてもいい、新聞に書いてあったんだ。その結果が電気仕掛けの怪獣や、モデルガンや、テレビ・ゲームの流行だと言われれば、そんな気もしてくるだろう」

「サクラが言っていましたよ、ユープケッチャには、角がないから駄目なんだって」

「なるほど。あんたも連中と組んだほうがいいんじゃないの、おれなんかより」

「ぼくは角なんか無くてけっこう。いずれ船の旗をつくる時がきたら、ユープケッチャを図案化して旗のマークにしたいと思っているんだ」

「けっきょくのところ、狙《ねら》いは分譲かい、それとも賃貸しかな」

「命に値段なんかつけられっこないでしょう」

階段が跡切《とぎ》れ、地階のドア。昆虫屋は把手《とって》をにぎり、しかしすぐには開けずに耳をよせた。

「店員の商品持出し防止に、警備の見張りが立つんだ。おれたちは平気だけど、でも嫌だろ、身体検査なんか」

ドアを開ける。食料品売り場特有の均一に濃縮された騒音の噴出。売り場との間に衝立《ついたて》があるだけで、人影はない。

「行くぞ」昆虫屋がトランクを船首の水切りのように構え、売り場の雑踏に突っ込んでいく。「病人だ、病人だ、開けてください、病人だ……」

ぼくも調子を合わせ、前かがみになっておおげさに息をあえがせる。

駐車場でも車の列が出来はじめていた。

「このジープ、一ナンバーじゃないか」

「二六〇〇CCだから、トルクはすごいよ」

しかし昆虫屋に運転する気はないらしい。助手席にまわって、背もたれを倒し、トランクの中身を床にぶちまける。

「アクリル容器はサービスしておくからね」

ぼくの膝の具合についても尋ねようとはしない。勝手にしろよ、もう沢山だ。運転に差し支《つか》えない程度には治っている。損をするのはそっちなのだ。せっかく機会を与えてやったのに、これ以上の面倒は見きれない。サクラの撃退くらい、その気になればぼく一人でじゅうぶんだ。万一の場合を考えて、坑道の継ぎ目や石段の陰に罠《わな》を仕掛けてあるのだ。バネを利用した機械的なもの、電気的なもの、ガス・スプレーを加工したもの、種類もシステムもまちまちだが、不案内な侵入者にはけっこう脅威になるはずである。

「元気でな。いずれレバノンあたりに原爆でも落ちたら、あんたの待避壕《ごう》に寄せてもらうから」

「待避壕じゃない、船です」キーをまわし、エンジンを吹かし、深呼吸して気を静める。「待避壕は、あくまでも一時的なものさ。でも船はちがう、生活の場所だよ。そこで毎日を暮すんだ」

「しかし港に着けば下船だろう。乗り物はしょせん移動の手段なんだから」

「水上生活者だっているじゃないか」

「そんな亀《かめ》みたいな暮しはごめんだね。穴ぼこの中であんたと鼻面つき合わせてなんかいられないよ」

「穴ぼこはひどいな。小山を一つそっくりくり抜いた、地下の採石場跡なんだよ。その気になれば三日でも四日でも、鼻面どころか影も見ないで済ませられるさ」

昆虫屋が唾液《だえき》で腹が割れたタバコを床に吐き出した。

「小山とは規模雄大だね。何人くらい収容可能なの」

「全国の駅前の地下街を調べたって、匹敵する規模のものはまずないと思うな。小さな町の人口くらい、そっくり中に収まっちまうよ」

「運営はどうなっているんだ。住民組織はあるのかい。あんた、広報担当でもやっているのかな」

「今のところ、住民はぼく一人だけさ」

「まさか。住んでいなくても、切符を持っているやつは他にもいるんだろう」

「君だけだよ、サクラを別にすれば」

「考えられないな」

「結構、考えられなくても」

クラッチを踏んで、ギヤを入れた。膝に痛みほどではない、かすかな感覚が走る。

「待ってくれ、そう簡単に信じられる話じゃない。なぜあんた一人なんだ」

幌《ほろ》のドアにかけた昆虫屋の指に力がこもる。形勢の逆転だ。ギヤを抜き、これ見よがしに溜《た》め息《いき》をついてやる。

「昔の関係者は、誰も忘れたがっているしね。四つの業者が一つの山にたかって、掘りまくったあげく、落盤事故があったりで、あげくに八年前そろって採掘権の放棄ですよ。坑道口はどれも密閉済みだし、いまじゃ宅地造成業者が山の表面をすっかり住宅用に造成分譲してしまったので、地下のことなんか誰も思い出したくもないんじゃないかな」

「操業停止でも、登記はされているはずだろ、誰かの名義で」

「法的にも存在していない場所なんだ。ちゃんと市役所で確認済みです。番地もなけりゃ、町名もなし……」

「だって、すくなくも日本の領土だろう」

返事のかわりにクラッチ・ペダルを踏みなおす。

「悪かった」昆虫屋が窓から大頭を突っ込み、ハンドルにかけたぼくの腕をつかんだ。

「運転、まかせてくれよ。いまさら見え透いていて、気がひけるけどね」

「危機が迫っていること、認めるんですか」

「もちろんさ。世界は危機だらけだよ、常識じゃないか。それにしてもえらいことだな、あんた、まるで……なんと言うか、一種の帝王というか、独裁者みたいなものじゃないか」

「幽霊人口だけの国のね。でも、独裁は好きじゃないな」

大頭をゆらしながら運転席に乗り込んできた。

「妙な気分さ、有難《ありがた》いとは思うよ。なにしろ小学生のころから、名指しで選ばれた経験なんか一度もなくてね。これもユープケッチャのおかげですかな、けっきょくのところ」

5

宅配の営業車を扱っていただけあって、駐車場を出ると間もなくハンドルさばきが安定する。混み合う時間帯だった。高速道路入口付近で渋滞にまき込まれた。走行中は隙間だらけの幌のせいでまだ我慢できるが、雨のなかの徐行運転はたまらない。冷房がないうえ、換気が悪く、汗と窓ガラスの曇りを交互に拭《ふ》きつづけなければならなかった。

「ガソリンは大丈夫かい」

「大丈夫、メーターは当てにならないんだ」

「連中も同じ道順だとすると、どのみち間に合いっこないな。その辺でカレーライスでも食っていこうよ」

「まだ三十分足らずでしょう。こっちはジープしか通れない近道を知っているんだし、あきらめるのは早すぎるよ」

「そう、あきらめるのはまだ早い」無理に素直さをよそおっているのか、それとも馴《な》れない服の着こなしが下手なだけなのか、わざとらしくてしっくりこない。「夕飯は、後でおれが買い出しに行こうか。近所に食料品屋くらいあるんだろ」

「たっぷり買い置きがあるよ、遠洋航海の船だからね」

「そうだね、あんた、食欲は旺盛《おうせい》だろうね。よし、頑張《がんば》ろう。しかし成算はあるのかい、うまく連中の先を越せたとして。強引な連中だし、鍵は持っているし……」

「内側から閂《かんぬき》をかっちまうよ。鉄の扉に、鉄の閂だ」

「坐り込みだってやりかねないぞ」

「買い置きがあるって言ったでしょう。持久戦なら負けっこないさ」

昆虫屋が笑った。納得したらしい、声と表情が融《と》けあった笑いだ。でもぼくには笑えない。もしサクラが女をおとりに使うことを思いついたらどうだろう。それでも籠《ろう》城《じょう》をつづけられるだろうか。閂は鉄でも、ぼくの心は鉄ではない。

「連中が先回りしていたら、どうする、打つ手はあるのかい」

「厄介《やっかい》だな」

「あいつ、口から泡《あわ》をとばして喋《しゃべ》るだろ。唾液の分泌《ぶんぴつ》の多いやつは、性格が狂暴だって言うぞ」

料金所で乗り入れを制限しているらしく、思い出したように三、四台ぶん前進するだけである。顎《あご》の下がひりつく。汗でうるんだ皮膚がめくれてしまいそうだ。ペンギンは温泉につけると発狂するらしい。

「連中も車だろうか」

「車だろうね、車種までは分らないけど」

分ったところで、水切れの悪いワイパー越しに見分けられるのは、かろうじて前の一台だけだ。シャツを脱いでしぼりたい。

「風が吹いてくれないかな」

「ジープなんか持って、よく遠出でもするのかい」

「以前はね。ひところカメラマンの助手をしていたんだ」

「今は」

「駄目なんだ。撮りたいと思っても、カメラを構えたとたん、つまらなくなってしまう。根が不精者のせいかな」

「おれだって不精者さ。人間は本来怠け動物だっていうね。おかげで頭を使うようになって、猿《さる》から人間に進化したんだとさ」

「やはり新聞記事ですか」

「カメラマンなんて、けっこうな商売だと思うけどな」

「見掛けほどじゃないよ、ただの見習いだったし」

「警官に職務質問されて、肩身の狭い思いをせずに済ませられりゃ立派なものさ」

料金所を通過する。急に風景が透き通って見えた。車の流れはよくないが、高架のせいで風が吹きぬけていく。あらためて採石場跡の暮しを有難く思った。人工的な冷房装置のように喘息《ぜんそく》やアレルギーを気遣う必要のない、自然の冷気。早く船に戻りたい。

断っておくが、ぼくはけっして単なる出不精ではないのだ。むしろ旅行好きのつもりでいる。ただしジープに乗っての旅ではない。便器にしゃがんだまま、日本全国を駆けめぐるのだ。ユープケッチャは糞をしながら食べつづけ、昆虫屋は便器にまたがって読んだり眺《なが》めたりするらしい。ぼくは旅をする。

国土地理院撮影のカラー空中写真がとくに気に入っている。スイス製の特殊カメラで撮影した、二十五センチ四方の精密写真だ。場所により八千分の一から一万五千分の一までの種類があるが、どれも信じられないほどの解像力で、拡大鏡をつかうと、家の一軒一軒はもちろん、走っている車や人影までが見分けられる。畑と水田の区別もつくし、道路の舗装材料までおおよその見当がつく。

さらに面白《おもしろ》いのは、専用眼鏡を使った、立体的な観察だ。空中写真は一定の間隔(測量用のエアロコマンダーの速度で約十秒)ごとにシャッターを切り、地形のほぼ四分の三を重複させている。だから続き番号の地図を並べて、その視差を利用すると、遠近が立体的に浮び上ってくるわけだ。眼鏡は凸レンズを二つ並べた長方形の金属板で、仮装用マスクに似た鼻のくびれがつき、両端に十五センチほどの支柱がついている。まず二枚の地図から同じ地点を見つけだし、横一列になるように配置する。レンズの幅よりわずかに狭く距離をとる。要領は方位を一定に保つことだ。眼鏡を真上に据《す》えて、やや離れ気味にレンズをのぞき、左右の像を無視して中央の像だけに視線をこらす。視度の調節はきかないから、近眼の場合は眼鏡をかけたほうがいい。目をこらしながら、二枚の地図の間隔を微調整していく。どこかで突然、適当な位置が見つかるはずだ。突然としか言いようがない唐突さで、低いところが遠ざかり、高いところがせり出してくる。ただの遠近感ではなく、実物模型がそこにあるとしか思えない。それも実際の比率よりかなり誇張されているので、市街地なら高層ビルやテレビ塔の先端が、山岳地帯なら山頂の岩や一本杉《すぎ》の梢《こずえ》などが、眼球に突き刺さってきたかと錯覚するほどだ。ぼくも最初は頭をそらせ、思わず眼を閉じかけたほどである。

そのうち病みつきになってしまう。中毒症状。三十分ごとに濡《ぬ》れタオルで眼を冷し、二種類の目薬を交互にさし、一日平均五時間は地図の上をさまよって歩くのだ。ぼくの出不精は、もっぱら膝の負担を避けるのが狙いだったから、眼球を車輪にして自在に動きまわれるのであればそれに越したことはない。立体地図の旅は、空中遊泳術を身につけたようなものである。

その気になれば瞬時に海を越え、島から大陸へ、大陸からまたべつの島へと飛んでまわることだって不可能ではない。しかしぼくは欲張らず、一つの地区を完全に知りつくすまで、気長に見物してまわるのが好きである。たとえば起伏が多いので直線の道路が一本もなく、直角にまじわる交差点が一つもない、迷路のように入り組んだ旧《ふる》い街並。雑貨屋で道を尋ねてもさっぱり要領を得ないもつれた糸のような道筋。住民自身にも正確な地図が描けないのは、誰もが風景を目の高さでしか見ていないせいだ。しかしぼくには全景をつねに眼下に収める者の特権がある。先で合流する傍道《わきみち》があれば、分身をつくり、同時に二本の道の散歩だってたのしめる。崖《がけ》にさえぎられた袋小《ふくろこう》路《じ》に迷い込めば、眼鏡をはずしていったん平面に戻してやればいい。他人の目を一切気遣うことなく、町じゅうを軒なみ覗いてまわるのだ。逃走経路さえ見きわめておけば、庭を横切ったり、室内を通過したり、かなり大胆にふるまっても危険はない。石段の上下をむすぶ水の樋《とい》……その二階部分だけが明るく色違いなのは最近建て増したばかりだからだろう……瓦《かわら》屋根にかこわれた池のある中庭……雑木林に埋まった小屋……巨大な平屋根だけで庭のない家……軒下から軽トラックを改造した消防車のボンネットがのぞいている農家……裏庭に二十四本のドラム缶《かん》を並べてある神社……屋根に穴があいたままの農協の倉庫……川にはみ出している二棟《むね》の製材工場……終日陽が当りそうもない山ひだの一軒家……

それらをつなぐ、道でない道。時間に正比例して蓄積される情報。疲れたら港の公園のベンチに掛けて、日だまりを深々と吸い込んだりしてもいい。見晴しのいい堤防を川添いに遊泳してまわるのも悪くない。麦畑はふっくら厚みがあって色むらがなく、野菜畑はざらついていて多少ぶちがある。川辺の草も、色とふくらみで、すすきかブタ草(嫌な名前だ)かの見分けがつく。桜並木に埋《うも》れた山道に添って試行錯誤しながら飛行するのも面白い。草むらにひそめば痴漢の気分が味わえるし、張込み中の刑事の役も楽しめる。見とがめられたら眼鏡をずらし、遠くの山の無線中継塔に飛び移って逃げればいい。

ぼくはいつも、なぜ世界が地図のようでないのかと不満に思う。考えてみると、眼鏡でのぞく立体航空写真の世界はユープケッチャの糞とそっくりだ。

「このクラッチ、調整不良じゃないか、遊びが少なすぎる」

「そのほうが登りのカーブでつなぎやすいだろ」

「嫌だな、トラックの後につくのは。しぶきが、もろに来やがる」

県境のインターチェンジから海岸添いのバイパスに出た。家並が切れたせいもあって、風が一段と強まった。はためく幌を雨が千の指ではじく。吠えるように話さなければならないので、つい黙りがちになる。

やがて長い直線の下り坂、目的地は近い。海側の山が切れ、はるか正面に海が見えた。今日は沸騰《ふっとう》する波しぶきのせいで汚れた石鹼《せっけん》の泡のようだ。

緑色の標識【加太方面出口　1・3KM】

「次の料金所で降りて下さい」

「なんて読むの」

「カブト。頭にかぶる兜《かぶと》から来ているらしい」

疾走する雲に、桃の花色（豚肉色と言うべきかもしれない）の割れ目ができた。夜景が六時前の明るさを取り戻す。稲妻が横に走った。料金所わきのサービス・エリアでジープを停め、窓のファスナーを開けはなつ。シャツの裾《すそ》を顎まで上げて風を入れ、汗をぬぐう。ふいに見慣れた茶色の矢尻の形が目に浮んだ。カレーライスに添える福《ふく》神漬《じんづけ》だ。胃の底に穴が開いたような飢餓感。食堂の看板を目にしたせいだろう。

「ジープってのは、腹がへるね」昆虫屋も同じ条件反射をおこしたらしい。「そこの食堂、がらがらじゃないか」

「駄目《だめ》だよ、時間がないんだ」

弱みを見せてはいけない。船長は船長らしくふるまおう。こちらから名乗り出なくても、向こうから船長と呼んでくれるまでは毅然《きぜん》とした態度を崩すまい。

「なにも腰を据えることはないさ、立食いの弁当でいいよ。走りながら食えばいいんだろう。鰻《うなぎ》弁当に缶コーヒーといきますか」

「運転しながら食えるものなら、笹蒲鉾《ささかまぼこ》かな」

断固としたところを示して、出鼻をくじいてやりたかった。

「よし、笹蒲鉾……」

駆け出していく。多少の反発は予期していたので、気抜けしてしまう。やがて顔じゆうを隙間《すきま》のない笑いでくるみ、頭にハンカチをのせて小走りに戻ってくる。左手の親指と中指で何か串《くし》に刺したものをつまみ、小指に紙袋を下げ、右手には紙コップを二つ持っていた。

「ジャンボ・フランクとコーヒー。笹蒲鉾は五枚入りを四個。走りながらでもいいし、後でビールの肴《さかな》にもいけるしね」

「ジャンボ、なんだって」

「フランクフルト・ソーセージさ。芥子《からし》がたっぷりのっかっているから、ズボンにこぼさないで下さいよ。色が色だから、何かと誤解の種になるからね」

齧《かじ》りつく。この空腹をよく我慢していられたものだ。

「君、名前は……」

「そうか、まだ名乗り合っていなかったっけ。菰野《こもの》と言います。菰野万太。あいにく名刺を切らしちゃった」

「珍しい名前ですね」

「菰はマコモのコモ。ムシロの材料だよ。先祖は乞食《こじき》だったんじゃないかな。あんたの名前は……」

「いいでしょう、ぼくの名前なんか」

窓からジャンボ・フランクの串をほうり投げ、芥子とケチャップで汚れた指をしゃぶり、ギヤを入れながら、「隠さなけりゃならない事でもあるの」

「そういうわけじゃない。ただこの数年、名前なんか運転免許証の書き換えのときくらいにしか使ったことがないから」

「うれしいことを言うね。でもこれからは仲間なんだし、呼ぶときに不便だよ」

そうかもしれない。指摘されて気付いたことだが、無意識のうちにぼくは他人から名前で呼ばれることを避けてきたようだ。思いがけなく名前を呼ばれ、感電したようなショックを受けたこともある。写真スタジオの助手時代にも、何時《いつ》とはなしモグラという綽名で通ってしまっていた。豚よりは数等倍ましなので、自分からモグラと名乗ったことさえあるほどだ。そして今は名実ともにモグラになってしまった。

「……いや、必要なら、船長だけでいいさ」

笑うと耳の奥で紙をまるめる音。つんと鼻にくる孤独感。偶然出会った赤の他人が自発的にぼくを船長と呼んでくれたのだ。これでよかったのかもしれない。兄弟は他人の始まりっていうし、結婚だって血は遠いほどいい。偶然の選択はたぶん遺伝学的法則に叶《かな》ったやりかたなのだ。

「近道って言うと、川を渡って向うの山を越えるのかい」

「なぜ分った。あの地図だけでそこまで分るかな」

「宅配便をやっていると、土地勘が肥えるのさ」頭をぬぐったハンカチで鼻をかみ、「ほら、ディーゼルの排ガスだ、これだから高速道路は嫌さ。ぜったいにトラック運転手の肺癌発生率の統計をとってみるべきだよ」

川をはさんだ加太市の側から見ると、猪山《いのやま》は縦にひだをよせた断崖《だんがい》で、戦国時代の

○立体写真の見方（本文73～76ページ参照）

立体写真を観察する専用眼鏡がない場合は、中央に紙の仕切りを立て、画像から５センチ以上離れた位置で見て下さい。左右の画像を左眼と右眼を交互に、つぶる、開ける、を約１秒間隔でくり返すと立体視は容易です。

写真A

写真B

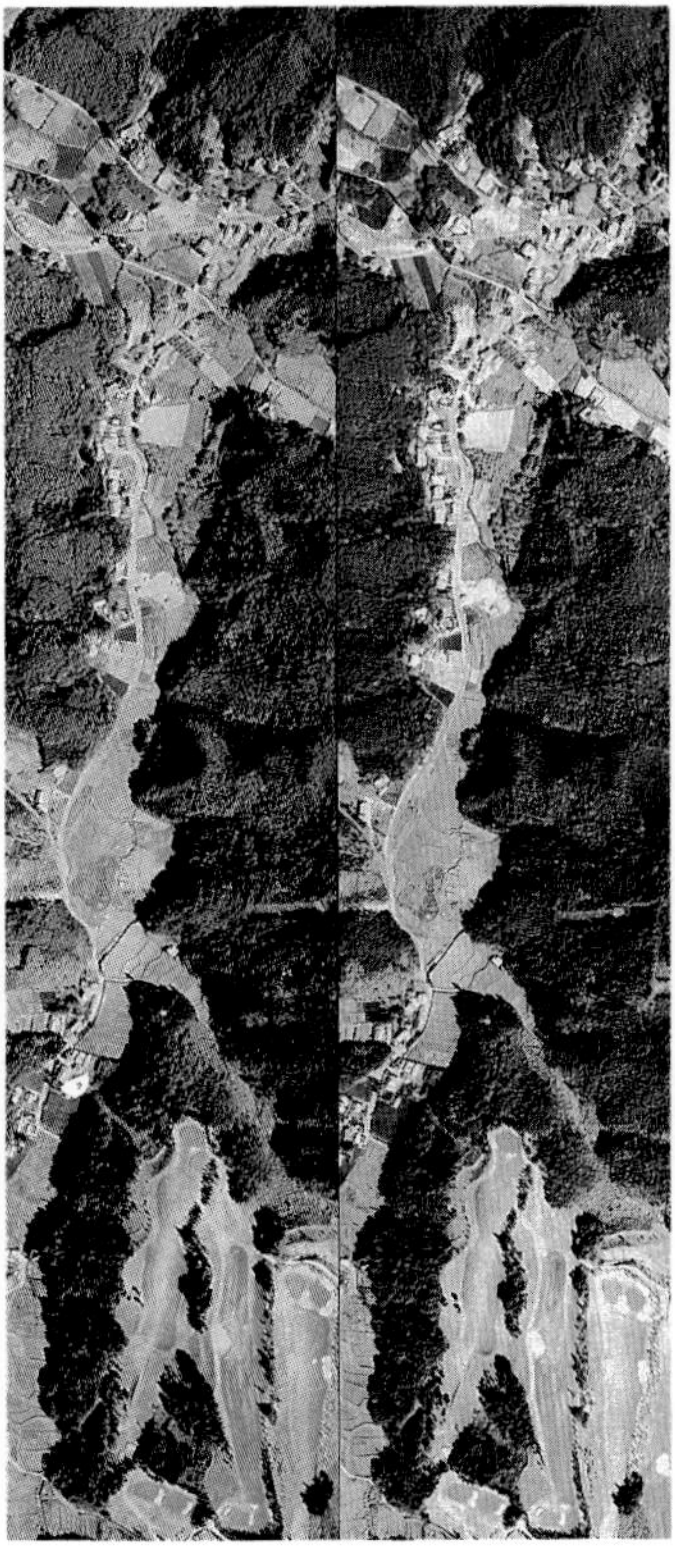

である。

では猪山だ。地図にはどちらの名前も載っていない。いまはただの［ひばりヶ丘］で

武将の兜に似ていなくもない。だから加太の連中は昔から兜山と呼んでいた。川向う

北上して、加太橋を渡り、猪山の北側に出る。左手の山裾に蜜柑《みかん》畑がつづいている。最初のバス停で国道をそれ、蜜柑畑の間の一見私道に見える山道を抜けて山頂を目指す。ここが問題の近道なのだ。知らないといったん国鉄の駅まで出てガードをくぐり、引き返して山裾を迂回《うかい》しなければならない。十分から十五分の遠回りになる。サクラに先を越されずに済みそうだと踏んだのも、その時間差を当てにしたからである。

近道はすぐに舗装が切れ、急なつづら折れの坂になった。路肩の草が雨を含んでいて滑りやすい。ハブをロックして四輪駆動にした。山頂近くでやっと平坦《へいたん》な道に戻る。道というよりはまばらな雑木林にかこまれた広場の感じだ。雨は完全にあがり、すり切れた布のような透き間だらけの雲が飛んでいた。雲の輪郭がきわだっているのは、早い月の出のようでもあり、沈んだばかりの太陽の残照のようでもある。

「なんだい、あれ、何かの記念碑みたいだな」

言われてみれば、そう見えなくもない。雑木林の左手に、黒々とうずくまっている岩影には、たしかに実用を無視した建造物を思わせるものがある。

「岩盤の露頭さ。最初の採石場の坑道口らしい。蜜柑山の地主の土地なので、手付かずのまま残ってしまったんだな。他は残らず整地済みだけど」

「そこがあんたの船のタラップかい」

「まさか。地図を見たんだろ。山を下った海岸ぎわだよ」

「妙だと思った。でも、坑道は中ではつながっているわけだろ」

「かなり調査はしたけど、とてもここまでは手がまわらないね。直線距離にして、三キロ以上はあるかな」

林を抜けたところに有刺鉄線をはりめぐらせた柵《さく》がある。柵に添って何かの共同施設らしい軽量鉄骨の建物(〔ほうき隊〕の事務所だが、この時間にはまだ誰《だれ》もいないはずだ)があり、そこだけ有刺鉄線が切り取られ、地面にタイヤの跡がついていた。アスファルトで舗装された道が始まり、いきなり風景が変る。ひばりヶ丘の風景だ。海に向ってゆるやかに放物線を描いて下りつづける丘は、いちめん住宅の屋根で覆《おお》われ、雲間をもれる淡い銅色の光をうけて、猪《いのしし》というよりはアルマジロの肌《はだ》にちかい。

「あと一息。ハブはそのままでいいから、ギヤを二輪駆動に戻して、スピードを上げよう」

八年前までは猪山の名にふさわしく、あたりいちめんに雑木が密生し、採石場のモーターが殺気立った叫びを競いあい、大型ダンプが山道を奪い合って砂塵《さじん》をまきあげ、あるいは泥水《どろみず》を撒《ま》き散らし、立ち入り禁止の標識を立てるまでもなく子供をおびえさせるくらいの威圧感をそなえていたものだ。いまは等間隔に並んだオレンジ色の街灯、黄色の破線で塗られた歩道の縁石、ガラス張りの公衆電話、居住者にしか利用されないひっそりとした葉桜の並木道、広くはないがそれぞれ塀《へい》でかこわれた庭つきの住宅が続き、空調機の羽をふるわせている。

とつぜん昆虫屋が鼻にかかった裏声で歌いだした。

「黄金虫《こがねむし》ィは、金持ちだァ……」その一節だけで歌いやめ、間が悪そうに鼻を鳴らす。

「口癖なんだ、ユープケッチャの前に、しばらくクワガタを扱っていたものでね」

「サクラから聞いたよ、角《つの》のある種類でしょう」

「こんなふうにやるのさ」左手の人差し指を宙に立て、声帯を詰め気味にして、「見えるかな、ほら、この指先にとまっている虫。古来、わらべうたにも唄《うた》われておりますとおり、甲虫類は縁起がいい。面白いことに、甲虫が尊ばれたのは単にわが国においてのみならず、古代エジプトにおきましてもその名をスカラベと呼ばれ、太陽神の化身としてあがめられておりました。かの有名なファーブル博士がスカラベの研究に半生をついやしたことは、各種百科事典にも記載されておるとおりであります。あなたの幸運を呼ぶ護符として、ぜひお手もとに一ついかがでしょう。なかでもこの甲虫は珍しい、熱帯ジャングルで産しますところの、世界最小のコナコガネ。ごらんになれますでしょうか、小さすぎて肉眼では見えにくいかもしれません。もともと虫眼鏡はコナコガネ観察のために発明されたものだと言われております。そのレンズの開発が、やがて天文学の発展をうながしたのですから馬鹿《ばか》にはなりません、一ミクロンの虫にも〇・五ミクロンの魂とでも申しましょうか……」

「買う人がいるのかな、そんなもの」

「売れるんだよ、すくなくもユープケッチャよりはよく売れた。とくに子供連れのお袋さんがいいお客だったな。子供のほうは薄笑いを浮べて目をそらせる。とたんにお袋さんがうろたえて、財布の紐《ひも》をゆるめてしまうのさ」

「舌先三寸だな、まるっきり」

「五寸はあるさ」黒っぽい舌を突き出し、先端をこまかく震わせて、「お袋なんて、結局そういうものじゃないのかな」

黒いガラスと黒い模造大理石を張りつめた合同市庁舎のわきで坂道が終り、港まで、片道二車線の県道がほぼ直線に南下している。石材運搬船の出入りがなくなったのと、バイパスの開通ですっかりさびれてしまったが、それでも小型トラックを中心にした車の流れが赤信号のたびに二、三台は待たされている。漁港としては県内で最大の冷凍施設を備えているからだ。

「さあ、競争はここまで。どのコースを通っても、結局はここで合流なんだ。間に合ってくれているといいね」

「無理じゃないか。近道と言っても、ちょっぴり山越えしただけだろ」

言われなくても分っている。かろうじてつないでいる期待にけちをつけることはないだろう。出発をぐずつかせた張本人は自分じゃないか。

「国道は鉄道の北側を大きく迂回しているんだ。出発が同時なら、すくなくも十五分の差はついたはずなんだぞ」

「分った、分った。このまま海のほうに直進だね、船長」

せっかく船長と呼んでもらっても、期待していたほどの気分にはなれない。からかわれたような気さえした。

「正面にオレンジ色のランプの列が見えるだろ。さっき通ってきたバイパスだよ。その手前を左に折れるんだ」

6

狭いどぶ川を渡ったとたん、アスファルトが波打ちはじめる。砂利が浮き出したままの荒れはてた市道だ。やがて頭上に太い鉄筋コンクリートの橋脚に支えられた高架バイパスがのしかかってくる。はじめ市道はバイパスと平行に走っているが、二本目の橋脚のところで距離を開けはじめ、つよく弓なりのカーブを描き、入江の向こうでふたたび交差する。その弧の内側が、道路公団に売りそこなった猪突《いのとつ》（ぼくの生物学上の父親）名義の私有地だ。

釣《つ》り宿《やど》があったのは自動車道の真下である。土地も建物も桟橋《さんばし》も、かつての名残をとどめるものは何もない。バイパスと市道にはさまれた、犬小屋も建てられないほどの三日月形の急斜面だけが、かろうじて残された資産のすべてである。値段のつけようもない役立たずの土地なので、さすがの猪突も関心がないらしく、おかげでこうして無断使用していられるわけだ。弓の握りのあたりに採石場跡への通路が口を開けている。二十年前、ぼくが強姦《ごうかん》容疑で鎖につながれたのもその入り口からだ。良質の石材が採れたせいか、当時そのあたりはすでに掘りつくされていた。数人の職人が石燈籠《いしどうろう》の加工場に使っていて、こっそり弁当を分けてくれたりしたのを憶《おぼ》えている。それにしてもなぜ採石場と釣り宿の庭を連結させる必要があったのか、今もって理由は分らない。猪突なら事情を知っているのかもしれないが、あいつと口をきくくらいなら、知らずに済ませたほうがましである。

市道は猪山が入江の岩棚に落ちる急斜面につくった切り通しなので、斜めに切った卵の感じで、弓のなかほどが高くなっている。下の岩棚までは七メートルちかい石積みの崖なので、ロープでも使わないかぎり市道から降りるのは難しい。

「最初のコンクリートの支柱の手前を右に……」

「道なんかないぞ」

「大丈夫、ジープですよ」

昔は釣り宿の入口があったのだが、今は丈の高い雑草で覆われてしまっている。いったん自動車道の下をくぐり、砂浜を迂回してから、岩棚に戻《もど》らなければならないのだ。

「これじゃサクラも迷っちゃうな」

「その辺でストップ。エンジンも止めてください」

座席の後ろの道具箱から懐中電灯を取って外に出る。

「膝《ひざ》の調子、いいみたいじゃないか」

「そうみたいだね」

仮病をよそおうには、気持の余裕がなさすぎた。中腰になってあたりを窺《うかが》い、耳をそばだてる。もしサクラと連れの女が地図を正確に読み、先回りしたとしても、車はこの辺に乗り捨てるしかないはずだ。新しいタイヤの跡はない。聞き分けられるのは頭上のバイパスを走り抜けるタイヤの共鳴音と、海面を叩《たた》く風の音だけ。砂から脱《ぬ》け出そうとしてあえぐエンジンの音も聞えなければ、ほのかに光る水平線をさえぎる異物も認められない。

どうやら間に合ったようだ。

「足跡じゃないか、あれ……」

昆虫屋（菰野と姓を呼ぶのにはまだ時間がかかりそうだ）が運転席から乗り出し、橋脚に近い砂地の一角を指さしていた。懐中電灯を向けてみる。岩棚のあいだの砂のふくらみに、足跡と思えば思えなくもない小さな窪《くぼ》みが二つほど並んでいた。車の運転者が選びそうな通路にばかり気をとられて、つい見落してしまったのだ。

「犬じゃないかな」

「犬にしちゃ輪郭がはっきりしすぎているよ。でも犬かな」

「急ごう」

昆虫屋をうながし、自分から運転席に乗り込んだ。ギヤを四輪駆動に入れる。二速のまま発進していったん砂地に向かい、しだいに速度をあげながら大きく迂回して波打ち際《ぎわ》から岩棚に乗り上げた。

「無理するなよ」

昆虫屋がダッシュ・ボードにしがみつき、ハンドルに手を添える。

「離せったら、キック・バックで指折っちゃうぞ」

右に飛び、左に跳ね、しゃにむに前進する。前照灯のなかを影が横切った。急ブレーキ、汗が吹きだす。後脚がいっぽん膝までしかない三本脚の野良犬《のらいぬ》が、首をうなだれ、慌《あわ》てもせずに草叢《くさむら》の中にもぐり込んでいった。白い顎鬚《あごひげ》、姿勢の悪さ、いかにも老いぼれて見えるが、この辺を縄張《なわば》りにしている七、八頭の野良犬に君臨しているしたたかものである。

「やはり犬の足跡だったんだ」昆虫屋は両足をふんばり、声まで突っ張らせ、「それにしても殺伐な面構《つらがま》えだな」

エンジンを切る。地面を這《は》う低いうなり、木片をすりあわせるような息遣い。

「聞えるだろう」

「一匹じゃないのか」

「七頭から八頭つるんでいるみたいだよ、さっきの奴《やつ》がボスらしい」

「犬ってのは威嚇《いかく》するだけらしいね。嚙《か》み殺す訓練を受けないと、殺せないらしいね」

「殺すさ、ここの犬は人間を信用していないんだ」

「でも、船長には馴れているんだろう」

「まあね」

こんどの船長という呼びかけには、媚《こび》を感じた。舐《な》められるよりはましだろう。再びエンジンをかけ、高架自動車道の下に直角に突っ込み、正面の崖ぎりぎりまで接近する。照明を目掛けて飛んできた虫がフロントグラスに衝突した。

九メートルの崖の半分ちかくまで積み上げられたゴミの山。さまざまな台所の廃棄物……自転車のサドルにからまっているナイロンの靴下《くつした》……樽《たる》ごと捨てられた漬物……割れた電球のソケットをくわえている魚の頭の骨……昔は冷蔵庫だった犬の棺桶《かんおけ》……ゴム状に溶けた古靴をかぶっているコーラの空き瓶《びん》……綿飴《わたあめ》そっくりの虫の巣がつまったテレビのブラウン管……

「索漠《さくばく》としたもんだね、まるっきりゴミ捨て場じゃないか」

「迷彩だよ。どこに出入り口があるか、見当もつかないだろ」

「つくさ、それっくらい。ゴミの上に乗っかっているスバル360のスクラップの中じゃないかな」

大変な観察力だ。たしかに注意して見れば、赤錆《あかさ》びた廃車の中からロープが一本下っている。しかしそう簡単に偽装を見破られてしまうとは思わなかった。中に入っても、把手《とって》の部分や蝶番《ちょうつがい》に差してある、新しい機械油の臭《にお》いに不審をいだいたりするのは、よくよく経験をつんだ鑑識のベテランくらいのものだろう。

「いい勘しているね」

「鈍くないだけさ。でもどうやって集めたんだい、これだけのガラクタ……」

「上の通りに立札をたてただけさ。私有地につきゴミ捨てるべからずってね」

「考えたね。でもロープにつかまったとたん、ガラガラっといくんじゃないか」

「がっちりボルト止めしてあるよ」

「よし」昆虫屋が両手を打ち合わせ、はずみをつけて車から飛び降りた。足を開き、首のうしろに両手を組み、左右に腰をひねって準備運動にかかる。思ったよりも機敏だし、大頭もさして目立たない。こんな体形の運動選手もいたような気がする。「ひさしぶりの冒険気分だぞ」

「幌の後ろを開けると箱があるだろ。ゴム長と軍手が入っているよ」

「ゴム長は必要だね。ムカデやミミズに靴下の中にもぐり込まれるなんて、ぞっとしないからな」

昆虫屋がジープの後ろにまわり込むのを待っていたように、数頭の犬が短く吠《ほ》えた。闇《やみ》のなかで移動の気配。野犬の群れはバレーボールの選手なみに、防御から攻撃へと瞬時に態勢を組み替える能力をそなえている。昆虫屋が幌のファスナーを体でこじ開けながら荷台にころがり込んできた。

「何度も言っただろう、吠える犬は好きじゃないって。まして噛みつく犬なんてまっぴらだよ」

「大丈夫さ、ぼくには馴れているんだ」

懐中電灯の光のなかで犬の興奮はますます高まり、跳ね上って幌に爪《つめ》を立てるやつ、わけもなく地面を掘りはじめるやつ、なかには交尾しはじめたやつもいる。しばらく昆虫屋をおびえさせてから、犬の遠吠えの真似《まね》をしてやろう。なぜかそれで犬が萎縮《いしゅく》し、おとなしくなってしまうのだ。半開きの窓から上半身を乗り出し、夜空にむかって三回長く吠えてやると、近くの一匹がぼくに合わせて笛のような鼻声で鳴き、べつの犬が悲しげに悲鳴をあげた。昆虫屋が体を波打たせて笑いだす。笑いたい気持も理解できなくはなかったが、助けられた人間としては不謹慎な気もした。

「こういう夢、見たことがあるよ、何時だったか……」ゴム長靴にはきかえ、新品の軍手の綴糸《とじいと》を歯で切り、背もたれをまたいで助手席に戻りながら、「おれが先に行こうか、二人一緒は無理だろ」

「無理だろうね、試したことはないけど」

「だったら先を譲ってくれ。ロープにぶら下っている途中で、尻をかじられたりするのは真っ平だからな。本当だよ、犬ってやつは丸いものに追跡本能を刺激されるらしいぞ。後ろから見た動物の輪郭に似ているからじゃないか」ステップに足をかけ、闇に目をくばりながら、「もういちど吠えて、ワン公どもの牽制《けんせい》を頼むよ」

自分でも説明のつかないためらい。乗組員の募集が最優先事項であることは百も承知している。しかしぼくは独りだけの生活になじみすぎてしまったようだ。頭では昆虫屋の乗船を歓迎しているつもりで、心ではおびえていた。今日一日の出来事が、すべて軽はずみにすぎなかったのではないかという疑惑……たしかに外出から戻って、入口の南京錠《ナンキンじょう》に鍵《かぎ》をさしこむ瞬間、たまらない孤独感におそわれることがあるのは否定できない。が、それも一瞬のめまいにすぎず、船倉に落ち着いたとたん、孤独の意味も忘れるほど平穏な気分に戻ってしまうのだ。昆虫屋の言葉（ではなく、新聞の受け売り）を借りれば、現実と記号を混同して、トーチカ願望症にかかってしまったのだろうか。

「早いとこ、もういちど吠え真似してくれよ」昆虫屋がうながす。「腹が減った」

「その前に、作戦を練ったほうがよくはないかな」

「なんの作戦」

「万一連中に先を越されていた場合、どう対処すべきか……」

「取り越し苦労さ、あり得ないことじゃないか」

「まあね」

ぼくだって本気でサクラの先回りを案じていたわけではない。ただ留守のあいだの侵入を疑わせるちょっとした兆候はあった。たとえば万一にそなえて外出のたびに確認しておくチェック・ポイント、椅子《いす》の脚と石油缶の組み合わせの狂い。それだって、あのどしゃ降りの後であることを思えば、気にするほどの事ではなさそうだ。多少の地盤の崩れはむしろ当然だろう。侵入した猫《ねこ》が、石油缶を足場にして犬の攻撃をかわした跡だとも考えられなくはない。

大型トレーラーがつづけさまに頭上を通過する。やりすごしてから、うんざりした口調で昆虫屋が言った。

「なんなら賭《か》けようか、おれは着いていないほうに賭けるな、賭けますか」

「何を」

「ジープの鍵」

「ぼくが問題にしているのは、もっと一般的な心掛けさ。君の参加で、不法占拠に対処の仕方も、ぼく一人のときとはおのずから違ってくるわけだし……」

「心掛けなら、まず玄関先の掃除から始めたいね」昆虫屋が皮肉めかして笑った。

「ゴミ捨て場に野良犬じゃ、不法占拠どころか、よりつく奴もいないんじゃないか。ひどい臭いだよ、息をするだけで頭が痛くなっちまう」

「天気のせいさ、消毒に撒いたカルキが臭っているんだ」

「それだけかな。あえて言わせてもらうと、あんたの性格のせいじゃないかって気もするね。過剰防衛だよ。船長がそう排他的だと、長い航海なんか期待できないぞ」

「鍋《なべ》や薬缶《やかん》だって、売り物にしようと思えば水が漏れないようにするのが義務だろう。まして船の浸水は、命にかかわるからね」

「おれだってサクラの肩を持つ気なんかないさ。でも船長たるもの、もっと度量を広く持たなけりゃ……」

「要注意人物だって言い張ったのは君だよ」

「先入観にこだわっちゃいけない。もし連中がこれだけの障害を突破して乗り込んでいるとしたら、表彰ものじゃないか」

「そう、女には無理かな」

「もっとも、あんただって登れる程度の……いや、失言、船長は寛容でなけりゃいけない……こういう失言は、信頼の証拠なんだ。それに最近じゃ、ヒマラヤに登山する女もいる時代だぜ。でも無理だろうな、この犬と、ゴミの山じゃね」

ぼくもそんな気がしはじめていた。影におびえているだけかもしれない。出入り口(今後は昆虫屋にならってタラップと呼ぼう)の南京錠が外されている可能性はまずなさそうだ。ただ影におびえて、使いもしない昆虫屋というナイフを買わされてしまっただけなのだろうか。

「分った。犬がよってきたら、追っぱらってやるよ」エンジンを切って一緒に車を降り、ペン・ライトを手渡し、大型の懐中電灯を構えて足許《あしもと》を照らしてやる。「スクラップの運転席側のドア、開けるとすぐトンネルにつづいているから、頭に気をつけて。入口まで九メートルちょっとかな。ぼくもすぐに追い付くから」

昆虫屋がロープをたぐり、派手に足許の土砂を崩しながら登っていく。だからと言ってぼくより敏捷《びんしょう》さを欠いていることにはならない。ゴミ自身の不揃《ふぞろ》いな形と大きさで、かろうじて支えあい保たれている急傾斜だ。足場の位置を知らなければ猿《さる》だってたぶん似たりよったりだろう。瘦《や》せた耳の長いちびの黒犬が足許にすりよってきた。新顔の挨拶《あいさつ》だろうか。遠吠えの技術だけで犬仲間はぼくにボスの座を認めてくれたが、人間相手ではそうもいくまい。ゴム靴にはきかえ、軍手をはめた。昆虫屋がペン・ライトをひと振りして廃車の中に消えていく。揺れがおさまるのを見届けてから、ロープをつかんで後に続いた。ぼくは安全かつ確実に足場をたどり、ちょっぴり優越感を味わった。廃車のドアの赤錆びた鉄板。そのすぐ向こうに一メートル四十七センチ四方のトンネルが口を開けている。奥のほうで昆虫屋のライトがちらついていた。どんな目的でこんな半端《はんぱ》な寸法が割り出されたのか理由は分らない。入り口の部分だけ鉄《てっ》枠《わく》で囲んであるが、あとは掘削用電動鋸《のこぎり》の刃跡を残したむきだしの岩肌だ。足許に錆だらけのレールが敷かれている。坑道運搬用トロッコの軌道に合わせた規格の幅だ。トンネルは市道の下を直角に横切り、さらに五メートルほど先まで延びている。その奥まった部分のほぼ真上に位置しているのが、ぼくの生物学上の母がやっていたタバコ屋（つまりぼくの生家）だ。進むにつれて音が変化する。高音は干渉しあって石壁に吸われ、低音の深いうなりだけが残る。風のうなりと、海鳴りと、高架自動車道に共鳴するタイヤの摩擦音、それらの共通分母、濡れた大天幕が風にはためく音。

「冗談じゃない、どこにも錠前なんかないぞ、来てみろよ」

電話を通して聞くような昆虫屋のくぐもった声。

「掛け金の左端だよ、向って左端……」

「来てみろって、掛け金もはずれている」

本当だった。南京錠は消えていた。ステンレス製で直径五センチはある大型だから見落しようがない。誰かが扉《とびら》を開けたのだ。サクラにきまっている。南京錠だから、鍵を開けただけでは駄目で、止め金から取り外してしまわなければならないのだ。連中が錠前だけを土産に引き返したりするはずがない。踏み込まれてしまったのだ。覗くための鍵穴がないのが悔やまれた。鉄の扉の前にあぐらをかいて耳をそばだてる。さまざまな音が聞えすぎて、何も聞えない。

7

「先客らしいね、賭けないでよかった」

昆虫屋《こんちゅうや》が声をひそめ、シャツの裾で顎の下の汗をぬぐった。白い腹がむき出しになり、へその脇《わき》に掌《てのひら》ほどの赤黒いあざが見える。

「言っただろう、過剰防衛なんかじゃないって」

「でも本当にサクラだろうか。別人の可能性はないのかい」

「くどいな。他に合鍵を持っている奴なんかいやしないよ」

「乗り捨てた車なんか、何処《どこ》にもなかったし、それにあの近道、地図だけじゃ分りっこないしね」

「電車かもしれない」

「おい、初耳だぞ、電車なんて」

「待たずに急行をつかまえられれば、電車のほうが早いんだ。明かりを消せよ」

扉は厚さ一センチの重い鉄板なので、蝶番《ちょうつがい》にかかる負担が大きい。開けるのにちょっとしたコツがいる。いったん手前に引き、斜めに押しあげながら蝶番の芯《しん》を修正すると、音もなくなめらかに作動してくれるのだ。耳をすませた。海鳴りに似た音、巻貝のつぶやき、距離感のない水滴の音……静かすぎる。さらに大きく押し開け、鉄扉《てっぴ》をくぐって、杉板《すぎいた》のデッキに出る。ズボンのベルトにしがみついて、昆虫屋も後につづく。ここまでがタラップなら、デッキよりもハッチと呼ぶべきかもしれない。船倉に降りる階段の上の踊り場なのだ。湿った緑色の臭いと、完璧《かんぺき》な闇。他にはなんの気配もない。侵入者はどうなってしまったのだろう。嫌《いや》な予感がする。

昆虫屋にもまだ知らせてないことだが、船内はいたるところ防犯用の仕掛けだらけなのだ。たとえばこの船倉に降りる階段自体が、危険な罠《わな》である。一見しただけではそこを利用するしかなさそうに見えるが、四段目から七段目までの踏み板に意地の悪い細工がしてあるのだ。片側はバネ付きの蝶番で止められているが、もう一方は浮いたままなので、体重をかけたとたん確実に足を踏み外す。高さ七メートルはあるから、打ち所が悪ければ致命傷だろう。実際に登り降りするには、裏に立てかけてある梯子《はしご》を使わなければならないのだ。この障害はなんとか無事に乗り切ったとしよう。すぐにブリッジ（第一船倉にテラス状に張り出した部分なので、勝手にブリッジと呼びならわしているが、正しくはぼくの私室、もしくは船長室と言うべきだろう）に上る階段が待ち構えている。解除ボタンを押さずに一歩踏み出したとたん、ロケット花火の直撃だ。仕事机の引出しに手を触れた瞬間、殺虫剤のスプレーからガスが吹き出す。これ見よがしにしおりをはさんである日記帳も、好奇心のよせすぎは禁物である。接近と同時に赤外線警報装置が作動し、頭からガラスの粉をあびてしまう。古電球を砕いたもので、破片のそれぞれが雲母《うんも》のように薄く、しかもカミソリの刃なみの鋭さだ。いったん髪につくとブラッシも役に立たず、洗髪すれば頭の地肌《じはだ》が切り刻まれる。

本気で実用を期待していたわけではない。乗組員が正式に乗船してくるまでの封印くらいの軽い気持でしたことだ。きっかけは合鍵を製作するために買ったオーストリア製の小型万能工作機である。まず眼鏡のつるを止める小捻子《こねじ》を切った。次に万年筆を修理し、中古カメラの部品を加工した。しだいに病みつきになり、手当たり次第に修理し、加工し、改造した。なかでも傑作は連発式空気銃だろう。ただの空気銃ではない。軸がやや太目な点をのぞけば、見掛けはこうもり傘《がさ》とそっくりだ。残念なことに、照準器をつける場所がなく、省略せざるを得なかった。おかげで至近距離でしか使用できず、当初の目的だった鼠《ねずみ》退治には思ったほどの威力は発揮してくれなかった。しかし傘としてなら申し分なく役に立つ。デパートの屋上に出品しても、水大砲よりは評判をとれるはずだ。

それでも侵入者に傷害を負わせてしまった場合、法律的にはやはり責任を問われることになるのだろうか。

二秒か、二十秒かの間があって、鉄扉が自分の重さで閉まる、くぐもった重量感のある残響。昆虫屋がペン・ライトを点《つ》けた。光はどこにも届かない。先細りに消えていき、縦二十二メートル、横三十一メートル、高さ十八メートルの闇の深さが強調されただけだ。昆虫屋がその闇に声を撃ち込む。

「誰かいるのかい」

「いるよ」残響にくるまれた声といっしょに、大型懐中電灯の光が跳ね返ってきた。

「いいかげん待たせるじゃないか。早いとこ明かり、たのみます」

間違いなくサクラの声だ。調子っ外れで、陽気にもとれるが、挑戦《ちょうせん》の棘《とげ》も感じる。つづけて女の声。

「痛い……痛いよ……」

苦痛のうめきを伴っていないところを見ると、大したことではなさそうだ。二人の生命に別状がないことが分ってほっとする。つられて数歩すすみ出た昆虫屋が、闇に突き飛ばされて尻餅《しりもち》をついた。足場の端を外れたとたん、床を照していたペン・ライトの光が闇に吸われて消えてしまったのだ。

「手摺《てす》りくらい付けたらどうだ、危いじゃないか」竦《すく》んだ声、喉《のど》に痰《たん》がからんだ咳《せき》ばらい、調子をととのえて、「やはり、あんたたちか。どうやってまぎれ込んできた」

「菰野《こもの》さんじゃないの」女も声をはずませる。すぐにサクラの注意を受けたらしく、

「痛いよ、痛い……」

「ゴキブリも顔負けだな、犬はどうやってまいたんだ」

ゆれる懐中電灯の陰からサクラが言い返してくる。

「ご挨拶だね、あんたこそなんの用があって、見たくもない面おがませてくれるんだい」

三人のやりとりからすると、ただの顔見知りとは思えない。サクラとの関係についても、昆虫屋はまだ何か隠し事をしているようだ。

「大きな口きくんじゃない。あんたたち、乗船券を無理矢理ひったくって行ったそうじゃないか」

「人聞きの悪いことは言いっこなし。なり行きってものさ。こっちだってさんざん探しまくったんだぜ、あれから」

「ここまで探しに来たってわけか、ご苦労さん、よく言うよ」

「入場料を払えば、文句ないだろ」

「資格がいるんだ」

「菰野さんに聞いたんじゃない、引っ込んでいてくれ」

「あいにく正式に雇われたんだよ、こちらの船長に」

しょっぱなから船長という紹介は気に入った。昆虫屋は本気でぼくの側に立ってくれるつもりだろうか。

「船長か……なるほど、乗船券を売っているんだから、船長だね」

「そう、船長です」このさい断固とした態度を表明しておくべきだろう。「これは特別の船だから、乗組員には当然、特別の資格が要求されます」

「菰野さんはどういう資格なの」女がからかい気味に語尾をはね上げる。「痛い、痛い……」

「参謀、兼、用心棒ってところかな。本当に痛むのかい」

「痛いよ」

割り込んでまくしたてはじめる、サクラの甲高い早口。

「恐れ入りました。菰野さんが用心棒じゃ、うかうか出来ないな。でも船長さん、用心棒でいいのなら私の資格審査も頼みますよ。腕力はともかく、実戦の心得なら負けちゃいないから」

「喧嘩《けんか》は、明かりを点けてからにしてよ。嫌んなっちゃうな、怪我人《けがにん》をほったらかしのままにして……痛い」

「そう、とりあえず明かりがほしい」サクラが相槌《あいづち》をうつ。「足をくじいたらしいんだ、お嬢さん」

《お嬢さん》という呼びかたは、奇妙であると同時に新鮮だった。ただの綽名《あだな》かもしれないが、他人行儀な印象もあり、消えかけていた希望に再び火がともる。もっとも鮎《あゆ》の友釣りをねらった計算ずくの言いまわしだったのかもしれないが。

「足先にぜんぜん感覚がないの、折れたのかもしれない」

「その階段、材木が腐っているぞ。おれも腰を傷《いた》めたみたいだよ。あんたたちも降りてみるんだな。打ち所が悪かったら、骨折くらいじゃすまないぞ」

いいだろう。いまさら後戻りはきかないのだし、注文どおり電気を点けてやろう。スイッチはズボンのベルトに吊《つ》った赤外線応用のリモコン装置だ。縦に五つ並んだボタンを指先でなぞり、いちばん上のやつを軽く押し込んで右にすべらせる。スイッチが入った。またたきながら五十六本の蛍光燈《けいこうとう》がいっせいに点灯する。何度経験してもこの一瞬はそのたびに感動的だ。星のない夜空の広がりも、頭からかぶった布団《ふとん》の中の空間も、闇であることに変りはない。闇自身には大きさがないからだ。そのせいか闇の中で思い浮べる物はすべてが収縮し、小さく感じられる。人間は小人になり、風景は盆栽になる。それだけに、突如姿を現わす採石場跡の全容は、卵から山塊が飛び出したほど衝撃的なのだ。立体航空写真をのぞいたときに似ているが、規模ははるかに大きい。

そそり立つ青い空間。刃物で断ち切ったように鋭くまじわる広大な壁面。櫛《くし》ですいた跡を思わせる無数の横縞《よこじま》は電動鋸の刃の跡だ。正確な直方体には見えず、中心に向って落ち込んで行くような歪《ゆが》みを感じさせるのは、壁の照明がそこまで届かないせいだろう。細部に目を移すと、再び何も彼《か》もが小さく縮んでいく。船倉の向って右隅《みぎすみ》に並べてある三十二本のドラム缶は鮒《ふな》の鱗《うろこ》のようだし、呆然《ぼうぜん》と天井を見上げているサクラは親指ほどの背丈しかない。そのすぐ足許で、小指ほどの女が膝をかかえてうずくまり、やはり天井の端から端へと視線を走らせている。二人ともデパートの屋上で最後に見たときのままの服装だ。女の髪型だけがショート・カットに戻っていた。鬘《かつら》よりも地の頭のほうがよく似合う。

「仰天だね」昆虫屋は喉を詰まらせ、足場の壁に貼《は》りついたままだ。高所恐怖症の気味があるのかもしれない。「これほどの規模だとは思わなかったよ。屋内競技場なみじゃないか。テニス・コート五面分はありそうだね」

「これっぽっち、ほんの一部だよ」三人がすっかり圧倒されてしまった様子に、ぼくは気をよくしていた。「ざっと測量しただけでも、この程度の船倉が他にも最低十八はあるかな。正面右の、ほら、並べてあるドラム缶の奥、柱と壁のあいだに狭い隙間が見えているだろ、通路なんだ。隣の船倉に通じているんだよ。それから、左上にテラス状にくり抜かれているところがあるね。ぼくの私室だけど、あの中にも別の船倉に抜けるくぐり穴があるし、全体が、まあ、蜂《はち》の巣みたいに……」

「なんだろう、あれ」

サクラが向って左側の壁面を顎でしゃくった。とくに指示されなくても、自然に目がいってしまう、艶《つや》やかな白。

「便器さ」

「便器って、小便や糞《くそ》をする、あの便器かい」

「ちょっと変り型だけど、水圧がすごいんだ」

「囲いのないトイレってのは、落ち着かないんじゃないか」

女が両手を打ち合わせた。

「すごい、声がびんびん響くね」

「ここで歌えば、歌が上手《うま》くなったような気がするぞ」昆虫屋が仰向いて残響に耳を傾ける。

「もちろんおれたちも船賃を払わせてもらいます。こいつは値打ち物だ、只《ただ》ってわけにはいかないな。相談のうえ、適正価格で支払わせてもらいます」なんのまじないかサクラが指を三本、唾《つば》でしめして額になすり付け、思い出したように付け加えた。

「菰野さん、忘れないうちに言っとくけど、販売促進協力費、未徴収だからね」

聞えなかったふりをして昆虫屋が階段を覗《のぞ》き込む。

「どこも腐ってなんかいないぞ、きれいなもんだ」

肘《ひじ》をつかんで引き戻す。

「危い、罠なんだ。降りるのはこっちから……」

実際に使う梯子は、裏側に垂直に立て掛けてあるので、櫓《やぐら》の支柱の一部とまぎらわしい。先に立って降りかけ、すぐに昆虫屋に先導をまかせるべきだったと後悔したが、手遅れだった。サクラが踵《かかと》を鳴らして近づき、梯子に手を掛けて揺すりはじめる。

「なるほど、そう言うことか。あんたは危険を承知で、事前の警告を怠った。そうだね、おかげでお嬢さんは大怪我をさせられた」

いかにも不利な態勢だ。暴力に訴える気だろうか。しかし弱みを見せてはいられない。

「警告の義務なんかないさ。案内もなしに不法侵入したほうが悪いんだ」

梯子の上から昆虫屋が鼠のような歯を見せてのぞき込む。

「よせったら、喧嘩両成敗だぞ」

「喧嘩じゃない」なにが両成敗なものか。船長に対する反抗はれっきとした謀叛《むほん》である。

「そうさ、人聞きの悪いことは言いっこなし」サクラが梯子をゆすりつづける。「手を貸そうとしているだけじゃないか。怪我はおれたちだけで沢山、船長にまで痛い目見させちゃ申し訳ないからな」

女の呟《つぶや》きがほうり込まれる。

「この壁の石、本当に青いの。青く見えるだけかな」

立てた片膝を抱え、広い採石場跡のまん中にぽつんと、サッカー場にころがったアルミ缶のようによく目立つ。女は腰が冷えやすいというが、石の上にじかに坐《すわ》っていて大丈夫なのだろうか。足をくじいているのなら仕方がないが、あの膝の立てかたは刺激的すぎる。

「本当に青いんだ。だからミズ石って言うんだよ。聞いたことないかな。いまは不見

(フケン) と書いてミズと読ませているけど、昔は飲み水のミズだったらしい。磨《みが》く
と大理石みたいに艶がでるんだ。でも長持ちはしない。乾燥すると、すぐに粉をふい
て……」
　サクラが梯子から手を離し、三歩さがって中立の姿勢をとった。昆虫屋が女に声を
かけながら梯子を降りてくる。
「具合いいの、痛まないのかい」
「痛いわよ」
　昆虫屋の足がぼくの頭に届きそうだ。まだ三段残っていたが、ひと思いに飛び降り
た。衝撃が針の束になって膝に打ち込まれ、よろけたところをサクラに支えられる。
昆虫屋が後ろをすり抜けざま、笑ってぼくの肩を叩き、まっすぐ女のほうに歩いて行
く。
「どう、大丈夫、医者に行こうか」
「歩けるわけないでしょ」
「外にジープを置いてあるんだ」
「足を折っているんだぜ」苛立《いらだ》たしげにサクラがさえぎり、「梯子を登ったり、ロー
プにぶら下ったり、そんなこと出来っこないじゃないか」

「背負ってやるよ。骨折は早めに手当てをしたほうがいい」

「馬鹿いうな」サクラが喉の奥で風船をつぶすような音をたてた。「人間を背負って
ロープを登ったり出来るわけがないだろ」

「しばらく自衛隊にいたことがあってね。いちおうその手の訓練も受けているんだ。

それに登る必要はない、出るときは下りさ」

「登りだよ」サクラの声が唾液《だえき》で濁り、語尾が震える。「降りて来たんだから、帰り
は登りに決っているじゃないか」

「あんたたち、降りてきたのか」

昆虫屋は気勢をそがれ、非難がましく視線の端でぼくを見すえる。ぼくも狼狽《ろうばい》した。

「降りるって、何処から」

「きまっているだろ、上の道路からさ」

「市道のことかな」

「とにかく上の道路だよ」

「ロープなんか無かったはずだぞ」

「ロープは自前さ」足場の下をくぐって、階段わきからカメラ・バッグに似た鞄《かばん》を取
り上げる。「この鞄のなか……必要な七つ道具はひと通りおさめてあるんだ」

「なるほど」昆虫屋が大頭でばつ印を描いた。「犬の襲撃をまぬかれた理由も、それで説明がつくみたいだな」

「でも、どうやって辿《たど》り着けたんだ」

「タクシーの運転手に例の地図を見せたら、まっすぐ乗っけて来てくれたよ」

「運転手だって」興奮しすぎてはいけない、かえって弱みを見せることになる。「とんでもないことをしてくれたな。だから切符も渡したくなかったんだよ。君はそういう男なんだ、何も彼も台無しにしてしまう」

「大げさに言うなって、地図を見せただけじゃないか」

「それが困るんだ」

「そう、船長の懸念《けねん》にも一理あるね」昆虫屋が女と並んでゆらりと床にしゃがみ込む。

「知っている人間が少なければ少ないほど、分け前が大きいことは確かだからな」

「許せないよ、乗船券を返して、さっさと出て行ってくれ」

「だって、怪我しているのよ」横に並んだ昆虫屋を見上げて、女の細い声。おっかぶせるようにサクラの金属的な声。「運転手が駄目《だめ》なら、おれはもっと駄目なんじゃないの。運転手以上に知りすぎた男なんだ、追い出したりしちゃまずいよ」

短いくせに、長すぎる沈黙。

「なんの臭いかな」女の呟き。

たしかに何か臭っている。ぼくが嗅《か》ぎ当てたのは女の体臭だ。しかし女が自分の臭いに不審を抱くはずがない。

「カルキだろ、消毒用の……」

「ちがう。わたし鼻がきくのよ、醬油《しょうゆ》が焦《こ》げたみたいな臭い」

三人の男がいっせいに首をまわし、顎を突き出してあたりを嗅ぎはじめる。

「そう言えば、昨日、イカを焼いて食ったっけ」

「ヤリイカだろ。この辺のはうまいんだ」昆虫屋の気負い込んだ声、味覚を思い浮べるときの軟口蓋《なんこうがい》のひきつり。「刺身にしてもいけるよな」

「刺身にした残りを焼いたんだ」

「だったら救急車を呼んでよ」女が大声を張り上げた。語尾の《よ》を歌うように長くひきのばす。苛立ちの表現のようでもあり、残響の効果をためしただけのようでもある。

「救急車は駄目さ」

ぼくも同じことを口にしかけていた。昆虫屋の口も否定形のかたちで動きはじめていた。しかし実際に言葉にして言ったのはサクラだった。

「そうね」女が素直に相槌をうつ。「外部との接触を避けようとすれば、救急車ってわけにはいかないな。でも、痛いよ」

「忘れないうちに返しておこう」サクラが鞄の小物容れから南京錠を取り出した。手をのばせば届く距離から、いきなり投げてよこす。受けそこなって、床に落した。しかし落ちる音はしない。南京錠はサクラの指のまわりでくるくる回りつづけていた。またしても手品だ。こんどはぼくの掌にゆっくり手渡される。「錠前の管理はいくら厳重にしても厳重すぎることはないからね」

「ついでに合鍵も返したら」

「当然だよ」シャツの胸を探りながら、「菰野さんもこの際、返却しちゃいなさいよ」

「いいとも」

なんのためらいもなく昆虫屋が合鍵を放ってよこす。十五メートル近い距離を、正確な放物線を描いて鍵が飛び、いったんサクラの手におさまってからぼくの手に移される。こういう反射神経の機敏さはあまり好きでない。軽いリズムでボールの受け渡しが繰り返される……そのうちひょいとボールが手投弾にすり替えられ……ぼくが受け取ったところでゲームが中断される。何時《いつ》だってそうなのだ。鍵と錠前の回収には成功したが、かわりに連中の居坐りを認めさせられてしまった。

「出掛けたくなったら、いつでも言ってくれよ。すぐに開けるから」

「ご心配なく、当分暇なんだ」サクラが唇《くちびる》の端で唾をすすりあげる。「ここにいれば、サラ金の催促も気にせずにすむしね」

「そのとおり」

昆虫屋が合の手をいれ、ぼくを除く全員が笑った。女が思い出したように足をさすりはじめる。見えすいた芝居だが、咎《とが》める気はしない。

「誰かお医者は知らないの。口が固くて、往診をたのめるようなお医者」

「そう、医者は必要だね。ちゃんとした船には、かならず船医が乗り組んでいるものだ」サクラが昆虫屋に同意を求め、昆虫屋も首肯《うなず》き返す。「医者なら運賃免除どころか、給料払ってもいいよな。誰か心当りはないのかい」

ないわけではないが、今のところはまだ話題にしたくなかった。

「とりあえずぼくに診させてくれないか。以前しばらく消防署に勤めたことがあるんだ、捻挫《ねんざ》と骨折の区別くらいはつけられるよ」また全員が笑いだす。船長の権威を維持するためには、ぼくも一緒になって笑ってみせるしかなさそうだ。笑いながら彼女との距離を目測する。十八歩から二十歩。さりげなく近付いて、言い終ったとき傍にいるようにしよう。うまくすれば誰からも文句をつけられずに彼女の足に触れられる。

「救急隊員でなくても、応急処置は勉強させられるんだ。骨折の手当てだとか、人工呼吸だとか……でも、ここじゃ落ち着かない、ぼくの部屋に行こうか。あそこならソファーもあるし、上等じゃないけどクッションもあるから……」

計算どおり、女をはさんで昆虫屋と対称の位置に辿り着く。女がうなずいて、右腕を高くかかげた。ぼくの肩をもとめる仕種《しぐさ》だ。信じられないことだが、ぼくの誘いに応じてくれたのだ。余分にもらった釣銭《つりせん》をポケットにねじ込む呼吸で、彼女の左前に膝をつく。二度とありえない機会だから、昆虫屋の思惑など気にしてはいられない。彼女の手が右肩にかかった。空想ではない、本物の女の手だ。生れて初めての経験だったから、うまく言葉では言いあらわせないが、脳の表面に氷の鏝《こて》を当てたような感じだった。腰に腕をまわしても文句の出ない状況だったが、自制する。感触の想像だけで我慢しておく。腰を上げると同時に股《また》の下から手がのび、睾丸《こうがん》をくすぐられた。昆虫屋のいたずらに決っているが、無視してしまう。

先に立ってブリッジ(船長室)に向っていたサクラが、階段下の便器を足蹴《あしげ》にして神経質な笑い声をあげる。意味もなく、よく笑う連中だ。

「たしかに、こりゃ、便所らしいね」

「便器だよ」

追い越して行った昆虫屋が、サクラの肩越しに覗きこむ。

「特注サイズだな、馬の便器じゃないのか。現在使用中なのかい」

「もちろん」

「あんた露出狂じゃないの」サクラが便器の横の支柱に体をあずけた。「こんな見晴しのいいところで、よく糞が出来るね」

床から直立した鉄道の転轍機《てんてつき》ほどもある鉄の棒なので、用便中に姿勢の安定をはかる支柱にも見えるが、実は排水レバーなのだ。注意する間もなくレバーが傾き、サクラがよろけた。地下鉄の接近を思わせる地響き。集音レンズでしぼったように、その轟音《ごうおん》が便器の芯に焦点を結ぶ。次の瞬間しぶきを上げて盛り上った水が、便器の縁すれすれにあふれ、渦《うず》をまき、再び轟音を残して走り去る。湿っぽい破裂音。静寂。

「嫌ねえ」

ぼくの肩をゆすって、女の声にならない笑い。体重の掛け方からみて骨折どころか、捻挫だって疑わしい。疑わしくても結構、このままの状態がいつまでも続いてほしい。

「とんでもない水圧だぞ」昆虫屋が振り向き、詰問《きつもん》の調子で、「これ、本当に便器なのかい。象十頭分の糞だって始末できそうじゃないか。形も変だよ。便器に似ているけど、違うんじゃないのかい」

「便器だって、いろんな形があって構わないだろ」

ぼくも確信があったわけではない。別の物なのかもしれない。普通の便器より一回りは大きく、丈も高く、前後の区別がないうえに幅が広い。しかも便座がついていないので、またぎにくいし、安定も悪い。形も奇妙で、床から突き出しているステンレス製のパイプに、肉厚の陶器の壺《つぼ》がチューリップのように据《す》えられているのだ。この便器との出会いは、強姦《ごうかん》容疑で採石場跡に監禁されたときにさかのぼる。生物学上の父である猪突《いのとつ》に鎖でつながれたのは、そのパイプだった。どんな監房でも排泄《はいせつ》のための施設だけは必需品である。近くで仕事をしていた墓石の石工たち（餓鬼のくせに強姦したというので、ぼくを嫌悪《けんお》しながらも畏怖《いふ》の念を抱いていたらしい）も、弁当を分けてくれる一方で、食べている鼻先で平然と小便をしたし、タバコの吸殻《すいがら》や、弁当の包み紙などを捨てていた。時には猫の死骸《しがい》や、虫がくった古座布団を持ち込んで始末することもあった。猫の場合、仔《こ》猫なら丸ごと流せたし、親猫でもハンマーで砕くか、半分に切断すれば片付いた。地下水の水位差を利用した構造だろうが、なぜそれほどの陰圧が発生するのか、仕掛けの詳細はいまもって謎《なぞ》のままである。謎のまま、すべてを流し去ってくれる万能便器であることは事実なのだ。

「どっちでもいいけど、囲いは付けてほしいな」

サクラが先に立ってブリッジに通じる石段の手摺りに手をかけた。

「危い」叫んで女の腕から脱け出し、サクラのシャツをつかんで引き戻す。「勝手な行動はよしてくれ、仕掛けがあるって言っただろ」

同時に、石段の上でロケット花火が火を吹いた。床に当って爆発し、オレンジ色の煙を吹上げる。

「なんの真似だい、こりゃ」

サクラが声を上ずらせ、女の喉が沸騰《ふっとう》した薬缶の笛のように鳴る。

「過剰防衛だね」昆虫屋がゆったりと、断定的に、「やりすぎだよ、被害妄想《もうそう》としか言いようがない」

言いながらしきりに目くばせを送ってよこす。意図は読み取れないが、白紙委任状を求めているようでもある。

「大丈夫さ、正式に認めた乗組員には、事前にちゃんと仕掛けのある場所を通告するし、必要なら電源を切って、安全の確保に努めるよ」

女に肩を貸すつもりで振り向くと、すかさず一歩踏み出した昆虫屋が、彼女の脇《わき》に腕をまわしてしまう。彼女はさからう素振りも見せず、されるままになっていた。サクラは薄笑いを浮べて目をそらす。汚いやり方だ、彼女の足に湿布をあてがう権利を持っているのはぼくだけなのだ。

8

二十三段、幅二メートルの急な石段。手摺りは杉の角材である。上りきった右側に七十センチ角の石柱があり、奥に高さ五十センチの胸壁が続いている。つまり船倉の壁面がバルコニー状に切り開かれているわけだ。空想の乗組員とだけ暮していたときには、見通しの良さと開放感で(不意の侵入に備えた対策は万全だったし)気に入っていたのだが、共同生活を始めるとなると、厚手のカーテンの必要がありそうだ。ブリッジ(船長室)は横に長い、菱形《ひしがた》にひずんだ長方形で、広さは二十畳弱である。

ぼくが先に立ち、昆虫屋の腕に支えられて女が続き、しんがりをサクラがつとめた。

「惨憺《さんたん》たるものだね」昆虫屋がわざとらしい奇声を発する。「廃品回収屋の倉庫だって、もっとすっきりしているんじゃないか」

言われるまでもない、ひどい散らかりようだ。当面は公開を予定していなかったので、ぼくの脳細胞なみに乱雑をきわめ、他人の視線にたいする免疫《めんえき》はゼロに近い。あらかじめ分っていれば、見苦しくない程度には整頓《せいとん》しておけたはずだと思い、悔まれた。テレビにしろ、ステレオにしろ、かなりの高級品をそろえてあるのだから、そう悪い印象は与えずにすんだはずである。

「散らかっているわりに、ほこりは少ないんだ。階段の上の四角い箱、ぼくが発明した吸塵機《きゅうじんき》だけど、けっこう効率がいいんだよ」

「発明だって」

サクラがからかい気味に、ぼくと吸塵機を見較《みくら》べる。切り口が五十センチ四方、奥行き二十センチ弱のプラスチックの箱だ。全体が付着したほこりで毛羽立ち、古いフエルトでくるんだように見える。

「フィルター式じゃなく、静電気の吸着力を応用してみたんだ」

「なるほど」サクラの語調が変る。思ったより素直な性格なのかもしれない。「静電気の塵取《ちりと》りてのは、初耳だな」

「そうでしょう」

「いちおう、理屈にかなっているしね」

サクラが吸塵機の前にしゃがみ込む。ぼくは壁際《かべぎわ》に押しつけてある寝椅子に駈《か》けよって、順不同で積み上げてある新聞や古雑誌を叩《たた》き落し、女のために場所をつくってやった。

「それにしても凄《すご》い部屋だな」昆虫屋が歯をくいしばったままうめき、床に落ちていたバナナ三本とピーナッツの袋をテーブルの下に蹴り込んだ。「質屋に泥棒《どろぼう》が下宿してるみたいだよ」

女が片足を水平にのばし、昆虫屋に支えられて寝椅子に腰を下ろした。腰に手をまわした姿勢のまま、昆虫屋も一緒になって女の脇に倒れ込む。効いてもいないバネで体をはずませ、自分で自分に平手打ちをくわせて罵《ののし》った。

「いちゃつくんじゃないよ」

サクラはなんの関心も示さず、吸塵機の前にかがみ込んだままだ。

「このべっとり貼りついているの、ぜんぶほこりかい。着想の妙だね。君、見掛けによらず頭が冴《さ》えているんだな」

「脳味噌《のうみそ》にまで脂肪がついているわけじゃないさ」悪い気はしない。

「音がしているね。回転部分があるのかな」

「空気との接触を均等にするために、全体を毎分五回転にして、中のウールとナイロンのブラッシを十倍の速度で逆回転させているんだ。その摩擦で静電気を起して、部屋の空気の自然対流の合流点あたりに設置して……調子いいみたいだよ、けっこう」

「特許は申請済みなんだろうね」

「まさか」

「欲がないんだな」せわしげに唇の端を手の甲でぬぐう。「才能は大事にしなさいよ。今日のデパートの市《いち》なんかだって、この吸塵機ていどの商品が出品されてりゃ、オンの字だったんだ。菰野さんもそう思うだろ」

「そう、うちの船長は大物さ」

投げ遣《や》りな返事。眼鏡のレンズが曇っていて本当の表情は分らないが、吸塵機にはなんの関心もなさそうだ。サクラを油断させるための偽装工作だろうか。好奇心の弱い人間は冷酷だと言う。一見内省的に見えた印象も、乗船をもくろんでかぶった猫の皮だったのだろうか。用心棒の役を昆虫屋に期待しすぎて、痛い目にあわされないようにに気をつけよう。サクラの印象についてはちょっぴり修正を加えたい。世間は金と物には執着しても、発明や工夫のような無形の価値にはひどく冷淡なものだ。現にぼくがあれほどユープケッチャに関心を示したのに、昆虫屋はぼくを変人あつかいしただけだった。

そう言えばユープケッチャの残りがジープに置きっぱなしのままだ。あとで忘れず取ってこよう。

足を宙に支えているのがつらいらしく、女が体を前後にゆすりだした。昆虫屋が腰を浮かせる。移動して、女の足を支えてやるつもりらしい。鳶《とんび》に油揚げをさらわれてたまるものか。鼻先に立ちはだかってやる。どちらかが折れるしかない至近距離だ。

「そうきりきりするなって、悪いようにはしないから」

さりげなくぼくの肩を叩き、場所を譲ってくれた。部屋の奥にむかって足をすすめ、寝椅子につづく五台のスチール製ロッカーの一つひとつを爪《つめ》ではじきながら通りすぎ、百二十度で交わる本棚《ほんだな》の前で振り向いた。その視線を避けて、女の斜め前に膝《ひざ》をついた。

「まだ痛むの」

「もちろんよ」

女が膝の下で両手を組み、腕を引いて脚を持ち上げた。人工革のスカートは弾力がないので、太腿《ふともも》の上までめくれあがる。思い描いていたより肉付きのいい肌に生毛《うぶげ》が光っていた。寝椅子の下から救急箱を引き出す。乱雑に見えてもそれなりの配列があるのだ。寝椅子を中心にして、必要度、もしくは使用頻度《ひんど》の高いものから順に同心円を描いて散らばっている。

「脚をのばして、力を抜いて……」

そろえた掌をふくらはぎの下に差し込むと、女が大げさに悲鳴をあげた。

「駄目、くすぐったいじゃないの」

「驚かすなよ、診察しようとしただけじゃないか」

サクラが振り向いた。

「診察はよかったな」ゆっくり吸塵機の前から立上る。大きく喉仏《のどぼとけ》を上下させて唾《つば》を飲みくだす。ブリッジの半分を占領している作業台兼用のテーブルの端に両手をつき、わずかに身を乗り出しただけで威嚇《いかく》の意志はじゅうぶんに伝ってくる。「応急処置なら、冷せばいいんだろ。濡《ぬ》れ手ぬぐいで湿布して、包帯でも巻いておけばいいんだ」

「そりゃまずい」昆虫屋が棚から抜き取った大判の本の表紙をさすりながら、大頭を左右にゆする。「冷すのは駄目だ、温湿布だよ」

「冗談じゃない、冷すのが常識さ」サクラが負けずに言い返す。

「温湿布。温湿布に決っている」昆虫屋も譲ろうとはしない。

敵をして闘わしめよだ、漁夫の利を得るにはまたとない機会である。ためらわずに女のふくらはぎの下に両手を滑り込ませた。今度は女も声を上げない。あいまいな手つきはかえって刺激を強めてしまうのだ。

「まかせて下さいよ」掌に貼り付く肉の感触。「消防で教わったんだ、骨折なら冷したほうがいいけど、捻挫の場合は温湿布さ」

女の指が手の甲に触れた。押し戻《もど》されるのかと思ったが、そうでもなさそうだ。指先は手の甲から離れず、羽のない虫のように這《は》いはじめる。今度はぼくがくすぐったがる番だ。しかしこのくすぐったさは、耐えるに値いする。

「病院じゃ、なぜレントゲンを撮ったりするの」

「なぜって、何が……」

「レントゲンじゃないと診断できないから、レントゲンを撮るんでしょう」

「そうだろうね」

「だったらこんな診察、無駄じゃないの」

手痛い質問だ。サクラが笑った。霧吹き器のように歯の隙間《すきま》から唾を吐きちらす。

昆虫屋が音をたてて本を閉じた。

「あんた、なぜ消防署なんかに入ったんだい」

「なぜって、とくに深い理由はないよ。子供のころ、七夕の短冊《たんざく》に願い事を書くだろ、消防隊員と書いてしまったんだ、だから……」三人がいっせいに吹き出す。逆襲してやった。「それじゃ君はなぜ自衛隊なんかに入ったんだ」

昆虫屋は答えるかわりに眼鏡をはずし、シャツの裾《すそ》でレンズを拭《ふ》く。「曇りっぱなしだよ、よほど湿度が高いんだな」

それでもぼくは穏やかな心境だった。さりげなく、こっそりと、女の指がリズミカルに動いてぼくの手の甲をさすりつづけていたからだ。

「湿っけてはいるけど、いい気分じゃない。冷房が入っているみたい」

さいわい体の陰になっているので、サクラも昆虫屋も女の指の動きには気づいていないようだ。秘密の楽しみがこれほど刺激的なものだとは知らなかった。耳の穴から吹き込まれた熱風が鼻の穴から抜けていく。血圧が急上昇しているのだろうか。それにしても分らないのは女が送ってよこす指先の信号の意味だ。並外れた同情心の持ち主なのだろうか、それともサクラの教育で、相手かまわず媚《こび》を売る習慣に染ってしまったのだろうか。

「言われてみると、そうだね。すっかり汗がひいちゃった」サクラがシャツの下に手を入れて小刻みに胸を叩いた。

「でも、年中湿気ていると、空気ダニが発生しやすいだろ。呼吸器系統には毒さ」昆虫屋が物知り顔にけちをつける。

「空気ダニはよかったね、あんたらしい」

「嘘《うそ》じゃない、新聞に出てたの憶《おぼ》えていないかな」昆虫屋が水平に保った本を魚のように泳がせて、「コンマ三ミリのクラゲみたいなダニで、図鑑にも出ているよ。空中に浮んで塵《ちり》を餌《えさ》にしているんだ。肺のなかで繁殖して、悪性の炎症をおこすらしいぞ」

サクラは取り合おうともしない。テーブルをまわって、寝椅子の反対側の胸壁ごしに船倉を覗き込む。「なんだい、あの下のドラム缶《かん》の中身……さっきから気になっていたんだ」

「五本は飲料水」糊《のり》を塗り込んだような濁った声。手の甲をさすりつづけている女の指のせいで、喉の粘膜までむくんでしまった。「いざという場合、なんと言っても水だろ」

「何処《どこ》もかしこも水だらけ。見ろよ、この本だってしぼると水が出そうだぞ」昆虫屋が本の背の両端をつまんで、左右にひねる。表紙がはがれて、中身だけが床に落ちた。

「ごめん、ごめん。でも面白《おもしろ》そうな本じゃないか、『自給自足の手引き』だとさ。いまどき自給自足だなんて、よほど人付き合いの悪い偏屈者が書いたんだろうな。ところでこのラベル、図書館のだろ、借りたっきり返さないのかい」

答える義務はない。何かもっと大事なことを思い出しかけていた。印刷された紙の束、古新聞、古雑誌の利用法……そう、ギプスだっけ……石膏《せっこう》で型をとるまでのあいだ、傷めた関節部分を臨時に固定しておくための代用品だ。

「おれは気に入ったね」サクラが体を斜めにして胸壁に腰を乗せ、騒がしく声をはずませる。「正直言って、最初はちょっぴり好奇心から覗いてみたかっただけさ。でも、気に入ったよ。絶対に面白い、この洞窟《どうくつ》。湿気なんか問題じゃないだろ。湿気も地下室の特徴なんだから、それを生かすように考えりゃいいじゃないか。冬あたたかく、夏はすずしい、温度が一定しているってのはけっこう利用価値が高いと思うな。たとえば、ごく常識的なところで、野菜や穀類の貯蔵庫にぴったりだ。いや、籾《もみ》や種の保存のほうが効率がいいかな。単価も高いし、需要も確実……」

陳腐すぎる。王冠につけたダイヤを見て、ガラス切りを連想するようなものだ。こういうタイプの男は、いろいろと厄介《やっかい》の種になりかねない。むしろ要領の得ない昆虫屋のほうが無難なような気がしてくる。

「人の指図は受けないよ」足のしびれが語気を鈍らせる。眉《まゆ》を上げ、もう一度女のふくらはぎを強く握って、「とりあえず、ギプスをしておこうよ。骨折にしても捻挫にしても、患部の固定がいちばんなんだ」

「とりあえずはいいけど、その後はどうするの」

女のふくらはぎがかすかに痙攣《けいれん》する。すかさず昆虫屋が割り込んできた。

「決っているだろう、おれにおぶさって、下まで降りるのさ」タバコをくわえ、そのままケースに戻し、「あんたたちは上の道から降りて来たらしいけど、本当の道順は海岸ぞいなんだ。ジープも置いてあるし、まかせておきなさいって。その前にコーヒーでもご馳走《ちそう》になろうか」

「あんた、鈍いな、古い蛍光燈《けいこうとう》なみだぜ」サクラがわざとらしく語尾をひきずった。「ここは救急車も寄せつけないほど秘密厳守の場所なんだ。おれだって船長の立場に置かれたら、よくよくの模範囚でもないかぎり、外出許可証の発行なんてまっぴらだね」

「あんたが人質になって、ここに残ればいいのさ」事もなげに昆虫屋が答え、目くばせしてぼくの同意をうながす。

不意打ちにまごついて、その提案がぼくに有利なものか不利なものかも、すぐには判断できなかった。彼女が人質になってくれるのならともかく、サクラと二人きりにされて何かの得があるだろうか。彼女は昆虫屋の背中に体を密着させたまま、もう二度と戻って来ないかもしれないのだ。

「そうは問屋が卸しません」サクラが耳ざわりな声で唾液をすすり上げる。「見なさいよ、船長だってあのとおり渋い顔だ」

「行こうか」かまわず昆虫屋がぼくの肩ごしに女をうながした。下から見上げるせいか、頭の鉢《はち》だけでなく全身がひと回り大きく見える。「船長、ジープまで見送りをたのむよ、犬は苦手だからな」

「犬って、なんの犬」女が軽くぼくの手をつねった。

「腹をすかせた野良犬《のらいぬ》さ。まったく命がけだよ、獰猛《どうもう》な面構《つらがま》えのやつが五、六頭はいるんじゃないか。でも心配は御無用、船長が犬の遠吠《とおぼ》えの名人でね、船長に吠えてもらうとたんに奴《やつ》ら大人しくなっちまうんだ」

掌は汗にまみれ、グリスを塗ったように猥褻《わいせつ》だった。ぼくの手許《てもと》を覗き込める位置なのに、昆虫屋はひと言も触れようとはしない。わざと見逃してくれているのだろうか。だとしたらジープまで見送ってほしいという誘いは深い意味をもってくる。立去る側と、居残る側と、立場は入れ替るが、サクラだけを仲間外れにするという点ではぼくの希望がそっくり実現されることになる。巧妙な作戦だ。外から南京錠《ナンキンじょう》を掛けてしまえば、サクラは二度と地上に出られない。いつまで生き永らえるかは、食糧貯蔵庫の発見時期にかかってくる。発見できなければ数週間内に餓死をまぬかれないだろうし、発見できたとしても侵入者撃退用の罠《わな》のどれかにかかって致命傷を負うはずだ。

遺体の処理は委《まか》せてもらいたい。解体して高圧水洗便所に流せば、数分間で跡形もなく処分してしまえる。

やはり昆虫屋を信じるべきなのだろうか。あわただしく青と赤の点滅を繰り返す故障した交通信号。ブレーキを踏むべきかアクセルを踏むべきか、迷ってしまう。

「その前に、とりあえずギプスをしておこうよ」

床にほうり出された『自給自足の手引き』のちぎれたページに手をのばす。床が旋回し、倒れ込んでしまった。長時間無理な姿勢をとっていたので、しびれてしまったのだ。足を傷めていたはずの女が、体をかわして立ち上った。サクラが吹き出した。笑いをこらえるためのコルクの栓《せん》が、一気にはじけ飛ぶ音。一人の買手もつかなかった、デパートの屋上の露店の［水大砲］なら、きっと似たような音をたてて弾丸を発射するだろう。

「さてと、芝居はここまで」サクラが指を鳴らし、はずみをつけて胸壁から床に降り立つ。「お嬢さん、もういいよ、お疲れさんでした」

「仮病だったのか」

昆虫屋がゆっくり両足を開いた。殺気がみなぎっている。ぼくは意外なほど平静だった。物事が思いどおりに搬《はこ》んでくれるのはいずれ空想のなかだけだ。失意の水っぽさのほうが、履きなれた靴《くつ》のようになじみがいい。サクラが指先で唇の端をぬぐって応じた。

「知らなかったとは言わせないぜ」

足に感覚が戻りはじめる。蝿《はえ》にもとまってほしくない感覚。

「していい冗談と、悪い冗談がある」昆虫屋が暗い表情で眼鏡をはずし、肩を落して眉間《みけん》をつまんだ。「船長との約束もあるし、そう勝手な真似《まね》をさせておくわけにはいかないんだよ」

サクラも負けずに肘で脇を固め、半身になって顎《あご》を引いた。緊張した息遣いを別にすれば、二人とも相手を無視して、自分の殻《から》に閉じこもってしまったようにも見える。猛獣が相手の隙をねらって爪を研いでいるときにも、似たような無関心さをよそおうものだ。

「おれを追い出すには、力ずくしかないんだぜ」

「分っているよ」

「たいした自信だな」

昆虫屋が眼鏡の弦《つる》をたたんでシャツのポケットに落し込む。サクラも右手の指をズボンのポケットに差し込んだ。ナイフでもしのばせているのだろうか。テーブルの角をはさんで、距離は三メートル半。

女がぼくの足を踏んでささやいた。

「外はまだ雨かな」

張りつめた空気のなかでは、ささやき声でも眼の中のゴミのように目立つ。みるみる興奮がひく。昆虫屋が口に拳《こぶし》をあてて咳込《せきこ》んだ。サクラが舌打ちを繰り返す。

「壁が厚いし、窓がないから、天気も時間も機械に頼るしかないんだよ」寝椅子とロッカーのあいだの棚の中段に据えたモニターのスイッチを入れる。外部センサーから送られてきた電気信号をパソコンが記号化して画面に映し出す。「雨は上ったみたいだな。風力四メートル二十、南西の風……」

「面白いよ、この人。うちの船長さん……」サクラの視線が不遠慮にぼくの全身を舐《な》めまわす。

「湿度、八十二。気圧は下りっぱなしのままだね」

「だから頭が重いんだ」女が額にかかった髪を掻《か》き上げる。「コーヒーにしない」

「コーヒーで口なおしも悪くないね」昆虫屋が肩の力をぬいた。

「菰野さんのやることは芝居がかっていて、何時も後口が悪いからな。お嬢さん、全快祝いにコーヒーのサービスしてよ」女に手伝わせることで、居坐りを既成事実にしようとするサクラの下心が見え透いている。「船長、教えてやってくれないか、粉や道具を置いてある場所」

「いいよ、ぼくがやるから」

女がサクラの顔色をうかがった。サクラが蠅を追い払う仕種でうながす。

「まかせてよ。上手いんだ、わたし、コーヒーのいれかた」仮病の埋め合わせのつもりか、いきなり声をはずませる。

「でも、電気式のコーヒー・メーカーだからね、誰がいれたって同じことさ」そうは言ってみたものの、ぼくの方にもサクラに劣らぬ下心があった。彼女と二人きりになれる、またとない機会である。「それじゃ、茶碗《ちゃわん》洗いでも手伝ってもらおうかな。水仕事は下のトイレなんだ、炊事も洗濯《せんたく》も。便器の水を使うわけじゃないよ、壁に流し台がはめこみになっていて、蛇口《じゃぐち》もついている。コーヒー・メーカーは三人用だから……濃いめに出して、湯を足そうか」

女がスカートの裾をのばしながら、ぼくをうながし、先に立つ。

「暴力は趣味じゃないんだ」昆虫屋が道をあけ、ベルトにつけた物容《ものい》れから笹蒲鉾《ささかまぼこ》を取り出した。「食うかい、どさくさに紛れてすっかり忘れていたよ。空きっ腹にコーヒーは毒だからな。いらいらするし、便秘のもとになる」

笹蒲鉾を四枚受け取って、しびれが残っている足をひきずり、女の後を追い掛けた。三段降りると柱の陰になり、ブリッジの様子はもう見えない。サクラの声がした。

「ごたいそうな機械だな、鼠《ねずみ》の歯でも削るのかな」

「小型精密工作機さ」口いっぱいに蒲鉾を頰張って昆虫屋が答える。「おれね、こういうの、前から一度いじってみたかったんだ」

9

「この便器、見れば見るほど変っているね……」

挑発《ちょうはつ》ととれなくもない、鼻にかかった女の囁《ささや》き。たしかに変っているとぼくも思う。第一に前後の区別がない。排便時の姿勢は無防備なので、どうしても遮蔽物《しゃへいぶつ》を背にしたくなり、前後の区別がほしくなるものだ。とくにこの採石場跡のように広大な空間のなかでは、壁を背にしてさえ肛門《こうもん》がすぐに拒絶反応をおこしてしまう。ここに棲《す》みついた当初、悩みの種といえば便秘だった。何種類もの緩下剤を験《ため》してみたが効果がなく、一週間めに耳鳴りが始まり、十日めに眼がかすみはじめた。灌腸《かんちょう》もしてみたが、結果はさらにみじめだった。便意をもよおすだけで、肛門はあい変らず頑固《がんこ》な栓でふさがれたままなのだ。大腸カタルなみの激しい便意をともなう排便不能というのは、経験がなければ分らない錯乱的苦痛である。病院では軽くあしらわれてしまった。便意があるのは軽症の証拠だから、あせらずに便器にまたがっていなさいというのだ。言われるまでもなかった。便器を離れたとたん、便意にせきたてられ、便器に飛んで返すのだ。『家庭の医学』のページを繰りながら、まる二日間坐りつづけた。死ぬかもしれないと思った。

『家庭の医学』は素人《しろうと》向けの手引き書だが、最終的にはこれが役立ってくれたのである。すくなくも医者よりは適切な指示を与えてくれた。ふつう便秘というと、まず便の脱水硬化か、大腸の弛《し》緩《かん》を思い浮べがちだ。つまり腸の機能低下である。ところが『家庭の医学』には、腸の機能昂進《こうしん》の症例として、直腸痙攣による排便困難症があげられていた。便秘の項目には入っていない便秘である。ひらめくものがあった。ぼくは肥満体質に似合わず心配性で、年に二、三回（嫌《いや》な相手、たとえば生物学上の父親である猪突に会わなければならない時や、交通違反で警察に呼び出された時などに）かならず下痢《げり》をしてしまう。症状が嵩《こう》じると、腸がねじれるほどの激痛に襲われる。その下痢が嵩じた結果の便秘なら、常備薬のブスコパンを験してみたらどうだろう。ふつうは月経痛の薬らしいが、腸の痙攣にも特効的な効きめをみせてくれる。劇的な成功だった。数分後に巨大な糞塊《ふんかい》が噴出し、うっとりするような快感の穴が残った。参考までに医者に報告してやったが、不愉快そうに黙殺されてしまった。

もっともあの苦闘のおかげで、採石場跡の広大さになじむことが出来たような気もするのだ。前後左右どんな角度からでも便器をまたげるようになったし、便秘の怖《おそ》れもなくなった。こだわりがなくなると、用便以外の目的に使うゆとりも出てくる。まずゴミ捨て場としての利用頻度《ひんど》が高まった。つづいて流し場が、使い勝手のいい炊事場になるのは当然だ。鍋《なべ》の中身に火がとおるのを待つあいだ、便器を椅子《いす》がわりに一服できるし、食事やコーヒーをとるにも、わざわざ便器を離れる必要がない。好きな航空地図旅行や、日課にしている採石場跡の測量結果の整理なども、コーヒーを飲みながら便器の上で続けられる。こうして次第に便器中心の生活設計が枝をひろげていったわけだ。期せずしてユープケッチャになりかけていたとも言える。

流し場は床から一メートルほどの位置にくり抜かれ、内側が青くエナメル状に磨《みが》き上げられている。優勝杯でもあれば飾っておきたいほどの仕上がりだ。あるときその天井部分にパテで埋めた跡があるのを発見した。ナイフでほじると先端をナットでふさいだ鉛管があらわれた。捻子《ねじ》をゆるめると水が噴き出した。ナットのかわりに蛇口をねじ込み、電気のコードを引いてコンセントをつけた。小型の冷蔵庫を置き、蛍光燈を埋めこんだ。大型の電気コンロを据え、食器棚を取り付けた。折りたたみ式のカウンターを付け、ふだんはアコーデオン・カーテンでふさいでおくことにする。さらに便器を踏み台にしてちょうど手が届くあたりに棚を付けた。周囲をゴムでパッキングしたガラスの引き戸のせいで、気密性はじゅうぶんだ。乾燥剤といっしょに写真機材、旅行用品(航空写真の地図)、測量器具などを保管してある。安全対策もぬかりない。隠しスイッチを切らずに引き戸の把手《とって》に手をふれると、電流が流れて指を焼き、催涙ガスの直撃をくらう仕掛けになっている。ユープケッチャのために場所をつくるとしたら、写真機材の隣あたりがいちばん似合うだろう。

カーテンを開ける。連動して流し場の照明がつく。

「きれい、大理石みたい」

「含水頁岩《けつがん》とか言って、湿気があるあいだはよく光るんだ。だから水石なんだろうな。乾くと粉をふくのが欠点で、この石で外装したビルなんか四、五年で大福餅《だいふくもち》みたいになっちまうんだ。ここが閉山に追い込まれたのも、けっきょくはその辺が原因らしいね」

「そうね、女気はないみたいね」流し台に積み上げられた五日分の汚れ物を見て、意味ありげに笑う。

「あるわけないよ、そんなもの」

「洗ってあげようか」

「気にしないでいいんだ、週に一度まとめて洗うことにしているから」昆虫屋からもらった笹蒲鉾を一枚、口にくわえ、もう一枚を女に渡す。「生ぬるいけど、買いたてだから、傷《いた》んじゃいないと思うよ」

「ありがとう」女の唇が薄いゴムのように笹蒲鉾の形にそって伸縮する。「蒲鉾って、高蛋白《こうたんぱく》で脂肪が少ないから体にいいんだってね」

「今さら、ぼくの体なんて……」こだわらずに自分の欠点を口にしたほうが、開けっ広げな性格に見てもらえるだろう。「でもこの蒲鉾、味の素を澱粉《でんぷん》で固めたようだぞ。グルタミン酸ソーダってのはナトリウム塩だから、血圧に悪いかな」

「何か聞えない、犬が吠えているのかな」

「聞こうと思えば、どんな音だって聞えるよ。トンネルや空洞《くうどう》だらけだろ、でっかいラッパの中にいるようなものさ」

「よく外国のテレビ映画に出てくるじゃない、大きな石の建物で、鉄の扉《とびら》があって、広い庭に番犬がいる家。映画に出ているつもりになれば、今ちょうど物語が始まりかけているところで、音楽がほしい感じだな」

「変っているよ」

「どんなふうに」

「いい意味で変っているのさ。面白いよ」

「からかわないで。彼からは文句の言われっぱなし、脳味噌に穴が開いているんじゃないかって」

「虫の好かない野郎さ」

「自分が嫌《きら》われ者だってこと知っているから、あんなふうなのかな」

「あんなふうって……」

「コーヒーの粉、何杯にする」

「濃い目なら、五杯」流し場と便器のあいだという、特殊な場所のせいか、子供のころの押し入れごっこに似た視野狭窄《きょうさく》的興奮におちいっていく。「気に入らないのは、君にたいする態度だよ。いくらなんでも高圧的すぎるじゃないか……」

「病気だから、仕方がないんじゃない」

「病気って、なんの病気」

「癌《がん》……」

読みさしの本のページを前に戻る感じで、サクラの印象を繰りなおしてみる。

「……癌って、どこの癌」

「骨髄だって。黙っていたほうがよかったかな。白血病の一種らしいけど、内証にしてね。本人もまだ知らないことだから」

「重症なのかい」

「癌に重症や軽症の区別なんてあるの。あと半年らしいけど」

「君、本当のところ……彼とはどういう間柄《あいだがら》なんだい」

「言いづらいな」

「どうして『お嬢さん』なのさ」

「他人に、いろんなふうに想像させておくためじゃない」

「鮎《あゆ》の友釣《ともづ》りか」

「そうね」

「でも常識的に、癌患者の病名を教えてもらえるのは、身内の者にかぎられているんじゃないの」

せっかく二人きりで籠《こも》った押し入れの中にはそぐわない、ちぐはぐな苛立《いらだ》たしさ。答えるかわりに女が上を向いて手をふった。ブリッジの胸壁にサクラと昆虫屋が並んで肘《ひじ》をつき、笹蒲鉾をかじりながらぼくらを見下している。

「コーヒー、そっちで飲む」

「降りて行く」昆虫屋が腰に手をあてがって大きく伸びをした。「手間もはぶけるし、後片付けも楽だろう」

「やはり上で飲もうや」サクラが両手をひらひらさせながら、いったん奥に消え、柱をまわって階段を降りてきた。「おれ、小便がしたいんだ」

「駄目《だめ》よ、オシッコはわたしが先」女が叫び返し、洗った茶碗（一つとして揃《そろ》ったものはない）を四個、盆に重ねて突き出した。「沸いたら、ポット持っていくから」

小便を口実にされては、さからえない。盆を受け取ってサクラが引き返して行く。ぼくも後につづいた。テーブルの角に隙間をつくって、茶碗を並べた。昆虫屋が胸壁越しに女に呼びかける。

「ほかに何か食い物はないの」

残響で隈取《くまど》りされた女の声が跳ね返ってくる。

「いやねえ、覗《のぞ》かないでよ」

本心からの拒絶というより、じゃれあっている感じもあって、いい気持はしない。昆虫屋が唇の端に薄笑いを仮留めして、未練たっぷりに胸壁を離れる。

「早く飯にしようや、船長さん、こう空《す》きっ腹《ぱら》じゃ話合いも進まないよ」

ぼくだって空腹でなかったわけではない。しかし問題は、どんな形式の食事にするかだ。それによって今後の関係が左右されかねない。おおまかに言って、三つの形式が考えられるだろう。一つは四人がいっしょにカップ焼きソバですませてしまうやりかた。二つめは四人がいっしょに、ある程度の料理を囲む形式で、乗船歓迎会の含みを持たせる。アルコールの用意も必要だろう。最後は食品置場に案内して、各自有料で希望の品を選んでもらい、調理も食事もめいめいが勝手に済ませてしまう方式。ぼくとしてはこの最後の形式がいちばん望ましかったが、まだ居住部分の割り振りも出来ていない現状では、かえって中途半端《はんぱ》な習慣を許してしまう結果になりかねない。最初の晩をたのしい歓迎会にするのも、その後の関係の潤滑油としては有効だろう。サクラに気兼ねなく彼女と口がきける雰囲気《ふんいき》を約束してもらえるのなら、酒の栓くらい抜き惜しみはしないつもりだった。

腹を決めるためにも、せめてあとコーヒー一杯分くらいの猶予《ゆうよ》はほしい。

「船長はここで寝るのかい」

寝椅子の肘掛けを叩いてサクラが尋ねた。

「そうだよ、なぜ……」

「おれたちの寝床は、何処になるのかな」

「とりあえず、何処でもいいだろ。寝袋は、本格的なのを用意してあるから」

「そういうことなら、いったん引き揚げさせてもらいたいね、残念だけど」

こう次から次へと言うことを変えられたのでは、方針の立てようがない。夕食のメニューについても、頭を悩ますのはやめにしよう。

「残念がることなんかないさ、好きにすりゃいいだろ」

「自分の枕《まくら》でないと寝つかれないんだ、悪い癖でね。旅行の時にも、枕だけは持ち歩くようにしているんだよ」

「馬鹿馬鹿《ばかばか》しい」

「いや、分るな」昆虫屋が寝椅子の端に、生干しのイカみたいに貼《は》り着いた。「何もこんなふうに詰め物が良くなくてもいいんだよ。でも枕についちゃ、そういう習慣の人間がいるね。あれ、臭《にお》いが問題なんじゃないか。枕に染《し》み込んだ、頭の垢《あか》の臭いさ」

「たしかに枕ってやつはよく臭うよね。田舎の安宿なんかに泊ると、たまんないだろ、むっときちゃって……」

「五感のなかで、嗅覚《きゅうかく》がいちばん原始的な感覚なんだとさ」

「他人の体臭は我慢ができなくても、自分の体臭は懐《なつか》しいもんだよな」

「そう、よくいるじゃないか、ごしごし頭のふけを掻いては、爪のあいだの垢を嗅《か》いでいるやつ」

「たのむ、静かにしてくれないか」もううんざりだ。乗組員との共同生活がこれほどわずらわしいとは思ってもみなかった。「ずっと他人の声なんか聞かずに済ませてきたんだ、神経にこたえるよ」

あの静けさはもう戻ってこないのだろうか。まったく割りに合わない取り引きだ。ぼくが支払おうとしている代償の大きさを、この連中はちょっぴりでも気付いているのだろうか。

ほとばしる水が水面を叩く音。彼女が放尿を開始したようだ。これほど生々しく聞えてくるとは思っていなかった。水量と水圧を、ありありと思い描くことができる。寝椅子の下で鳴きだしたコオロギなみの身近さだ。こんなことなら無理に沈黙を求める必要はなかった。三人とも耳たぶをつまんだり、奥歯を吸ったりして、聞えないふりをよそおっている。小便の音は際限なくつづき、これ以上の沈黙には耐えられない。

「人間が共同生活をいとなむためには、ルールがいる」耳栓の代用だから、自分にも耳ざわりな早口で、「ルールは守られなければルールにならない。ルールが守られるためには、つまり、価値基準の共有が前提になるわけだろ。つまり、この採石場跡の本当の利用価値が分る人間にしか、本当の価値は分りっこない。べつに選《え》り好みしているわけじゃないんだよ」

昆虫屋がざらついた早口で後をつづける。「そう、これだけの空間を自由に使えるってこと自体、たいへんな価値さ。とにかく日本の国土は狭くて絶対的な空間欠乏症にかかっているんだ」

この大頭には脳味噌のかわりに豆腐が詰まっているのだろうか、それともわざととぼけて見せているのだろうか。

「誤解しないでくれよ、おれだってべつに枕だけにこだわっているわけじゃないさ」

喉をつぶした早口には伝染力があるらしく、サクラも似たような声でまくし立てる。

「連用している常備薬もあるし、読みさしの本もあるんでね。まがりなりにも引っ越しだろ。でも、手ぶらじゃ戻ってこないよ。船長、おれに例の合鍵《あいかぎ》のセールス請負わせてくれませんか。絶対いい仲間を集めてみせますよ。頭の回転が速くて、融通のきくやつ。とにかく用途が広そうだからな、この洞窟、ちょっと考えただけでも農産物の貯蔵、乾燥をきらう漆器工場、キノコの栽培、醸造業と、いくらでも……」

「まだ分らないのかい、人目についちゃ困るんだ」

「分っているさ。くだいて言えば、税金を払わずにすむ仕事ってことだろ。それこそおれの得意とする領分さ。たとえばポルノ・ビデオのスタジオ、ね、あれは実際もうかるらしい。それから逃亡犯人のための潜伏用ホテルなんてのも悪くない。設備の費用が安くてすむし、宿泊料は取りほうだいだ。もっといいのは精神病院の重症患者用病室。一種の無期懲役用の監獄だろ、地元の反対運動やなんかで建設場所が悩みの種らしいけど、場所さえ確保できれば金の卵を産む鶏らしいぞ。終身隔離病棟《びょうとう》だからね」

まったく理解していないようだ。しかし余命わずか半年の癌患者に、方舟《はこぶね》の必要性を納得させることが可能だろうか。当人に癌の自覚はないにしても、説得すること自体が虚《むな》しく、気がとがめる。かと言って、勝手にさせておくわけにはいかない。とんだ厄介者を背負いこんでしまったものである。

やっと小便の音がやみ、排水音がとどろいた。

「わざわざ出直すことはないさ、天気が天気だし……なにか必要なものがあれば、遠慮なく言ってくれよ、なんとか間に合わせるから」

「そう、枕くらいなんとでもなるだろ」自分にはすべて計算済みだと言わんばかりの、落ち着きはらった表情で、昆虫屋は自分用に選んだ茶碗の縁を爪先《つまさき》ではじきつづける。「借りものの枕だって、汗を吸った自分のシャツでくるんでやれば、同じことじゃないか」

10

小便を我慢していたせいか、サクラが膝をすり合わせ、踊るような足取りで石段を降りて行く。

「腹が減ったな」サクラが残していった気配のあたりに、ぼんやり視線を泳がせ、昆虫屋《こんちゅうや》が呟《つぶや》いた。「ところで船長、あんた、なんで暮しているの」

質問の狙《ねら》いは理解できた。誰だって気にするのが当然だ。収入源は人間の寸法を計る万国共通の尺度である。だからと言って答える義務はないし、答えるつもりもない。電気はすべて盗電だし、備品のほとんどすべてが市庁舎からの盗品で占められている。わざわざ弱みをつかませることもないだろう、聞えなかったふりを決めこむことにした。

サクラと入れ違いに近づいてくる軽い靴音《くつおと》。彼女が階段を昇りきるのに、あと十秒とはかかるまい。

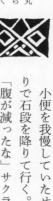

「あいつ、無理に引き止めるまでもなかったかな」

「くよくよするなって。船長らしく鷹揚《おうよう》に構えていればいいのさ」

「彼、癌なんだってね」

「まさか」

「彼女が教えてくれたんだ。内証だよ、本人には」

「癌みたいなやつでも、癌にかかるのかい」

そこで意気投合を誇示する屈託のない高笑い。コーヒー・ポットを片手に、彼女が姿を現わした。顔を見られない。まだ小便の音が耳の底に残っているせいだろう。その残響が、小便の出口を連想させてしまうのだ。

女も屈託なくぼくらの笑いに合わせて声をはずませた。

「冷蔵庫のなかに、缶ビールがどっさり」

「駄目、駄目」昆虫屋が寝椅子の肘《ひじ》掛《か》けにすがって上体を起した。「自分のおかれた立場について、認識が不足しているんじゃないか、お嬢さん。そこまで社長に感化されちゃまずいよ」

「社長って、誰……」

「驚くことはないさ、この節じゃ猫《ねこ》も杓子《しゃくし》も社長だからな。廃品回収のおやじが［東洋再生株式会社社長」なんていう名刺を振り回して歩く時代だろ」

「どういう会社の社長さ」

「サイサイ」女が歯を噛《か》み合わせたままで答える。

「なんだって」

「はじめのサイはにんべんの催す、後のサイは祭日の祭」

「変な会社だね」

「露店商のまとめ屋さ、要するに」昆虫屋がほこりを払う手付きで右手を振り、左手で眼鏡の軸を修正する。「だから俺《おれ》たち、船長の許可なしには、ビールはおろか水いっぱい飲む権利もないってこと。骨折だとかなんとか、いい加減な芝居をうって、反省がなさすぎるよ」

その説教じみた口調のほうがよほど芝居がかっている。女がうなずいた。ぼくまで一緒になって悪びれてしまう。

「大げさすぎるよ。乗船手続きは慎重にしようと言っているだけじゃないか。ビールのことなんて、問題にしちゃいないさ」

大嘘だ、ビールは一人だけで飲みたい。ビール豚の、ビール中毒。ビールと聞いただけで皮膚の裏まで汗が滲《し》み出す。しかも肴《さかな》はチョコレート。一日に一度、時間をかけて、チョコレートを肴にビールをするのだ。他人には見せられない豚の至福の時である。

「いいのかい、本当に」厚い凹《おう》レンズの奥で、昆虫屋の細い眼がますます細くなる。

「飯前のコーヒーは胃に良くないし、このさい船長の好意に甘えさせていただきますか。乗船祝いの乾杯でも口実にしてさ」

よく夢のなかで見る、ゴミの斜面で足を踏み外す感覚。失地恢復《かいふく》のつもりでさらに譲歩を重ねてしまう。

「いいよ、乾杯といこう。でもビールだけじゃ淋《さび》しいかな」まさかチョコレートを肴にするわけにはいくまい。偏見なしに味わえば、ホップとカカオが甘い炭酸ガスのなかで融《と》けあう苦味の調和にも捨てがたいものがあるのだが……。「ビールの肴なら、オイルサージンなんかいいんじゃないの」

「結構ですね。オイルサージンは体にいいんだ。プロスタグランディンという成分が入っていて、万病に効くらしいよ。動脈硬化にも、癌にも有効なんだってさ」

嫌な男だ。ここで癌を持ち出すことはないだろう。もっとも秘密漏洩《ろうえい》の張本人はぼくなのだから、一方的に昆虫屋を責めるわけにもいかない。さいわい彼女の表情に変化はなかった。船倉にむかって声を張り上げる。

「オシッコがすんだら、缶ビールと、オイルサージンだって」

負けずにぼくも声を張り上げる。

「缶詰は冷蔵庫の上の籠《かご》の中だ」

返事はない。嫌な予感がする。ポットをテーブルに置いて女が微笑《ほほえ》んだ。

「コーヒー、無駄になっちゃったわけか」

「いや、ぼくはもらうよ。西洋人はけっこうアルコールとコーヒーを一緒にやるんだってね。肝臓の保護作用があるらしいんだ」

女がコーヒーを注《つ》ぎ分ける。船倉からはいぜんとしてなんの反応もない。そろそろサクラの小便の音が聞えてもいい頃《ころ》だ。男の小便のほうが、女よりも、放出位置が高いだけよく響くはずである。

「砂糖はどこ」

「どこだっけ」

コーヒーも紅茶も砂糖抜きが習慣だったので、すぐには思い出せない。蟻《あり》がつかないように瓶《びん》に入れて、冷蔵庫の奥に押し込んでおいたような気もする。直接サクラに指示しながら探してもらったほうがよさそうだ。テーブルを迂回《うかい》して、本棚《ほんだな》と胸壁が鋭角でまじわる奥にまわり込む。船倉を覗き込んだ。サクラの姿はどこにも見当らなかった。

視界に入った情景の意味をすぐには飲み込めない。隠れる場所も探す余地もない石の明快な直方体である。壊《こわ》れた二重像合致式のファインダーを覗いているようなもどかしさ。誰もいないことには馴《な》れっこだが、居るはずの人間の姿が見えないのには馴れようがない。

「どこに消えっちまったのかな……」

女がテーブルの反対側から回り込んできて、胸壁に並ぶ。

「いなくなったの」

とくに案じている様子はなく、むしろ面白がっている感じだ。隠れ場所がないことを知らないのだから、意外性も少ないのだろう。コーヒーを注いだ茶碗を手にして、昆虫屋が仲間入りした。

「ドラム缶の陰だな」音をたててコーヒーをすすり、「気取るんじゃないよ、囲いがないと小便が出ないってほどの育ちじゃないだろ、出てこいったら」

「ぴったり壁にくっつけて並べてあるんだ、ドラム缶の間に人間が入り込む余地なんかないよ」

ぼくには分っていた。信じたくないだけで、サクラの行方についての見当はついていた。ブリッジからは見えにくいが、同じ壁面の向こう端に開いている坑道口に入り込んだに違いない。自分で骨を砕いて肉の袋になり、便器の中に吸収されでもしないかぎり、他に姿を消す場所はない。

「社長、どこにいるの」女の声の残響が、遠浅の海辺の波に似た長いうねりを残す。

「隠れん坊する気なら、じゃんけんで鬼を決めてからにしてよ」

ぼくは耳を澄ませて悲鳴があがるのを待った。案内なしであの坑道を通り抜けられるわけがない。弓の原理を応用した足払い機が仕掛けてあるのだ。床上一センチの位置に張ったテグスを引き金にして、触れると鋼鉄の板ばねが跳ね返る。もともとは鼠の侵入を防ぐのが目的だったが、人間だって足首くらいなら簡単に砕いてしまうはずだ。

「野郎、出しぬきやがって」昆虫屋はぼくの視線をたどり、すぐに状況を飲み込んだらしい。坑道口を覗こうとして、胸壁によりかかる。「何があるんだい、あの通路の奥」

もしこの連中が期待どおりの乗組員だったら、尋ねられるまでもなく最初に案内していたはずの場所である。方舟《はこぶね》の心臓部だ。そこから三方に枝分れした坑道が、第二、第三の船倉への通路になっている。各船倉を居住区と考えれば、共同使用に最適の位置にあるので、中央船倉、もしくは作業船倉と名付けたい。乗組員の私生活にはなるべく干渉しない方針だが、空気浄化装置や発電機の運転のように、共同作業にたよらざるを得ない部分がある。方舟生活の成否はもっぱらそこでの協調ぶりにかかってくるわけだ。誰もがユープケッチャのように暮していれば、協調になんの不都合もないはずである。互いに縄張《なわば》り拡張の衝動を持たなければ、縄張りを犯し合う気遣いもない。サクラの便乗を許してしまったのは、船喰虫《ふなくいむし》の寄生を見逃したような致命的な失態だったのかもしれない。

「機械置場さ」喧嘩腰《けんかごし》になりすぎた。言い添える。「いずれ案内するけど……」

「なんの機械」

「生きのびるための機械に決っているだろ」

「何から生きのびるの」

女もやっと事態を飲み込んだようだ。腰を直角に折って、体重を胸壁にあずけ、深々と上半身を乗り出した。折れた腰をくるむ人工皮革のスカートが伸びきって、素肌《すはだ》のように艶《つや》やかだ。そんな柔らかな球体が、ぼくの腰のすぐ隣に並んでいて、しかも空想でないというのは空想以上に空想的である。ぼくの脳味噌《のうみそ》も、皮をめくったように赤味をおびてくる。

「生きのびるって、何から……」

女が質問を繰り返す。本当に何から生きのびるのだろう。どうせのことなら『何から』ではなく『なぜ』と聞いてほしかった。こんなふうに、尻《しり》のまるみで伸びきったスカートのそばで生きられるのなら、生きのびる意味になんの疑問もない。ユープケッチャだって交尾のためには羽化してしまうのだ。羽化は再生と同時に死の準備でもある。女のスカートのふくらみを横目で見ながら、ぼくも羽化しかかっているのかもしれないと思った。

「もちろん、ただ生きのびたって意味ないよね。生きるに値いしない人生を生きてみたって、始まらないからね」

答えになっていない答え。昆虫屋がかわって答えてくれる。

「あんた、考えたことないの、戦争のことやなんか」

「興味ないな。テレビだって戦争物だと、すぐにチャンネル変えちゃうし」

「これだから困るんだ」昆虫屋が船倉に背をむけ、姿勢を崩して胸壁によりかかる。女の尻を明視の距離（約二十五センチ）で眺《なが》められる位置だ。「女ってやつは、生れつき想像力が欠如しているんだよ」

気のきかないことを言う奴だ、反射的に女をかばってしまう。「そういう君だって、吠《ほ》える犬は嫌いなんだろ」

「ああ、嫌いだね。だから、どうした」

彼女がさりげなく受け流してくれた。「女が先のこと考えないのは、毎日スーパーに買い出しに行かされるからよ。砂糖抜きのコーヒーって、苦いから嫌いだな」

「そうかい、ビールの前には、砂糖抜きのほうがましじゃないかな」

涸《か》れ井戸のポンプのような音をたてて昆虫屋がコーヒーを飲みほし、その間も尻の観察をやめようとはしない。彼女もその視線を感じるらしく、虫を追う仕種《しぐさ》で手を振ったりする。しかし直角に折った腰はそのままだ。挑発のしすぎだと思う。

「下に行って、調べてみようよ」女をうながす。本音は一メートルでもいいから昆虫屋から遠ざけたかったのだ。「万が一怪我《けが》でもされていると面倒だろ」

「平気、すばしっこいのよ、彼。飛んでいる蠅だって、ぱっと素手でつかまえてしまうんだから」

「それはぼくの特技さ」

「飛んでいる蠅よ」

「どうだかね」昆虫屋が鋭く笑い、女の尻に平手打ちをくわせた。びっくりするような音がした。猿《さる》なら……なんて言ったっけ、そう、マウンティングだ……負け猿は尻を差し出す、相手を屈服させるにはまず尻を支配することである。「いや、あんがいもう死んじゃっているんじゃないかな。どんな仕掛けか知らないけど、怪我ですんでりゃ、助けを求める声くらい聞えてもいいはずだろう」

尻を打たれても女は特別な反応を示さない。体をよじって、首をすくめただけである。あっさり昆虫屋の支配下におさまってしまったのだろうか。それともこういうことには馴れっこなのだろうか。ぼくが感じたほど深刻な行為ではないのかもしれない。真似をしてみたかったが、さすがに実行ははばかられた。

「まさか命にかかわることはないと思うけど、でも、中はまっ暗だし……」

「ちゃんとランプを持って行ったよ。ほら、ロッカーの把手に掛かっていただろう、炭坑なんかで頭にまいて使うやつさ」

言うことに一貫性がない。さんざん危険を誇張したそのすぐ口の下から、こんどは安全を強調する。行き当たりばったりの挙げ足取りだ。女も調子を合わせた。

「そう、心配するだけ損よ、抜け目がないんだから」

さりげなく、左足から右足に重心を移動させる。二つの球体が密着したまま微妙に形を変えた。スカートが尻に張りついてますます透明になる。ぼくだって本気でサクラの身の上を案じているわけではない。女と昆虫屋のこの不愉快な馴れ合いに早く終止符をうちたいだけなのだ。

それにサクラが無事に罠を乗り切って、作業船倉に侵入した可能性が絶対に無いとは言いきれない。彼女が言うほど機敏だとは思えないが、何かの理由で、たとえば鼠の侵入で、仕掛けが解除されていたのかもしれないのだ。勝手に動きまわられては迷惑である。空調施設も発電機もまだ未完成で、ねじ止めも終っていない部分が多く、ぼくの立ち会いなしに手を触れられては困るのだ。とくに不都合なのは、武器庫を発見されてしまうことである。庫にはボウガンが五挺と、モデルガン七挺《ちょう》が保管してあり、一挺は銃身や撃鉄を鋼鉄で補強した改造銃だ。テストでは五発まで連射して支障がなかった。サクラの手に渡ったらおおごとである。

方舟浸水の危険を目前にして、手をこまねいているわけにはいかない。すぐにも船倉に降りて防御手段を講ずべきだろう。しかし二人にはまったくそんな気はなさそうだ。尻叩きの儀式で支配権を誇示した昆虫屋に、彼女をあずけっぱなしにするのは気がすすまない。いま必要なことは名実ともに船長としてふるまうことであり、それを認めさせることである。思い切って昆虫屋に負けない尻叩きをふるまってみたらどうだろう。

「とにかく下に行ってみようや」

言ったはずみを利用して、精神的には思いっきり、肉体的には手加減を加え、女の尻を叩いてやった。音は悪かったが手応《てごた》えはあった。人造皮革のねばっこい感触。肉に滲み込む重い感触。女が上体を起して顔を赤らめた。目を見開いてぼくを直視した。おびえか羞恥心《しゅうちしん》かはよく分らない。

「やるじゃないか」

昆虫屋が女の肩越しにぼくの肩甲骨《けんこうこつ》を小突いて、唇《くちびる》をなめる。秘密めかした親しげな笑い。皮肉やあざけりの色は感じられない。成功だったのだろうか。昆虫屋が先に立って歩きだす。現実が戻ってきた。やっと船の舵《かじ》がききはじめたようである。今日一日の出来事がすべて無駄だったわけではなかったのだ。

11

坑道口は一見したところ、壁の合わせ目にそそり立つ裂け目か切り口に見える。十五メートルを越す高さのせいだ。しかし実際には小型トラックが楽に通過できるだけの幅があるので、近づくにつれて人間が収縮していく。入って五メートルほどのところで右に折れる。足許《あしもと》を照していた第一船倉からの光もそこまでだ。闇《やみ》に向ってわずかに登り坂になる。二人に警告を与えて、前進をやめ、漆黒に目をこらした。サクラがいればランプの光が見えるはずだ。眼球といっしょに動く濃淡の影は眼の中の残像だろう。ほかには何も見えない。ぼくらの足音を聞きつけてランプを消したのだろうか。だが何のために。ベルトに吊《つ》ったスイッチ操作盤の二番目のボタンを押す。各壁面に均等に配置された蛍光燈《けいこうとう》の束が息づきながら点灯した。作業船倉の南の壁面と坑道の右手の壁のあいだに境界はない。つまり第一船倉と中央船倉とは坑道をはさんで互い違いに位置しているわけだ。西の壁面に並んでいる工場のミニチュアを思わせる白いパイプの塊りは手動の空調装置である。

「やっこさん、スイッチを見付けたらしいな」

昆虫屋が耳もとでささやいた。ぼくがリモコン・スイッチを操作したことに気付いていないのだ。せっかくの誤解を無理に解いてやる必要はない。女が一歩踏み出し、両手をメガホンにして呼び掛けた。

「出ておいでよ。隠れんぼはおしまい」

「あぶない」

腕をつかんで引き戻《もど》す。それにしてもなぜこんなに柔らかなのだろう。しばらく指をくい込ませたままにしておいた。尻叩き以後の心境の変化である。女を制する者が群れを制するのだ。想像のなかで映画の悪役のような笑いを浮べ、数歩先の石の床に目をこらす。

最悪の事態だった。鋼鉄の板バネが遮断機《しゃだんき》のように行く手をはばんでいる。本来ならそのバネは止め金で壁に固定されていて、稲妻《いなずま》状に床に張られたテグスに獲物が触れたとたん、止め金が外れ床をなぎはらうはずだった。何者か(もしかしたらサクラ自身)が仕掛けを見破って解除したか、あるいは罠《わな》にかかってしまったかのどちらかだろう。

「それが罠なの」

女がぼくの腕にしがみつく。ますますいい兆候だ。小便の音……尻叩き……接触感。同時にますます不安でもある……獲物の姿が見当らないまま閉じた罠……

「うん、罠は罠だけど、バネが戻ってしまっているんだよ。ほら、床に何本かテグスがたるんで散らばっているだろう」

「なるほど、テグスらしいね……」昆虫屋が鉄のバネの上にかがみ込んで、眼鏡を外した。「度が合っていないんだよ……でも妙じゃないか、被害者はどこにいるんだい、この鋼鉄のスプリングで足を払われたら、ただじゃ済まないぞ」

「そうね、悲鳴も聞えなかったし……」

「人間とは限らない、鼠《ねずみ》が掛かったのかもしれない」

「鼠だったら、死骸《しがい》があってもいいわけだろ。死骸どころか、この鉄板、きれいなものだ。血痕《けっこん》はおろか、毛屑《けくず》の跡もないじゃないか」

「だったら人間さ。危険のない距離から、棒の先で止め金を外してやるとか、石を投げてテグスに命中させるとか……でも、そのためにはあらかじめ罠の存在を知っていなけりゃならないわけか、やはり考えられないな」

「考えられる」女が言い切った。「人の裏をかくことについちゃ、名人なんだ。花札

「階段の踏み板に、鉄砲花火だろ。でも、船長、かならずしもサイサイの社長だけとは限らないんじゃないか、他に誰《だれ》かいるんじゃないか、船長が知らないうちにこっそりもぐり込んでスパイしている奴《やつ》とか……」

「そう、痛い目にもあっているしな……」昆虫屋が腰に手をあて伸びをした。

だって、麻雀《マージャン》だって……」

可能性をいくら論じていてもきりがない。いま必要なのはサクラの行方を突き止めることである。

「どっちにしても、消えてしまうわけはないよ、雪ダルマじゃないんだ」鉄のバネをまたいで先に進んだ。

「ひどいよ、黙って姿を消すだなんて」女が相槌《あいづち》をうつ。本心からの苛立ちが感じられ、事前の打ち合わせがなかったことは信じてよさそうだ。

作業船倉に出る。広さは第一船倉と変らないのだが、幅と奥行きが同じなので狭く感じられる。しかし天井が高いので、見上げると広い感じだ。正面奥、つまり坑道の右の壁面を延長した突き当たりにそそり立つ柱はきっかり幅七メートルだ。天井の高さによって柱の太さと本数が義務づけられていたらしい。柱の裏に幅一メートル、丈二メートルのくぐり穴が開いているが、偽装をかねて積み上げてある古自転車のせいで容易には見分けにくい。古自転車は二十八台あり、いずれ足踏み式の発電機に改造する予定だ。柱と対角線にあたる位置、坑道口から見れば左手前奥に第二の坑道が口を開けている。錆《さ》びた運搬車用のレールの尻尾《しっぽ》が残っていて、操業時には主坑道だったことがうかがわれる。第三の開口部は、向って左奥の天井近くにあり、垂直に稼働《かどう》するベルト・コンベア風のリフトが取り付けられている。上から下に掘削するのが通常のやりかただから、最初はそのリフトを使って石材の搬出をしていたはずだ。そのうち良質の岩石層が予想以上に深いことが分り、採石の効率を上げるために、あらたに主坑道が追加されたのだろう。

「それにしても、すごい量だ。これだけごっそり掘り抜いたら、儲《もう》けもさぞかし莫大《ばくだい》だったろうな」首の関節が抜けたように昆虫屋が大頭を揺らした。「で、あいつ何処《どこ》に消えたと思う。船長なら、何処を探す」

リフトは十三メートル以上あり、いくら元自衛隊員でも容易に手が出せる高さではない。柱の陰の抜け穴は、一見廃品置場にしか見えない。三人の視線は申し合わせたように、レールの尻尾が覗いている左手の坑道口に向けられる。

「出ておいでったら」女が叫んだ。残響のせいで蛇腹《じゃばら》のように延びる声。「ひと騒がせよね、食事の前だってのに」

「あいつ、一人で笹蒲鉾《ささかまぼこ》八枚も平らげたからな」昆虫屋がシャツをめくって脇腹《わきばら》の垢をよりはじめる。

「とにかく調べてみよう」

先に立って奥の坑道に向う。ついてくる二人の足音が無神経に響きわたる。

「このギッコン・バッタンみたいなもの、なんだろう」途中の壁面に設置してあるシーソー式ポンプを見て女が尋ねた。

「空調装置に連結しているポンプだよ。二人で一日四時間ギッコン・バッタンやれば、いちおう船倉三つぶんの空気の浄化が出来る計算なんだ」

「そうか、けっこう具体的に進展しているんだね」昆虫屋が脇腹をこすっていた指をズボンで拭《ぬぐ》い、シーソーの上っているほうの鞍《くら》に手をかけた。十五センチ径のステンレス・パイプの空気の抵抗で、ポンプは粘っこく、滑らかに作動する。「たいしたもんだ、上出来じゃないか」

「なぜ電動式にしないの」女が不満げに口をはさむ。

「空調設備が必要な事態になったら、停電にきまっているだろ」

「説明したって無駄さ、女は理屈に弱いんだ」

昆虫屋が右肘《みぎひじ》を浮かせて体をひねった。狙いは女の尻だ。軽くかわされてしまう。

空調ポンプのわきに並んだ三台の車輪のない自転車のペダルを蹴《け》って、女が得意げに言った。

「これ、なんだか分るよ。美容健康器具みたいだけど、本当は発電機、そうでしょう」

「そう、自動車の発電機を利用しているんだ。もちろん健康器具も兼用さ。どうしても運動不足になりがちだからね……」

「せいぜい十二ボルトの電球一個だろ、この発電機じゃ」

昆虫屋が女の尻に二度目の攻撃を加える。床に濡《ぬ》れ雑巾《ぞうきん》が落ちるような音がした。尻の割れ目あたりに命中したらしい。母音まじりの悲鳴。

「むこうに積み上げてある古自転車、いずれ全部改造する予定さ。二十八台をフルに回転させて車のバッテリーに充電していけば、だいたい日常の消費電力はまかなえる計算なんだ」

ペダルを漕《こ》いでみせるふりをして、女に接近し、ぼくも負けずに手を出した。尻叩きというより、尻撫《な》でだ。接触時間がすくなくも五倍は延びてくれる。女は改造自転車のハンドルについた手を軸に、向こう側にまわり込みながら、前かがみになってくすくす笑った。反対側では昆虫屋が掌《てのひら》をひらいて待ち受けている。女の尻を使ったハンド・ボールだ。

「乗組員、かなりの員数の確保が必要になるね」昆虫屋の尻叩き。

「男ばっかりじゃ嫌《いや》よ」女が足踏み発電機のこちら側に打ち返されてくる。

「もちろん、女もどっさりさ……」すっかり大胆になり、尻の肉をつまみ気味に打ち返す。

「もう、嫌……」女が両手で尻をかかえてうずくまる。「だって、わたしと船長が組んでシーソーに乗ったら、動かなくなってしまうじゃない。嫌ねえ、誤解しないでよ」

どういう意味か、さっぱり飲み込めない。飲み込めないが、急に興奮が引いていく。いちばん気になる体重の差を指摘されたせいだろう。昆虫屋もわれに返ったように、尻叩きした手のひらを長い舌先でぺろりと舐《な》め、息を吐いて天井を見回した。

「それにしても、この電気、ちょっと無駄遣いじゃないのかい」

いかにも昆虫屋らしい実利的な意見だ。この船倉だけで、蛍光燈九十六本、五百ワットのハロゲン・ランプ五基を設置してある。天井が高いうえに、電動鋸《のこぎり》の掻《か》き傷で艶消《つやけ》しされた青い壁面は反射効率が悪く、作業場としてはどうしても光量が必要なのだ。もし正規に電気料金を請求されたら、とても支払える金額ではないだろう。盗電だから出来る贅沢《ぜいたく》である。だが手の内を明かすのはまだ早い。

水滴の音がした。女が腰を浮かせる。

「なんの音」

天候や時刻によって違うが、三十分から三時間に一度の間隔で、第一船倉の天井からしたたった水滴がドラム缶を叩くのだ。水滴らしくない乾いた音で、誰かが椅子《いす》を引き倒したようにも聞えるし、豆をいれた袋の底が裂けたようにもとれる。しかも方向性がないので、想像は際限なくふくらむ一方だ。説明は省き、第二坑道口に直進した。

作業船倉の照明が、錆びたレールを七、八メートル先まで照し出している。照明はすべて下に向けられているので、切り立った両端の壁は途中から闇のなかに融け込み、天まで届いている感じだ。

「ここにも、何か仕掛けがあるのかい」昆虫屋が声をひそめる。

「もちろん」

「彼、敏捷《びんしょう》なのよ」女も声をひそめる。

「さっきのテグスの罠のようなわけにはいかないよ」

レールの上を闇に向って三歩進み、肩の高さにあげた腕をゆっくり振りおろす。感応した警報ベルが鳴りだした。すぐ後ろにつづいていた昆虫屋の影が消えた。レールの枕木につまずいて転倒したのだ。衝突されて女が悲鳴をあげた。

「早く止めてくれ、心臓に悪い」昆虫屋が尻餅をついたまま両手で耳を覆《おお》う。

手前から七本目の枕木の左側。レールの下のスイッチを探り当てる。跳ね上げる。ベルが鳴りやみ、耳鳴りが残る。

「仕掛けは無事だったよ、このとおり」

「分るもんか、銀行なんかでよく使っている、例の赤外線の防犯装置だろ。注意すれば赤い光源が見えるからな、下をくぐればいいんだ、そうだろ」

「無理だね、三列並んでいて、先に行くにつれて低くなっているんだ。いちばん低いのは地面から三十センチだよ、くぐるなんて無理さ」

「この奥、どこに通じているの」女が前かがみになって耳のうしろに手を当てた。

「何か聞えている……」

「行き止まりさ。昔は山の西側、ちょうど今の市役所の下あたりに通じていたらしいけど、落盤事故で袋小路《ふくろこうじ》になってしまったんだ。でも途中に小部屋が沢山あってね、居住地区には適当かもしれない」

「この山の上、街なんでしょう」

「ずっと住宅街だよ」

「何か、聞える……」

「気のせいさ。聞えていない音まで聞えるんだ。速度の違う風がこすれあう音や、虫が這《は》いまわる音や、水の滴《しずく》や、石にひびが入る音なんかが、天井や壁に反射して増幅されるんじゃないかな」

「でもおれは嫌だな、あんなところ」昆虫屋が尻についた石の粉をはたきながら、天井際《ぎわ》のトンネルを見上げて言った。「そりゃ奴が無鉄砲で、行動力があることは認めるよ。でも妙じゃないか、ここの明かりが点《つ》いたのは、おれたちが踏み込むほんの二、三十秒前だろ。板バネの点検をしただけだから、十五秒足らずかもしれない。あのリフト、足場もよくないし、七、八メートルはあるんじゃないか」

「十三メートルだよ」

「とうてい無理だ」

「じゃ、何処にいるって言うの、隠れる場所なんて何処にもないじゃないの」女が顎《あご》を突き出し、顔をレーダーのように傾けて体ごと一回転した。「なんだろう、さっきよりも強く臭う。絶対に焼きイカとは違うな」

「うん、おれにも臭う」昆虫屋も顔をそらせて小刻みに鼻から息を吸った。「どこかで嗅いだ覚えがあるな」

「風の臭いね。上のほうから風が吹いている。やはりあの天井の穴からよ」

「あの奥に、中華料理屋でもあるのかな」

「あるはず無いだろ」臭気の元凶について、ぼくなりにおおよその見当はつけていた。しかし報告する義務はないし、必要もない。「十五秒っていう時間は、でも、思ったより使いでのある時間だよ。女だって百メートルを走りきれるんだ」

女がまっすぐリフトに向って歩きだした。濃淡の影が幾本も、足許をかなめに扇子を広げたように伸びていく。足場の下に両手を掛けてぶら下った。

「しっかりしているじゃないの。誰か登ってみてよ」

「十三メートルだぜ」

「レスキュー隊の訓練うけたんでしょう」

「除隊してから、高所恐怖症にかかってしまったんだ」昆虫屋がうんざりした口調でシャツの裾《すそ》をからげ、脇腹をこすりだした。「ねえ船長、率直なところを聞かせてくれよ、彼にこの中をうろつきまわられて、何か実害をともなう不都合でもあるのかい」

「ないさ、別に……ただその先は、迷路になっていて、まだ調査もじゅうぶん行き届いていないんだ。いちど山の向こう端の蜜柑《みかん》畑のほうまで探検に出掛けたことがあるけど、弁当持参で半日かかってしまったな。山のなかにまた山があったり、谷があったり、川があったりするんだぜ」

「魚は釣れるのかい」昆虫屋の額に皺《しわ》がきざまれる。真面目《まじめ》になったときの表情だ。

「まさか。棲《す》みついているのは蛇《へび》と、ゲンゴロウと、百足《むかで》くらいのものさ」

「だったら駄目、蛇は駄目なんだ、彼」女がぼくと昆虫屋を交互に見据《みす》えた。やはりサクラの身を案じているのだろうか。

「むしろ問題なのは、帰り道だろうな。いや、さんざんな目にあったっけ。半日かけて向こう端に辿《たど》り着いたまではよかったけど、同じ道を戻っているつもりで、わけが分らなくなってしまった。洞窟《どうくつ》のなかだと磁石も当てにならないだろ。道は危険だし、腹はすくし、疲労で膝《ひざ》がガクガクだ。そのうち夜中をすぎてしまった。誇張でなく、あの時はもう駄目かと思ったな。富士の風穴に迷いこんで死んだ話、よく聞くだろ」

「で、どうなったんだ」

「野営だよ。チョコレート一枚と、岩の間から滲《し》み出している水だけで、寝袋もなければ懐中電灯も電池切れだ。なんとも心細いかぎりさ。ところが、夜が明けてみたら……」

「どうして夜が明けたことが分ったの」

「だから、お笑いなのさ。山の向こう端、北口とか蜜柑口とか呼んでいるけど、そのすぐ近くまで逆戻りして寝ていたんだな。朝の光が差し込んでいたんだよ」

「そういうものかな」女の口調には棘《とげ》があるが、目元には共感がにじんでいる。「鈍感なんだな、人間なんて」

「暗闇の中だと、感覚が鈍っちゃうのさ」

「そうか……」昆虫屋が上半身をゆすって眼を細めた。「つまり、そう言うことだと、困るのは本人だけで、船長にとってはべつに痛くも痒《かゆ》くもないわけだ。そうだね。だったら、構うことはない、ほうっておけばいいじゃないか。ちっとは辛《つら》い思いをさせたほうが薬になる」

「それもそうね」女が事もなげに相槌を打つ。不意の変りようがなぜか自然だ。「心配するだけ馬鹿みちゃう。去年の暮だったっけ、スキー場の市《いち》をまわったとき、急な坂道をトラックがスリップしてきたの。時速六十キロは出ていたんじゃないかな。そのとき道を横断しようとしていて、彼、足を踏み滑らせたのよ。どうなったと思う。通りすぎた車のあとから、のこのこ無傷で這い出してきたじゃないの。不死身っていうのは、ああいうのよね」

「いくら不死身でも……（あと半年で）」と、続けかけ、あわてて口をつぐむ。女はなんの反応も示さない。癌《がん》であと半年の寿命しかない人間が、不死身に近い反射神経にめぐまれているという皮肉を、さほど意識してはいないようだ。ぼくのほうが悪びれてしまう。こっそりサクラに詫《わ》びを入れていた。非業《ひごう》の死が予定されている人間の武勇伝には、どこか逆らいがたい特権的なものがある。不当な敵視はほどほどにして、特別優待乗船券を発行してもいいような気がし始めていた。

昆虫屋が自分の脇腹に二回、派手な平手打ちをくわせた。

「さて、飯にしましょうか」

女がリフトの上に目をやる。やはり気掛りなのだろう。曲芸なみの離れ業だとしても、サクラが天井まで駆け登った疑いを捨てきるわけにはいかないのだ。しかしぼくとしては、右手奥の柱の陰の方が気掛りだった。食事まえに、サクラが身をひそめていないことだけは確認しておきたい。

「まさかとは思うけど、念のために調べておきたいんだ……あの古自転車の奥、ちょっとした物置になっていてね、くぐり穴があるのさ。たいして時間はとらせないから……」

石の柱と壁面にはさまれた三角形を埋めている二十八台の古自転車は、ハンドルと車輪が互いにからみ合い、たくまざる障壁になっている。簡単にくぐり抜けるわけにはいかない、と言うより、最初からそんな気を起させない。どうせその先には壁しかないように見えるのだ。照明もとくに手薄で、管理者（つまりぼく）が軽視していることを感じさせる。しかしこれがトリックなのだ。もしかすると、船内に仕掛けたすべての罠のなかで、いちばん手のこんだ偽装工作がほどこされていると言っていいかもしれない。実は古自転車がからみ合って出来た三角形の総体が扉《とびら》なのである。

鍵は右端の自転車の前輪だ。ハンドルを強くひねって、隣の自転車のスポークに食い込んでいるペダルを引き抜けばいい。

「これでロック解除、最前列の車輪の向きを揃えてくれないか」

軽く引いただけで、二十八台の三角形がからみ合ったまま回転し、柱に沿って楔形《くさびがた》の通路が口を開ける。突き当たりにたたみ一畳ほどの薄汚れたキャンバス地が残る。弱い照明のもとでは、自転車に掛けてあったボロの一部のように見えるが、ちゃんとベニヤの裏打ちがしてあり、蝶番《ちょうつがい》もついた本式のドアなのだ。

「何かこういう虫の巣があったじゃない、木の葉っぱで蓋《ふた》をしたような……」

「魚の巣だろ」

「虫よ」

内部の構造も入口の偽装にふさわしい。入ってすぐの所に六畳ほどの小部屋がある。天井も低く、二メートルちょっとだ。そこから上、中、下三段にトンネルが掘り進められている。トンネルの先にまた小部屋があり、それぞれが狭い石段で不規則に連結され、遊園地の怪獣の胎内を数頭分合体させた状態を想像してもらえばいい。

「ぼくの想像だけど、たぶん試掘坑だったんじゃないかな。ここからいろんな方向に掘り進んでみたけど、材質が思わしくなく、けっきょく途中で放棄されたんだと思う。どの穴も規模が小さいし、掘削処理も荒っぽいだろう。でも資材を種類別に分類保管するには便利だよ」

右の階段を上った天井の高い、やや大きめの部屋は食料品関係の貯蔵庫だ。乾パンの缶詰《かんづめ》三十ダース。真空包装の米五キロ入り十七箱。乾麵《かんめん》二百食分。乾燥野菜各種。味噌醬油《しょうゆ》、塩、砂糖。牛の大和煮《やまとに》、マグロの油漬《あぶらづけ》、オイルサージン等の缶詰大箱それぞれ五箱。その他、水耕法による野菜栽培の器具一式と種子各種……

中段は組木細工の型を抜いた跡のような、複雑な起伏の組み合わせで、部屋というより崩壊した城の模型のようだ。その凹凸《おうとつ》を利用して、医薬品や包帯などの救急物資、石鹼《せっけん》、歯磨《はみが》き、カミソリなどの日用品を中心に、雑貨から荒物にいたる多様な資材を区分けし詰め込んである。他に充電式のニッケル・カドミウム電池、電球、燃料用固形アルコール、フィルム、砥石、ハンダとハンダ鏝、接着剤、テグス各種、消火器など……早いうちにメモを整理しておかないと、自分でも分らなくなってしまいそうだ。

　下の段がいちばん部屋らしい。ただの物置ではなく、椅子が七脚、テーブル、幻燈《げんとう》機、スクリーンなどの備品もあるし、ぼくが作成した全紙大の採石場跡の略図が正面の壁を飾っている。もっとも半月前の作図なので、その後の測量結果はまだ描き加えられていないが、三色に塗り分けた平面図はそれなりに様になっている。壁の一方には防毒防煙用のマスクが二十八人分、スパナ、金槌《かなづち》、バール等の武器を兼ねた工具類。十二ボルト用のバッテリー三十五個。反対側の壁には自動小銃の改造モデルガンが七挺、空薬莢《からやっきょう》と弾頭の箱、火薬の原料、ボウガンが五挺に矢が百二本。それに［消火用砂］と大書した砂箱。砂箱はごまかしで、実はダイナマイトの使い残し四十三本を埋め込んであるのだ。ダイナマイトのことは当分伏せたままにしておこう。これで地図の傍《そば》に旗でも立てれば映画に出てくる地下の作戦司令室にそっくりである。その場合、どんな旗が似合うのだろう。やはり日本の旗だろうか。違うような気がする。深く考えたことはないが、もうどんな旗も似合わないような気がする。

「いないみたいね、何処にも」女が地図の前に立ち、首を真横に傾《かし》げて観察する。方向感覚がつかめないのだろう。「いるわけないけど、あの入口じゃ……」

「用意周到なんだね、恐れ入ったよ」昆虫屋はテーブルの上に指先を滑らせ、ついた埃《ほこり》をズボンにすりつけながら、唇の片方だけをおおげさに捩《ねじ》る。「しかし、それにしちゃ、餓鬼っぽすぎるんじゃないか、この趣味……」

改造モデルガンのことをからかっているらしい。ただの飾りだと思っているのだろうか。だったらそう思わせておけばいい。

「もし天井のトンネルにもぐり込んだのだとしたら」女が首を傾げたまま、地図の上を指でなぞる。「この黒の線よね」

「ぼくが実測した部分は、ぜんぶ黒線。赤の線は、市役所に残っていた業者の図面を参考にした想像図なんだ。妙だろ、重なり合っているくせになぜか連絡箇所がないんだよね。各業者が協定を無視して、勝手に掘りまくったせいだろうな。これじゃ落盤事故くらい起きて当然さ」

「青い線は……」

「実線が掘割と水脈、破線は表面に出ていない地下水脈」

「とにかく飛道具なんかが必要になったときは、もう手遅れってこと」昆虫屋がボウガンを一挺手にとって、地図に狙《ねら》いをつけた。「あの黒線、地図の外にはみ出しているぞ」

「必要になったら描《か》き足すさ」

「あいつも今ごろ、地図の外にはみ出しちまっているんじゃないかな」

振り向いて女が叫んだ。「よして、危ないじゃない」

「平気さ、矢をつがえていないんだから」そう言いながら、昆虫屋が照準を女の顔に向け変えて、「でも嫌なものだろ。冗談だと分っても、嫌なものだ。飛道具ってやつは、どうも虫が好かない。こんなもので物事が解決したためしはないんだ」

「似合わないね、そんな説教。たかがモデルガンじゃないか。それにボウガンのほうは鼠退治が目的なんだ」

女がテーブルをまわり込んできて、手をのばし、脇からボウガンの弦《つる》をはじいた。

「こんなもので鼠が撃てるの」

「命中すればいちころさ」昆虫屋が弓を足で踏んで、弦をフックに掛けた。手慣れた動作で、アルミ矢をつがえ、照門を立て、距離の修正をして女に手渡す。「射《う》ってごらんよ。穴から覗《のぞ》いて、的が照準の先っちょに乗っかるようにすればいいんだ」

「なんだか怖いな」

「火薬と違って反動がないから平気さ」四メートルほど先の椅子の背にマイルド・セブンの空箱を横にして置いた。「これが的。銃を固定しようと思わずに、力を抜いて、息を止めて……」

弦がはじける音がして、偶然に決っているが、命中した。タバコの空箱が引き裂かれ、貫通した矢がどこかの壁に当って跳ね返る。女が体をよじって歓声をあげた。

「すごい、命中したじゃない。借りてもいい」

「いいさ、法律的にも携帯を禁止されているわけじゃないからね」複雑な気分だった。昆虫屋の意見どおり、せっかくの武器庫がひどく餓鬼っぽいものに見えてくる。「狩猟は禁じられているけど、魚には使ってもかまわないんだ」

「どこで魚が採れるの」ボウガンを構え、あちこちに照準を合わせながら、「ちょっと重いかな。でも空気銃なんかよりずっと威力がありそうね」

「ただし実戦向きじゃない」昆虫屋は銃架に並べたモデルガンのなかから、躊躇《ちゅうちょ》なくウージィを選び、意味ありげな手付きで銃身をさすりはじめる。「装塡《そうてん》というか、矢をつがえるのに時間がかかりすぎるんだ。一発必中の先制攻撃ならともかく、交戦能力はパチンコ以下だね。確実に致命傷を与えられるのは三十メートル以内だから、一発目が失敗したら次は素手で応戦ってことになるわけだろ。しかしこのウージィになると、かなり事情が違ってくる」

「いやに詳しいじゃないか、知っているのかい」

「伊達《だて》に自衛隊に行っていたわけじゃないよ。船長のほうこそ詳しすぎるんじゃないか。よほど研究しなきゃウージィなんて思いつきっこない。正規軍よりは奇襲部隊向きの銃だからな」

「よせよ、たかがモデルガンじゃないか。テレビでレーガン大統領狙撃《そげき》事件のニュースを見たとき、シークレット・サービスの連中が使っていたんだ。小型でデザインがいいから気に入っただけさ」

「ちがうね、こいつは改造銃だよ」コッキング・ボルトの錆をこすり、銃口の臭《にお》いをかぎ、遊底面を覗き、指を入れてさぐりまわす。「試射ずみじゃないか、たいした度胸だ。どこも壊れていないところを見ると成功だったらしいね。単発かい、セミ・オートかい、まさか連射じゃないんだろう」

「マガジンを抜いてごらんよ、おもちゃの弾さ」

「無理するなって。偽装と威嚇《いかく》用に二、三発は空包をこめてあるんだろう。慎重な人間なら考えそうなことだ。でも、あいにくだったな、上の船長室の小型工作機械のまわりに、何か黄銅色の合金の粉がこぼれていたっけ。もともと鉄砲好きで自衛隊志願したんだ、何を加工していたかくらい、見当つくさ」

これ以上の反論は無駄《むだ》な気がした。たしかに弾倉の三発目から下には、手製だが実包をこめてある。

「かなり専門知識があるみたいだね、銃については」

「点検してやろうか」

思い切って頼んでみるべきかもしれない。五発の試射はうまくいってくれたが、はたして実用に耐え得るかどうか自信はなかった。

「でも気に入らないんだろ、こういう装備……」

「役に立たないと言っているだけさ。興味はあるよ。どうせ市販の特殊鋼だろうから、補強と、火薬の量で折り合いをつけるしかないだろうけどね」

「駄目」女が叫んだ。活性炭素の二十キロ缶に腰を掛け、いくらボウガンを両足で踏んばっても、弦が掛け金まで届いてくれないのだ。「背筋力が足りないみたい」

「素手じゃ無理だろう。あとでドライブ用の革手袋を貸してあげるよ」

弓を張ってやる。矢を五本つかんで、女が試掘坑の階段を駆け上っていく。

「手に負えないな」

「魅力的だよ、ひさしぶりにカメラを覗いてみたくなったな」

「飛道具は人間を変えちまうんだ」昆虫屋がウージィの引き金を引き、コッキング・レバーを戻し、腕にかかえこむ。「船長、あんた人間嫌いなんじゃないか……排他的すぎるよ、性格が……」

とつぜん作業船倉でわめき声がする。女の声だ。

「出ておいでったら。出てこないと、射つぞ」

高音部が湿った石壁の凹凸に吸収されてしまうのだろう、いつもより低めの声だ。そのせいか冗談とは思えない緊迫したものが感じられる。はっきりとは聞きとれないが、応じる声があった。

昆虫屋ともつれ合いながら一緒に石段を駆け上る。女が力を抜き、構えたボウガンを肩からおろすところだった。リフトづたいに天井の穴からサクラが降りてきていた。たしかに身軽で危なげがない。振り向いて思わせぶりな笑いを浮べた。

12

遠回しな探りあいをしている場合でないことは、全員が承知していた。相手の出方をうかがう第一ラウンドは終り、勝負を賭《か》ける第二ラウンドが始まろうとしているのだ。いまは呼吸をととのえ、じっくり相手の動きの掌握に努めることである。誰もが同じ気持だったのだろう、ビールの缶を開けるまでは、気掛りなサクラの遠征についても触れることを避け、休戦が守られた。

夕食は即席ラーメンに、刻み葱《ねぎ》とハム二枚と卵をつけ、ビールの肴《さかな》には約束どおりオイルサージンの缶を開けた。もっと賑《にぎ》やかに食卓を飾ることも出来たのだが、そこまでおごってやることはないだろう。

各自ラーメンの容器と缶ビール五本ずつをブリッジに搬《はこ》び上げた。ぼくが階段側の椅子に掛け、昆虫屋《こんちゅうや》が胸壁を椅子がわりに使い、サクラと女が寝椅子の両端を占めた。寝椅子は低すぎて、顎がかろうじてテーブルに届く位置だが、掛けやすいことで損得は帳消しといったところだろう。

昆虫屋が息もつかずに最初の一缶を飲みほした。サクラがテーブル越しに新しい缶をほうり投げてやる。ビールを入れた籠をサクラがかかえ込んでしまったのだ。ついでに女の足許から、矢をつがえたままのボウガンを取り上げる。

「菰野《こもの》さん、空き缶、向う端に置いてくれないか。的にするんだ。安全装置はどこかな」

女がサクラの肩に顎をのせ、引き金の付け根のピンを外してやる。そういう関係だとしても、人前でする仕種にしては馴《な》れなれしすぎる。本能的に媚《こび》を売る性格なのか、それとも無邪気すぎるのか。誰彼の区別なしにじゃれつく犬は、子供にしか好かれない。

「いい加減にしろよ」注文に応じて空き缶を胸壁の向こう端に据《す》えながらも、昆虫屋の口調は苦々しげだ。「さっさと食っちまわないと、麺がのびちゃうぞ」

サクラが引き金をひいた。かすかに空き缶が揺いだようにも見えたが、的は外れた。遠くで矢が跳ね返る音がした。

「下手ねえ」女が笑って、ぼくを盗み見る。「わたしなんかマイルド・セブンの箱に命中よね、スパッ」

サクラがラーメンのどんぶりに顔をふせ、すすり込んだ麵を口いっぱいに頰ばったまま、聞きとりにくい声でつぶやいた。

「ちくしょう、最初っからこういう道具を持ってりゃ、取り逃がしたりせずに済んだんだのにな」

女が無邪気に聞き返す。「鼠が出たの」

「乾杯も済んだことだし、そろそろ本題に入らせてもらいますか」サクラが口を拭って、上目づかいにぼくを見据えた。休戦の時間は終ったのだ。「ねえ船長、あいつ、誰だったんだい」

胃のなかでビールと麵の混合物がねばねばしたタールの塊りになる。何を見たのだ。何が言いたいのだ。

「誰って……誰もいるわけないじゃないか」

「白をきるんじゃないよ」

「何かの錯覚だろう」

「まあ、待ってくれ」昆虫屋が口一杯に頰ばったオイルサージンをビールで飲み下す。「船長の相談役として、最終的にはもちろん船長の肩を持たせてもらうけどね……しかし差し当たっては、事実に即して考えてみようじゃないか。そこで社長、あんたも正直に答えてほしい。その頭につけるランプ、あらかじめここから用意して行ったよね。最初から洞窟探検の腹だったんじゃないのかい。怪しい人影なんて口実だと疑われても、弁解の余地なしじゃないか」

「よく気がつくね……菰野さんらしい」サクラが二本目の缶を開けながら、人なつっこい笑いを浮べた。「小便が終ったら、ちょっぴりその辺を散歩するつもりでいたことは事実さ。だからと言って、理由もなしにあんな深追いをするほど無鉄砲じゃないよ」

「怪しいぞ」女がどんぶりから顔を上げる。唇《くちびる》から垂れたラーメンを一本、見えないくらいの早さですすり込んだ。「だったらなぜみんなを呼ばなかったの。船長を信じていれば、当然そうすべきじゃない」

「口出しはよせ。船長なんか信じちゃいないさ」

ぼくを目掛けて腕を突き出し、指をはじいた。気迫がこもっている。あんがいサクラは本当のことを言っているのだろうか。

「それ、どんな奴だった。君が発見したとき、どこで、何をしていたんだ」

「認めるんだね」嵩《かさ》にかかってサクラが床を蹴りつける。「あれは誰なんだ。なぜ隠していたんだ」

「隠してなんかいないよ」

「でも聞いたじゃないか、どんな奴かって。心当りがある証拠だろう」

「興奮しちゃいかん」昆虫屋がテーブル越しに手をのばし、女から三本目のビールを受け取った。額と両頰に紫色の斑点《はんてん》がにじんでいる。アルコールには弱い体質なのかもしれない。

「嘘《うそ》発見機がほしいところだね。しかし立場上、社長には真実を述べる義務があっても、船長にはない。あんたたち、べつに頼まれて乗船したわけじゃないし、言ってみりゃ招かれざる客だからな」

「冗談じゃない」唾《つば》が飛ぶ。「おれはさんざん言ったはずだぞ、自分の枕《まくら》じゃないと寝られないって。だのにむりやり引き止めたんじゃないか」

「むりやりは言いすぎだ。もっとも船長が法的になんの保証も受けていないことも、やはり事実なんだな」胃の上を叩いてビールのガスを一気に吐きだし、「つまり問題は、船長がいくら自分で船長だと言いはってみても、乗組員の承認が得られないかぎりどうしようもないってことだろ」

「そういう場合、実力で決着をつけることになっている……」

「選挙っていう手もあるさ。暴力はおれの趣味じゃない」

「納得できるだけの賃金を払えばいいのよ」女が大発見でもしたように声をはずませる。「いつだって給料をもらう人は、払う人の命令に従うことに決っているでしょう」

「一理あるね」昆虫屋がゆっくり、抵当物件を吟味するような目付きで女を見た。「うちの船長、けっこう懐《ふところ》具合がいいのかもしれないぞ。けっこう金を注《つ》ぎ込んでいるよ、設備やなんかに。カメラの仕事は開店休業のようだし、他に定職がある様子はない……あんがい土地成金の資産家じゃないのか。外の高速道路の下にあった釣《つ》り宿《やど》なんかも、じつは船長名義だったのかもしれないし」

「そうか、そういうことだと、まるっきり話が違ってくる」サクラが寝椅子に体を沈め、ボウガンを置いて目を伏せる。「当然われわれには義務が発生するし、船長には権利が発生する。もしかするとおれは事態を誤解していたのかな。だってデパートの屋上じゃ、切符と合鍵《あいかぎ》、まるで売り物みたいに言っていたし……」

「そうよね」女が重々しく顎を引いて相槌をうつ。

「でも、あんたたち、けっきょく金を払わなかった」昆虫屋が大頭をゆすって得意そうに笑いだす。

「菰野さんは払ったの」疑わしげに女がぼくを窺《うかが》う。

「払ったさ、六十万円、ばっちり払いましたよ」

昆虫屋の語気に押されて、ぼくも首肯《うなず》かざるを得ない。たしかにユープケッチャ一匹二万円として、トランクのなかに三十四入っていたとすれば、売値で六十万見当は払ってもらった計算になるわけだ。

「なんだか、おかしいぞ」サクラが負けずに食い下がる。「菰野さん、雇われたみたいなこと言ってたけど、話が違うじゃないか。それなら立派にお客さんだよ」

「まさか、六十万ぽっち。乗船資格の審査料だと思えば安いものさ。おれは感謝していますね。まして切符代未納のあんたたちの場合、差し引きすれば相当額の支払いを受けたのと同じことじゃないか。文句は言いっこなし」

サクラも女も、言いくるめられてしまったようだ。口先の達者さだけは認めざるを得ない。昆虫屋がサクラとの応対について、ぼくに白紙委任を求めた意味も分るような気がした。三本目の缶を飲み切るだけの間をおいて、言葉をつづけ、

「さてと、ここまでのところは、お互い言うだけ言って勝負なし。誰が加害者で、誰が被害者ってわけでもなさそうだ。あとは相互信頼の保証だな。どうだろう、口約束だけじゃ当てにならない、尻の穴をのぞき合う間柄《あいだがら》になるには時間がかかりすぎる。こういう場合むかしの人間は、人質の交換で牽制《けんせい》しあったものさ。そこでこの際、互いに脛《すね》の傷を見せあうっていうのはどうかな。誰だって握られたくない尻尾の一つく

らいは持っているはずだろう。その尻尾を担保に出しあうのさ。そうすれば、間違っても警察に駆け込むような汚い真似《まね》は出来なくなる」

「つくり話をしないと、どうして分る。そこまで正直になれますかね、菰野さんみたいな人が」

「分っちゃいないね、自慢話のでっちあげは簡単だけど、弱みの作り話なんてめったに出来るものじゃない」自信たっぷりに眼を細め、唇をなめまわす。「出来ると思ったら、やってみてごらんよ」

「そうかもしれないね」女が二本目の缶を開けた。

「借金するときなんか、けっこう思いつくけどな……」サクラが不承ぶしょうに三本目の缶を開けた。

昆虫屋が二回ほど空咳《からぜき》をして、言葉をつづける。

「船長、テレコを用意してくれないか。おかしなもので、マイクに見張られていると、人間なぜか嘘をつきにくくなるんだ。それに後で、証拠物件にもなってくれるしね。もちろん船長は免除さ。この採石場跡そのものが、船長の弱みだからな。順番は、ジャンケンでどうだい」

誰からも文句は出なかった。一回目のジャンケンで女が勝ち、二度目のジャンケンでサクラが勝った。

「いいよ、テレコのスイッチを入れてくれ」昆虫屋が告白を始める。「おれが自衛隊に入ったそもそもの動機は、制服と飛道具にあこがれたからなんだ。すぐに失望させられたね、おれは子供のころから団体行動が苦手だったので、制服で自分の根性を叩き直そうと考えたのさ。でもたわいなさすぎたな、あんなことなら、坊主《ぼうず》にでもなってたほうがましだったよ。馬鹿《ばか》らしくなって、拳銃《けんじゅう》を盗み出して、街のヤクザに横流しをはじめた。その時の密売ルートの相手が誰だったかは、間もなく本人の口から聞かせてもらえるだろうけど……」

昆虫屋が上目遣いにサクラを見る。サクラが手をのばしてマイクを覆った。

「反則だぞ」舌がもつれている。酔いがまわっても、顔には出ないたちらしい。「どの尻尾を出すかは、めいめいの勝手だろう。それにあんなこと、とっくに時効だよ」

「いいよ、時効にしておこう。手をどけろよ。扱ってもらったのはたしか三挺《ちょう》だったっけ。へまをやったのは四挺目さ。世界中の代表的な銃器をならべてある展示室があって、そこにMW・ボーンっていうベルギー製の銃、知っているかな、性能は機関銃なみ、大きさは拳銃なみというべらぼうな代物《しろもの》でね。欠点は値が張ることくらい、指をくわえて見ていられますかって。銃器については成績優秀だったから、研究のための特別通行証を発行してもらえた。千挺近い展示数だったけど、出入り口にコンピューターを使った監視装置があって、チェックは意外とゆるやかだったね。入室のとき通行証を監視装置に入れると名前と体重が記録される。出るときにまた通行証を入れて、体重に三百グラム以上の誤差があるとドアがロックされてベルが鳴りだす仕掛けなんだ。そこで、どうやったと思う」

「分解して持ち出したんでしょう」女が当然すぎる意見を述べる。

「そりゃそうさ。中から順にばらしてね。しかし最後に残った銃身部分は、それだけで八百グラムあったんだよ」

「分った」ぼくの好きな話題だった。彼女よりはましな答えが出来そうだ。「何か五百グラム分の物を持ち込んで、かわりに置いてくればいいんだ」

「新鮮味がないね」あしらわれてしまう。「向こうさんだって、それっくらい抜かりあるものか。最後に席を立つとき、作業終了のスイッチを入れなければならない。その時、机から一メートル離れて、机の周辺の荷重がゼロにならないと赤ランプが点く。そ備えつけの屑籠《くずかご》だって、五十グラム以上の物を捨てると警報が鳴る」

「手強《てごわ》いね……」サクラが視線を宙にすえ、膝に正方形を描きつづけている。

「じらさないでよ」女が寝椅子の上にあぐらをかき、かかとの低いサンダル風の靴《くつ》を脱ぎすてた。

「ただ一つだけ盲点があったのさ」小刻みにうなずき、得意そうに唇を突き出して、「何だと思う。水飲場だよ。出入りのチェックを厳しくするかわりに、水飲場があったのさ。そこで考えた、ひらめいた……種あかしをしちゃおうか……ビニール袋に六百CCの水を仕込んで持ち込んだのさ」

沈黙。各自、状況を理解し反芻《はんすう》するための時間。

「でも結局、失敗だったわけね」女が声をひそめる。

「失敗なんかするもんか。まんまとせしめてやったよ」

「だって、そのせいで首になったんでしょう」

「ついてなかったのさ。分捕り品を枕の中に縫い込んで、ほくほくものでいたら、糞《くそ》ったれ、金属探知器の実習をこともあろうに宿舎のなかでやりやがった。逃れようがないじゃないか。いつだって盗むよりは隠すほうが厄介《やっかい》なんだ」

「そんな話、おなじ尻尾でも、役に立たなくなったトカゲの尻尾だね」サクラが寝椅子の肘掛けにだらしなく体をあずけ、缶の残りをすすり込む。「除隊になって、それで罪状は帳消しなんだろ」

「馬鹿いうな、目下指名手配中の身だよ。身柄送検の前にずらかったんだ。さてと、こんどはあんたの番。正直に願いますよ」

サクラはぼくと昆虫屋を見較《みくら》べ、しばらく黙り込んでいた。鼻をすすって女を見た。あきらめたようにズボンの尻ポケットからカードの束を取り出した。

「見てくれ、なんの魂胆か知らないけど、いちいちこんなキャッシュ・カードみたいなものを発行しやがる。ぜんぶで二十六枚、サラ金のカードだぜ」

「業者どうしがコンピューターで情報交換するためよ」

「カードなしも含めると、三十軒は越しているな。合計七千万にはなっているはずだ。ひところおれもサラ金の取り立てをやっていたから、手口には詳しい。札付きの踏み倒し屋さ。ほとんどの店におれの手配写真がくばられているって話だぜ」

「それが変装の理由だったわけか」こだわりの一つが解けて、ほっとする。

「専門におれを狙っている、捜し屋がいるらしいよ。賞金もけっこういい値が付いているんじゃないかな……と、いうわけ。話はここまで。テープ、止めろよ」

「なるほど、悪くないね。乗船資格はあるようだ」昆虫屋が一時停止のボタンを押した。「船長、そのカード、証拠物件として押収しておきなさいよ」

「そうはいかない」例の信じられない手さばき。のばしたぼくの手の下から、もうカードの束が消えてしまっている。「録音テープだけで沢山だろ」

「まあ、いいことにしよう。ではお次、と、いきますか」昆虫屋が手を筒にして、女の顔を覗きこんだ。

「駄目《だめ》、言えない」糊《のり》を塗ったように女の顔がこわばる。

「なぜ」

「恥ずかしいよ」

「恥ずかしいから、抵当権が設定出来るんじゃないか。遠慮しなさんなって」

急に酔いがまわりはじめた。抵抗感と期待感がごっちゃになって、まともに彼女を見てはいられない。動悸《どうき》が耳もとで足踏み式のポンプを踏んでいる。

「そういう意味じゃない。何も言うことがないから、恥ずかしいのよ」

「いいだろ、彼女は免責にしてやれよ」珍しくサクラが援護を買って出る。何か人に聞かせたくない秘密があるのだろうか。「お嬢さんが一人でここから出て行くなんてこと、いずれありっこないんだから」

「なぜ」

「おれを付けまわしている取り立て屋の一人が、お嬢さんを抵当に取りたがっているからさ。それより、そろそろ話を元に戻《もど》そうや。尻尾も出しあったし、お互い裸の付き合いってことで……船長、正直言って、どういうことなんだ、おれがさっき追跡した怪しい男の正体さ……」

昆虫屋が胸壁に深く掛けなおし、大きく体を前後にゆすり出す。酔いで高所恐怖症が麻痺《まひ》したのだろうか。女があぐらの上で、組み合わせた両手を逆に反らせた。短かすぎるスカートが、首に巻きついた縄《なわ》のようだ。三人の視線がぼくの胸ぐらをつかみ、容赦なくゆさぶりをかけてくる。

「本当に知らないんだ。君の話を聞くまで、考えたこともなかった……ぞっとしたよ……でも、よく考えてみると、ぜんぜん心当りがなかったわけでもない……鼠《ねずみ》かと思っていたんだ……状況をもっと詳しく説明してくれないかな」

「話はそっちが先だろ。辻褄《つじつま》合わせはまっぴらだからな」

「そう突っ張るなって」昆虫屋が前後にゆすっていた上半身を、左右の動きに変え、「おれたちの乗船が無駄じゃなかったことを、このさい船長にもとくと納得していただきたいしね」

「菰野さん、あぶないよ」女が注意する。昆虫屋がストップモーションをかけられたように静止する。

「おれの話は簡単さ。奥の通路から誰かが覗いていたから、後を追い掛けてみた、それだけのことだよ」

「間違いなく人間かい」

「人間じゃなかったら何なんだ。あんな大鼠がいてたまるか」

「実を言うと、かなり前から侵入者らしいものの気配を感じたことはあるんだ。でも人間だとしたら、すばしっこすぎる。目の端に、ちらと動くものを認めて、視線を向けたときには消えてしまっているんだ。視野の中心部は物の形に強いけど、周辺部は動きにだけ敏感だろ。だから鼠も人間も似たように見えるんじゃないかな」

「鼠がスニーカーをはいて、ジャンパーを着たりしますかね。それにしてもはしっこい奴だったな。地理にも詳しい感じだった。ややっこしい道順を、ためらいも見せずに駆け抜けて、袋小路かと思ってもかならず出口を見付け出すんだ。馴れたもんだよ」

「どの辺まで行ったんだい」

「どの辺と言われても困るな。もう一度おなじ道順を辿る自信はないね。二回ほど階段を下ったけど、あとはだいたい登りだった。水が流れている溝《みぞ》が二箇所あって、二つ目は幅も深さも、ちょっとした川の感じだったよ」

「そんな所まで行ったのか」

「そこで見失ってしまったんだ。追い詰めたと思ったとたん、ひょいと消えてしまいやがった。おかしいよな、どうやってあの掘割を越えられたのか、見当もつかない。

ねえ船長、出入り口はここだけでなく、他にもあるんじゃないの」

「向こうのことは、あまり詳しくないんだ」

「こっちが知らないだけで、向こうにも棲みついている奴がいて、こっちを十分研究しつくしている、なんていうのはいただけませんよ」

「何か変な臭い、しなかった」女が口をはさむ。

「したかもしれないな」

「掘割に出る手前、狭いくびれめになっていただろう、あそこが坑区の境界なんだよ。ぼくとしては、いずれあそこで封鎖してしまう計画なんだ。それにしても信じられない、直線距離にしても往復六キロの道のりだろ、まして崖《がけ》あり、谷あり、石段ありの難コースだ。まさか連中が坑区越えしてまで足をのばすなんて思ってもみなかったよ」

「連中って、誰だい……やはり心当りがあるみたいじゃないか」

「べつに、気にするほどの連中じゃないよ。[ほうき隊]と言ってね、ちょっとした老人のグループさ」

「ほうきの、何だって……」体を硬直させていた昆虫屋が、顎を突き出す。眼鏡がずり落ちる。右目に涙があふれている。

「ゴミを掃く竹箒《たけぼうき》。それに軍隊の隊。平均年齢七十五歳の清掃奉仕隊さ」

「その奉仕隊が、採石場跡の何処かに棲みついているのかい」

「まさか、ただゴミ捨て場に利用しているだけだろ。いずれにしてもここから三キロ以上離れているんだ。菰野さんは見たよな」と、はじめて昆虫屋の姓を口にし、関係の変化に困惑をおぼえながら、「近道する途中で見ただろう、ほら、ちょっとした岩の露頭があって……」

「そのゴミの臭いなんだ」女がこだわりつづける。

「しかし清掃隊が、なんだって偵察《ていさつ》に来たりするんだ」サクラもこだわりつづける。

「あの逃げ足、とても七十五歳とは思えないね」

「指揮班の奴じゃないかな。[ほうき隊]も指揮班には若手を使っているらしいから」

「大部隊なの」

「三十五人から四十人ていど。深夜作業に限られているので、めったに見掛けた者はいないらしい。一列に並んで、軍歌に合わせて掃いてまわるんだとさ」

「薄気味の悪い連中だな」

「でも安眠妨害の苦情が出たっていう話はまだ聞かないな。ささやき声だから、風や箏の音にまぎれてしまうんだろうね」
重い弛《し》緩《かん》性の酔いが、女を除く全員の上に何層にもなって垂れこめる。

13

「ほうき隊」のことは新聞の地方版にも掲載され、地元の出身者なら知らない者はいない。最初は数人の老人の音頭《おんど》取りで始まった空き缶《かん》回収運動だったが、やがて次々と共鳴者があらわれ、生き甲斐《がい》を与える社会復帰運動として評価を受けはじめたのである。次第に組織化され、制服も出来たし、竹箒を交差させたバッジも出来た。戦闘服に似た濃紺の制服に身をかためた平均七十五歳の老人グループが、人が寝静まる深夜から夜明けにかけて街中を掃いてまわるのだ。老人は朝が早いし、市民に迷惑をかけたくないというのが深夜作業の理由だったようだ。横一列に並んで昔の軍歌をつぶやくように口ずさみ、リズムに合わせて竹箒をふるい、街灯の下にムカデの化け物のような影を落して這《は》い進む姿を想像してみてほしい。薄気味悪いことも事実である。軍歌のことは市議会でも問題になったようだ。だが議員の一人が「ここはお国を何百里……」という歌詞は兵士の哀《かな》しみを歌ったものであり、軍艦マーチと同一視するのはまさに日教組的発想だと断じて決着がついたという。また隊員が清掃した地区を集金してまわる件についても、老人が自分たちの手で老人ホームを建設するための募金活動には、心暖かく応じるのが常識であり健全な市民感覚ではないか、とこれも正論で押し切られてしまったらしい。じっさい北浜市の清潔さはずばぬけている。はだしで街を歩いても足の裏がよごれる心配はない。合成洗剤の消費量の少なさでも群をぬいている。市当局としても歓迎の意向をしめすしかなかったのだろう。

「嫌《いや》な爺《じじ》いどもだな、まともじゃないよ。どこか精神構造が狂っている……」昆虫屋が胸壁から滑り落ちてテーブルに頬杖《ほおづえ》をついた。眼鏡の奥で視線が揺れている。「だいたい掃除好きの人間にろくな奴《やつ》はいない……おれは嫌《きら》いだね、掃除なんて……整理整頓《せいとん》なんて糞くらえさ」

「そう、ぜんたいが気に入らんな、この話。向こうの様子はさっぱりなのに、こっちは尻《しり》の穴まで覗かれているんだ」サクラがボウガンの弦を引いて、矢をつがえた。

「おかしいよ、あのスパイ野郎、どこに消えっちまったのかな。あそこは地下鉄のホームみたいに、左右とも水際《みずぎわ》まで崖で仕切られていて、水に飛び込むしか逃げようがないんだ」

「だったら、泳いで渡ったんだろう」昆虫屋がぐにゃりと床に坐《すわ》り込む。望ましくない位置関係だ。その位置からだと、テーブルの脚の間をとおして、彼女のあぐらの芯《しん》をまっすぐ覗くことが出来る。

「不可能だね」サクラも昆虫屋の下心を見抜いたのか、いきなりボウガンをかまえて引き金に指を添える。「向こう岸は天井まで届く絶壁なんだぜ」

「よせよ」反射的に昆虫屋が胸壁に立て掛けてあったウージィを取り上げ、コッキング・レバーを引いて中腰になる。「飛道具は、しらふの時だけにしろ」

薄笑いを浮べ、かまわずサクラが引き金をひいた。再度命中しそこなった矢が空き缶をかすめ、遠くで乾いた音をたててはね返る。

「自分こそなんだい、いい年をしてオモチャなんか構えやがって……鉄砲マニアになると、オモチャでも気がまぎれるのかな」

昆虫屋はべつに反論せずに銃をおろした。しかしさすがにテーブルの下にもぐろうとはしない。何か言いかけていた女も口をつぐむ。ボウガンの弦をはじいてサクラが続けた。

「船長、どう思う。一服したら、もう一度あの掘割の所まで行ってみるか」

「もう遅い、夜が明けてからにしようよ」

「洞窟《どうくつ》の中じゃ、夜も朝もないだろう」サクラがラーメンの残りをかきこみ、四本めの缶に口をつけた。「おれ、酔ったほうが冴《さ》えるんだ、本当……でも、不完全燃焼だな、ビールの肴にラーメンじゃ」

「わざわざ出向くまでもないさ」昆虫屋が最後のサージンの尻尾をつまみ、舌にくるみ込む。「用がありゃ、向こうから出向いてくるさ」

「嫌だね、そういう引っ込み思案は。爺さんたちがゴミ捨て場にしている穴だって、ここと地続きなわけだろ。迷惑な話じゃないか、街は清潔になっても、その分こっちに付けがまわって来るんだ」

「ゴミだけじゃないな……」女も自説にこだわりつづけるつもりらしい。「この臭い、ぜったい有害物質よ。工場の廃棄物なんか請負うと、けっこう儲《もう》かるっていうじゃない」

「そう、街の掃き掃除くらいじゃ、老人ホームなんて夢物語だからな」サクラたちの呼吸が合ってくる。「生きのびるための切符どころじゃないぞ、有毒物質で半殺しにされつづけているんじゃ」

誰の目にも穴だらけの金網を、巨大な超合金の殻《から》のつもりでかぶっているカタツムリ。おめでたい話だ。下まぶたのあたりで豆風船がはじける音がした。視界がくもった。涙が噴き出したらしい。前にも似たような経験をした記憶がある。たしか猪突《いのとつ》にこの採石場跡に閉じ込められ、犬の鎖でつながれた時の涙だ。何かで読んだことだが、涙腺《るいせん》には三つの種類があって、それぞれ使用頻度《ひんど》が違うらしい。たぶんめったに使わない種類の涙なので、涙腺の通りが悪く、音が出てしまったのだろう。

「きっと船長が死んだかどうか、調べに来ていたんだ。今ごろは報告を受けて、向こうでも大騒ぎなんじゃない。だって、死んでいるどころか、仲間が四人に増えちゃったんだから」女がびっくりした表情でぼくの顔をのぞき込む。「どうしたの、泣いているの」

「まさか……」拭《ぬぐ》ったりするのはかえって気恥ずかしく、小鼻をつたって流れるにまかせておく。

「船長が泣くわけないだろう」昆虫屋が固く眼を閉じたまま、両肘をひろげてテーブルに寄りかかった。

「くやし涙ってこともあるさ」サクラが語気を強めて、唾液《だえき》の霧を散布する。「船長たるもの、じわじわ息の根をとめられるのを、ただ待っている手はないよな」

「だから言っただろう、いずれあの通路は閉鎖するつもりだって」

「手ぬるすぎるね。ちょっかい出されたのは、ついさっきの事なんだぜ。たかだかお掃除爺さん相手じゃないか、受けて立とうや」

「爺さんたちには悪いけど、領土宣言って手もあるぞ」昆虫屋が手負いのナマコの感じでテーブルの上に這い上る。「相手にはただのゴミ捨て場でも、こっちはもっと有意義な使い方があるわけだ。そうでなくても日本は狭くて、絶対的な空間欠乏症におちいっているんだからな」

「日の丸でも立てるの」女は不思議そうにぼくの涙を見詰めつづける。

「けっこうじゃないか。なんでも立ててやろうぜ」サクラが鉄筆で書き込むような切り口上で、「地獄の沙汰《さた》も金しだいさ。おとしまえを付けるなり、ショバ代を頂戴《ちょうだい》するなり、けじめをつけていただこうじゃないか」

それぞれ立場は違っても、ぼくを除く全員が［ほうき隊］との交渉に乗り気になっているようである。ぼくだって何時《いつ》までも現状維持が可能だと思っているわけではない。連中が送り込んでいた監視員……監視されているだけでも屈辱的だのに、その発見にサクラの手を借りなければならなかったという、二重の敗北感……［ほうき隊］の連中も監視が露見したことで、あらたな対策を講じているにちがいない。いずれ避けられない対決なら、用心棒気取りが二人もそろっているこの機会を逃がす手はないような気もする。

どうせなら点数は彼女に稼《かせ》がせよう。

「降参だよ、君の言うとおりなんだ。奴ら、六価クロムの廃液をぶちまけているのさ。昔の忍者も、すごく鼻がきいたらしいね。暗闇《くらやみ》でも犬みたいに（この譬喩《ひゆ》は穏当を欠いていた）人間や物を嗅《か》ぎ分けるんだ。忍術というのはけっきょく嗅覚《きゅうかく》の訓練なんだってさ。あんがい君、そのままで忍者になれるかもしれないよ……」

実はぼくと［ほうき隊］のかかわり合いは、昆虫屋やサクラが想像している以上に密接なものだったのだ。最初の契約はたしか去年の今頃のことである。取引き内容は、彼女の指摘どおり（元凶が［ほうき隊］ではなく、ぼくの方だという違いはあったが）、工場廃棄物の不法投棄だった。環境基準を五十八倍も超過している六価クロムの廃液で、毎週一度ポリ容器五本分という、かなり悪質な仕事内容である。それだけに報酬もよく、一本につき八万円を支払ってもらえた。週に四十万、月にすると約百六十万円にもなる。ぼくにとっては生涯《しょうがい》二度と手に出来そうにない金額だった。

もっとも［ほうき隊］と直接契約を交したわけではない。いちおう信頼のおける仲介者を立てていた。毎週火曜日の夜明け前に、その仲介者が相手方から現物を受け取り、上の市道まで軽トラックで搬《はこ》んで来てくれる。そこで受け渡しをすませると、あとはぼく一人の仕事だ。まず滑車を使って、偽装用のスバル３６０の廃車の天井におろし、窓ガラスが外れた後部座席から車内に移す。手押し車で船内に搬び込む。かなりの重労働だったが、資金調達を急ごうと思えば仕事の選《え》り好みなど言っていられないし、とくに便器の存在は誰にも知られたくなかった。

営業開始に先立ち、それなりの準備はしておいた。便器に流したものが何処《どこ》に流れていくのか、いちおうの確認はしておかないと安心できない。常識的に考えて、流出先は海の何処かだ。この辺の海底は陸地の地形が沖合まで続いているので、地下水の流出口の位置を予測しにくい。営業を成り立たせるためには、いずれ不法投棄物を扱わなければならないだろう。どの程度まで許容範囲があるのか事前に知っておく必要があったのだ。ひょっこり愛玩《あいがん》動物の死骸《しがい》や有毒物質が、波打ち際に浮き上るような事件が続発したら、たちまち世間の注目をあびてしまう。

風のないある日、潮の流れの少ない時間帯を選んで五百グラムの食紅を一缶、便器に流し込んでみた。見晴らしのいい《ひばりヶ丘》の歩道橋のうえに陣取って観察をつづけたが、海面の何処にも赤く染る兆候は認められなかった。営業をはじめてからも、近くで魚の死骸が浮いたなどという噂《うわさ》はまだ耳にしていない。便器からの地下水脈は、よほど沖合に通じているのだろう。それとも流出口のあたりを特別速い潮の流れが洗ってくれているのだろうか。騒ぎにならずにすめば、問題はない。業務は順調にすすんでくれた。どのみち世界の破滅は近いのだ。

ところが今月に入って間もなく、事態が急変したのである。梅雨明け宣言が出されて間もないある日、梅寿司《うめずし》の角で信号待ちをしていると、横に警察の護送車か右翼の戦闘車を思わせる黒塗りの中型ワゴン車が並んだ。横腹に竹箒を交差させた白抜きのマーク。バンパーの端にもおなじ紋章の隊旗をなびかせている。噂の［ほうき隊］のパトロール車らしい。仲介者からも話は聞いていたが、実物を見るのは初めてだった。親しみを感じるほどではなかったが、事実上の取引先でもあるので、ある種の（ごく中立的な）関心をもって眺《なが》めていると、助手席の男と目があった。ワゴン車の天井にとどくほどの大男がぼくのジープを覗き込んでいるのだ。湯気のつもりで、ドライアイスの煙に手を突っ込んだような衝撃を受けた。大型のサングラスと顎鬚《あごひげ》で、人相は変っていたが、あの緑色のハンチングだけは見間違えようがない。

ぼくの生物学上の父、猪突だ。

五年ぶりの出会いである。健在であることを知っただけでも不愉快なのに、（乞食《こじき》、もしくは脳軟化症がいちばん似つかわしいはずの男が）こともあろうにぼくの最高の顧客である［ほうき隊］のパトロール車に、卵の黄身みたいにぬくぬくとくるまれていたのだ。互いの間隔は二メートル足らずだったので、濃紺の制服の左腕のマークがはっきり読み取れた。山型の金の縫い取りが三本だ。一般組織の常識で言えば、金色は将官の位であり、三本筋はその最高位である。つまり大将か、元帥《げんすい》か、総司令官ということだろう。知らなかったとはいえ、とんでもない相手を取引先に選んでしまったものである。白蠟病《はくろう》にかかったように頭がしびれ、信号が青に変ってもすぐには車のギヤが入らなかった。

さっそく反応が現われた。翌週からぱったり仕事が跡絶《とだ》えてしまったのである。成り行き上、最初は仲介役の男を疑った。彼は同じ町内に店を構えている《千石屋》という駄菓子《だがし》屋の息子で、姓も同じ千石（センゴクと読む）である。彼が告げ口でもしないかぎり、いくら猪突だって、ぼくと六価クロムの出荷先を結びつけて考えるわけがない。おそらく猪突は単に露悪的な衝動にかられて（身内いびりは猪突の体内から分泌《ぶんぴつ》しつづける嗜虐《しぎゃく》趣味の一部なのだ）、梅寿司前でのぼくとの出会いを［ほうき隊］仲間に話して聞かせただけなのだろう。たまたまそこに居合わせた千石が、その話題の人物こそ実は不法投棄の最終請負い人だという知識をひけらかし、注目を浴びようとしたに違いない。猪突がとっさに出荷停止の措置を思い立ったのはごく自然の成り行きだ。狙いは兵糧《ひょうろう》攻めである。兵糧を断って陣地を奪回しようという作戦だ。ぼくを便器につないだ張本人なのだから、便器の効用についても熟知していて当然である。

むろん千石はぼくの疑念をきっぱりと否定した。彼は仲介の手数料として二割をぼくから受け取っているのだし、出荷停止の被害者である点ではぼくと変りないというのだ。そのとおりかもしれない。[ほうき隊]からいくら有利な条件が提示されようと、あらたに六価クロムの安全な投棄場所が発見できないかぎり、そう簡単に鞍替《くらが》えというわけにはいかないはずである。釈然としないまま、出荷再開の交渉をこれまでどおり千石に一任し、ぼくは兵糧攻めなどに屈せずあくまでも籠城《ろうじょう》を耐えぬく覚悟をかためた。そう言えば船内で《鼠らしいもの》の気配を感じはじめたのも、ちょうどその頃からだったような気がする。

「わたしなら、その千石っていう人、全面的には信用しないな」女が指で寝椅子《ねいす》の肘掛けにいくつも小さな丸を描きながら、膝を組みかえた。素直なやさしい膝小僧だ。

「同感だね」サクラが唇の端の唾液の泡《あわ》を舐《な》め、「さっきおれが捕えそこなった奴が、あんがいその千石かもしれないじゃないか」

「そういうのを予断による見込み捜査っていうんだろ」

「いよいよ今日の最後の一本だ」昆虫屋が慎重な手付きでタバコに火をつけた。ぼくだって百パーセント千石を信用しているわけではない。千石という姓は、いかにも家柄をしのばせる気取った字画だが(祖先は事実そうだったのかもしれないが)、実際には上の市道の外れにある夜逃げした菓子パン屋の息子にすぎないのだ。ぼくより三、四歳下だろう。看板の字も剝《は》げかかったガラス入りの格子戸《こうしど》の店で、何かの宗教に凝って外出がちな母親と二人、駄菓子、甘パン、牛乳、他の店の売れ残りを材料にした揚げアンパンなどを扱っている。唯一《ゆいいつ》の例外が、自家製品のスィート・ポテトだ。天然のバターをたっぷり使って、原料の甘藷《かんしょ》から加工する本格的なもので、店先にはいつも甘い独特の匂《にお》いがただよっていたし、駅前のコーヒー店などにも卸してけっこう評判がよかったらしい。夜逃げした千石の父親がどこかの製菓工場の菓子職人で、スィート・ポテトの専門家だったのだそうだ。ぼくの好物だったし、手間がかからず重宝するので、毎朝出来たてを買いに寄る習慣になっていた。それに《千石屋》までなら、バスの時間さえ避ければめったに人と顔を合わせずにすむ。《千石屋》通いを始めてから半年ほど経《た》ったある日、珍しく千石の母の姿が見えず、彼自身が店番に立っていた。それまでにも何度か奥で作業中の姿は見掛けていたが、口をきいたのはその日が初めてだった。

『猪口《いのくち》さん……でしたっけ』

『ちがうよ、それは以前この崖下にあった釣り宿の名前さ。モグラでいいよ。以前カメラの仕事をやっていた頃、そう呼ばれていたんだ。そっくりだろ、モグラに』

『そうでもないよ。モグラって髭《ひげ》が長いんでしょう。でもそんなにポテトばかり食っていたら、体に悪いんじゃないですか』

『ビタミンCと繊維質が豊富で、理想的な食品らしいね。ちょっぴり値《ね》が張るのが玉にきずだけど』

『値上がりする一方なんだ、原料費が。昔は庶民の食い物だったんですけどね』

『お袋さんは』

『けっこう忙しいんだ、布教活動やなんかで。急に教団の幹部見習いに昇進しちゃったし……でもぼくは辛《つら》い目みてますよ、仕入れから、諸漉《いもこ》しから、窯番《かまばん》から、店番まで、ぜんぶ一人っきりでしょう』

『教団って、何か信仰してたの』

『こいつは驚きだ、まだ一度も勧誘を受けたことないんですか……そうですか……よほど信仰心とは無関係な人間に見られたらしいな』

同時に吹き出してしまう。秘密を共有した感じがあった。べつに友情を必要としていたわけではないが、親しみが持てた。ポテトを経木に並べ、紙箱におさめ、勘定を済ませるまでのあいだ、跡切れることなく話し続けるのだが、静かで柔らかな口調のせいか鬱陶《うっとう》しさは感じさせない。ぼくの暮しぶり（まったく噂を小耳にはさんでいないわけがない）についても質問めいたことは一切せず、あんがい彼のほうで友情を求めようとしていたのだろうか。

……ぼくの親父《おやじ》、家出したっきり行方不明なの知っているでしょう。スイート・ポテト作りって、すごく退屈なんだ。退屈でしかも忙しいんですよ。ただ退屈なのや、忙しいのとは、わけが違います。忙しい退屈が続くと、人間インポテンツになるみたいですね。よくお袋が親父のパンツを脱がせて、犬の糞みたいに縮こまったあそこに息を吹きかけたり、数珠《じゅず》をまいたりして、念仏をとなえていたものです。君だって日に百個ずつスイート・ポテトを焼いてごらんよ、すぐにインポになりますから。ぼくは絶対にならないと断言した、そうならないことがむしろぼくの悩みなのだ。そうかもしれない、ぼくも親父もきっと精神力が薄弱なんだ。そういう気弱な人間に、間違って運がついてきたらどういう事になると思います。ひどいものさ、真夏に毛皮を着たくらい似合わない。たしか三年ほどまえ、知り合いの競輪の予想屋が風邪をひいて、親父が臨時に仕事を手伝わされたんです。予想なんてもともといい加減なもので、知識なんか一切必要ないらしいですね。だから予想は外れて当然で、予想らしく外れてくれればよかったんだ。ところが幸か不幸か、三日つづけて大穴を予想しちゃったんです。こういう噂には伝染力があって、たちまち買手が殺到しはじめた。しっかり者ならそこでさっさと尻に帆をかけていたんでしょうが、スィート・ポテトの忙しい退屈から逃れたい一心で、つい自分の霊感を真に受けたんですね。そして三日間の売り上げを、そっくり次のレースにつぎこんでしまった。結果は言わずもがなです。予想屋から売り上げの支払いを迫られ、払えないと分ると袋叩《ふくろだた》きにされた。頭と鼻から血をしたたらせたまま、何処かに姿をくらましてしまったと言うわけです。考えてしまいましたよ、千石というぼくの苗字《みょうじ》、あんがい由緒《ゆいしょ》のある姓なのかもしれないって。こうまでピント外れな人格が形成されるには、それなりに血筋の積み重ねがあってしかるべきでしょう。もっとも親父としては、あれが夢の実現だったのかもしれないな。スィート・ポテトから解放されて、今頃はインポテンツも治っているんじゃないかな。するとき君もインポなのかい。その傾向ありますね。治療に協力しようか、お袋さんに念仏となえられないうちに。無理ですよ。分らないぞ、そう簡単にあきらめてしまわずに、ためしにぼくの事業に手を貸してごらんよ。競輪の予想屋ほどのスリルはないかもしれないけど、君の血統の勘を働かせるには絶好のチャンスかもしれないぞ。駄目にきまっているさ、言ったでしょう、スィート・ポテト屋ってのは死にそうなほど退屈で、死にそうなほど忙しいんだって。第一そんな暇はないし、お袋が首を縦に振ったりするわけがない、準幹部ともなると、それなりに上納金の額もかさむんじゃないですか。そのぶん稼げば問題ないだろう。危ないあぶない、うますぎる話にうっかり乗っかると親父の二の舞いだからな。乗るか乗らないかは君の勝手さ、いちおう説明だけはさせてもらうよ。ヒント、ココニ一切規制ヲ受ケズニドンナ物デモ自由ニ投棄デキル秘密ノまんほーるガアルト仮定スル。さて、君ならどんな使い方を思いつくかな。

三日と待つ必要はなかった。たちまち千石はコンピューター・ゲームに熱中する中学生なみに、マンホールの利用法探しにのめり込んでしまった。外見は豚と鼠ほども違うが、けっこう似た者どうしなのかもしれない。駄目親父に種を仕込まれたという宿命だけでなく、奇想に惑溺《わくでき》する点でも負けず劣らずである。やがて彼は壮大な「マンホール理論」とでもいうべきものに到達した。いい経験だったと思うのは、何年か前の夏、海水浴場で権利を買って《海の家》をやろうとした時のことです。設営の何処にいちばん金をかけるべきか、分りますか。敷物は本物の畳表にすべきか、ビニールのまがい物ですませるか、シャワーは何基そなえるか、毎分何リットルの湯を供給するか、湯の温度は何度にするか、氷柱は何本たてるか、西瓜《すいか》は何個仕入れるか……そんな事はぜんぶ、どうでもいいことなんですよ。客は利口です、臭《にお》いを嗅いで店を選ぶんだ。つまりトイレにどれだけ金をかけたかが問題になる。一にも二にも、清潔であること。そのためには水洗方式にかなわない。最終的には屎尿槽《しにょうそう》の容量が勝負になるわけですね。その辺の見通しなしに、ただ派手な景品なんかで無理な客寄せをしたりすると、みるみるアンモニヤの臭いが充満しはじめる、客足が遠のいていく、たちまち一巻の終りです。歴史の教科書に載っていた、[遷都《せんと》]という憶《おぼ》えていますか。昔の日本には一定の期間がたつと都を他に移す習慣があったみたいですね。あれもたぶん《海の家》と同じ理屈だと思うな。人口の密集は空間効率を高めることだから、生活するうえで何かと便利です。人が集まれば、物が集まり、物が集まれば、人が集まる。やがて廃棄物の始末が問題になってくる。糞尿《ふんにょう》、ゴミ、それに死体。以前修学旅行で京都に行ったとき、何かの歌の説明で、当時の人……と言っても、何時の当時かは忘れたけど……どっちかの風が吹くと臭くて困る、という意味の歌だと聞いてショックを受けてしまいました。知っていますか、そのころはまだ風葬の習慣があって、近所……まあ郊外の竹藪《たけやぶ》に、死体をほいほい捨てていたらしいですね。なぜ竹藪なんだろう。だから竹の子が京都の名産なんだな。そうなればもう遷都しかないよね。人間が廃棄物に負けるんだ。どこかで廃棄物が人間を追い越してしまう。外国にはよく都市の廃虚っていうのがあるでしょう。がっちり石で建設してしまったら、簡単に引っ越しもできないから、糞尿や死骸で埋って、伝染病がはびこって、廃虚になるしかないわけだ。木造建築は遺跡を残さないけど、かわりに多少衛生的だったかもしれませんね。もし遷都も廃虚も避けようとすれば、都市設計はまず大マンホールの建設から始めなければなりません。理想の汚物処理場は、つまり未来の都市のヘソの緒《お》ってことです。

そして、このマンホール理論の具体的な成果として、まず千石が思いついたのが、産婦人科の医者から人工流産した胎児の処分を引き受けることだった。着想の妙だけでなく、事業としても成功だった。それまで病院に出入りしていた業者は、魚河岸《うおがし》から出る生ゴミにこっそり混ぜ込むという姑息《こそく》な手段しかとれなかったので、最初から気がすすまなかったらしく、喜んで手を引いてくれた。

さっそく二人で［特棄社］（特別廃棄物処理業社をつづめた仮名）を設立した。

『役職名はどうしよう。社長でもいいし、総務部長でもいいし、事務局長でもいいよ。なんでも好きなのを選んでくれないか』

『君は何になるんです。会長ですか』

『ただのマンホール主任でいいさ』

『だったらぼくは事務局長だな。社長もなし、副社長もなし……民主的でいいじゃないですか。他にメンバーは』

『今のところは、二人っきり』

『ますます結構。頭の数だけ分け前も減りますからね』

『蛇口《じゃぐち》が少なければ、それだけ漏水も少ない』

『そうですね』

『そこで当分のあいだ、蛇口は一つだけにしておきたいんだ。君を信用しないってわけじゃないよ、本当さ。ただマンホールの実体については、知らないほうが君のためじゃないかと思ってね。知らなきゃ白状しようがないわけだろ。水臭いようだけど』

『いいですよ。万一の場合、知らなきゃ罪も軽くてすむ』

人工流産した胎児という最初の着想が、派手で奇抜だっただけに、営業を開始してしばらくは千石も注文取りに苦労したようだ。死体か産業廃棄物でもないかぎり、捨てるものにつけられる値段は捨て値にきまっている。三箇月めにやっと六価クロムを扱う話がまとまった。すぐに定期化して、収入の中心を占めるようになった。千石は布教に忙しい母親に小遣い銭を渡して、言いくるめ、店のほうは実質的にたたんでしまった。自慢のスィート・ポテトも気が向いたとき、趣味としてぼく用に作ってくれるだけである。

あれからそろそろ一年になる。梅寿司の前で猪突と出会うまでは、すべてが順調に搬《はこ》んでくれた。ぼくと千石の協力関係も、静かで友情に満ちたものだった。週に一度、午前四時、六価クロムのポリ容器の受け渡しのために夕バコ屋の前で顔を合わせるほか、看板を下した《千石屋》の奥の部屋でコーヒーを飲んだり、世間話をしたり、月遅れの雑誌を交換し合ったり、たまには将棋を指したりしたものだ。《マンホール》のために乾杯したこともある。千石は生涯を通じて、これほど充足した気分をあじわったことはないと言明した。そこはかとない憂《うれ》いを感じるのは、インポテンツから恢《かい》復《ふく》したせいだろうが、それも上等な化粧石鹼で顔を洗ったときの昂揚《こうよう》感に似ていると言って笑った。多少暇をもてあましている所もあったので、[特棄社]の仕事以外の手伝いを頼んだこともある。たとえば空調装置の部品や火薬の原料といった、方舟《はこぶね》建設のための資材の購入や運搬である。今から考えると、その時点ですべてを千石に打ち明けておくべきだったように思う。べつに不信感を抱いていたわけではないのだ。いずれは彼にも[生きのびるための切符]を渡してやるつもりだった。一日延ばしにしていたのは、ひとえにぼくの優柔不断のせいである。彼だって疑問は感じていたはずだ。しかし一切質問めいたことを口にしなかったのは、おのれの分を心得ていると言うか、年に似合わぬ苦労人のせいだろう。『平和って、いいもんだね』千石の口癖だった。

「するとおれたち、千石さんを出し抜いて、お先に失礼しちゃったと言うわけか。事情を知ったら、さぞかし腹を立てるだろうな」サクラが四本目のビールの缶を逆さにして、泡の残りをすすり込んだ。

「だから、気がとがめているんだよ。貢献度ゼロの君たちのことを、事後承諾のかたちで事務局長に報告しなけりゃならないんだからね」

「……なんだか信用できない、その千石っていう人」女が椅子の背もたれに体をあずけ、スカートの裾《すそ》を引っ張る。人造皮革は伸びが悪いので、かえって膝頭《ひざがしら》の隙間《すきま》が強調されてしまう。

「思い出してくれないかな、船長、侵入者の気配を感じはじめたのは、寿司屋の前で猪突と出会う前だったか、それとも後だったか」あくびをこらえながらも、サクラが食い下る。

「憶えちゃいないよ、そんなこと」

「でも、その辺が決め手だろ、事務局長をどこまで信用していいか……」

「なぜ」

「だってそうじゃない、その千石っていう人、遠慮深すぎる」女が語尾を微笑にまぎらせ、未然にぼくの口を封じてしまおうとする。「もしかすると最初から［ほうき隊］

とぐるだったんじゃないかな」

たしかに問題がなかったわけではない。千石が［ほうき隊］と猪突の関係に、どの時点から気付いていたか、気にならないと言えば嘘になる。当然彼は六価クロムの出所が【ほうき隊】であることは承知していた。猪突がぼくの生物学上の父親であることも承知していた。その猪突が［ほうき隊］の幹部であることを知りながら、口をつぐんでいたとなると、たしかに遠慮を越えた意図を感じざるを得ない。採石場跡での暮しについて、ぼくが率直な態度をとるようになるまで、彼としても切り札は伏せたままにしておきたかったのだろうか。

音をたてて昆虫屋がテーブルからずり落ちた。床に坐り込み、薄目を開けてはいるが、首の角度はかなり深く眠り込んでしまったことを示している。せっかく女のスカート覗きの特等席に戻れたのに、眠ってしまったのでは仕方がない。ついでにサクラも眠ってくれればいいのに。五本目のビールの缶をサクラにほうってやった。

「そろそろ寝支度にかかろうか」

「そんな呑気《のんき》なこと言っている場合じゃないだろ」サクラが缶を開けながら、テーブルの下を覗き込んだ。

「そうよ、何時だと思っているの、まだ八時五分よ」女も寝椅子に頬を貼《は》りつけるようにして、テーブルの下を覗き込む。テーブル面から上には誰もいなくなってしまったので、視線を水平に保っていると、急に独りっきりになったような気がした。静寂と一緒に不安が押し寄せてくる。

「宵《よい》っぱりなんだよな、おれたち……そろそろ出掛けるか」

「何処に」

「洞窟探検に決っているだろ」テーブルの下にもぐったままの姿勢で、「なんだい、この発泡《はっぽう》スチロールの箱の隣の袋、まさかこれが寝袋じゃないだろうね」

「そうかもしれない、紺に赤のストライプなら……」

「埃《ほこり》まみれだぞ」

「マックロン製だよ。その辺のスポーツ店で売っている子供だましとは物が違う」

「どう違うの」と、女。

「埃なんか平気ってことさ。底だって、ナイロンとカーボン繊維のスプリングを利《き》かせた三重構造で、岩場だろうと、砂利の上だろうと、ホテルのベッドなみに寝られるよ」

サクラがボウガンを腕に掛け、残りのアルミ矢を腰のベルトにさして立ち上った。テーブルをまわり、寝袋を引き出し、胸壁から下に投げおろす。テーブルの脚にもたれて眠り込んでいる昆虫屋の肩をつかんで、乱暴にゆすりはじめる。

「さあ、菰野《こもの》さん、下に行っておねんねだぞ。起きろったら」

「早まって、ろくな事はないぞ。せめて菰野さんが酔いをさますのを待とうや。いくらなんでも手薄すぎる」

「相手に時間を稼がせるのは、もっと損だ。いつだって攻撃は最大の防御だよ。政家がドスを利かせようってとき、不退転の決意って言うだろう。喧嘩《けんか》のこつは、まず一発かませて、気勢を削《そ》いでしまうことさ。とくにその千石って野郎みたいなの、のさばらせておくと、しめしがつかないからな」

「しかし千石君が寝返った証拠は何処にもないだろ、情況証拠だけで……」

「それを確認するためにも、現場に出向くのが一番さ」

「なんだってそう攻撃的になるんだ」

「酔うと頭が冴《さ》えるのさ、びくつく事なんかないじゃないか」

「分ったよ、呼び出してみよう。彼のパーソナル無線はポテト屋に設置してあるんだ。応答があればアリバイの成立だよ。彼がいま［ほうき隊］と一緒だという君の意見は、根拠のない濡《ぬ》れ衣《ぎぬ》だってことになる」

「なにもその千石ひとりを、目の敵《かたき》にしているわけじゃない。単なる容疑者の一人さ。

でも、いいだろう、連絡とってみなさいよ、それで気がすむんなら。いれば何がしかの新情報を提供してもらえるかもしれないし、いなければ容疑が固まって、船長もふんぎりがつくわけだ」

「やってみるよ、とにかく……どう考えてみても、そんな嫌な奴だという気がしないんだ……」

無線機はロッカー№3の中だ。キーの組み合わせ番号は分りやすくて、3……3……3。群ナンバーをセットし、スイッチを入れる。

チャンネル、チェック。チャンネル、チェック。ドナタカゴ使用中デスカ。

(応答なし)

リコール。モシモシ、コチラ、モグラ、モグラ、応答ネガイマス。

(応答なし)

リコール。モシモシ、コチラ、モグラ、モグラ、応答ネガイマス。

リコール。モシモシ、コチラ、モグラ、モグラ、応答ネガイマス。

(応答なし)

「さあ、これで決まり」サクラが両手を打ち合わせる。「あきらめようぜ、船長、カメラを持って行くかい。本職なんだってね。何かいい証拠写真が撮れると、めっけものだね。菰野さんも起きてくれよ、忙しいんだ、下まで連れて行ってやるからさ……」

サクラがもういちど強く肩をゆすると、全身から眠気をしたたらせ、やっと昆虫屋が立ち上がる。それでも手にはウージィの改造銃を握ったままだ。

「小便が漏れそうだよ……」

昆虫屋がよりかかると、サクラの膝がぐらついた。十センチの身長の差に比例して、体重にもたっぷり差があるようだ。こんどはぼくの頭で体を支え、椅子を押し倒さんばかりにして後ろを通りすぎた。ひどい体臭だ。体臭は威嚇《いかく》的だし、そうでなくても大男は（猪突を連想するせいだろう）好きになれない。方向転換に手間取る昆虫屋のベルトを、サクラがつかんで支えてやる。不規則な足音がもつれあいながら階段を降りていく。

「どうしようかな、わたし……」女が寝椅子の上で、体をまるめて横になったまま、水気の抜けた表情でぼくを見上げた。

「泳げるのかい。たぶん水のなかを潜ることになると思うよ」

「水泳は駄目なの。彼と違って、ビールには弱いし……」

「だったらいいよ、いずれ女は足手まといさ」

通りすがりに軽く彼女の尻を叩いてやる。女が表情を変えずに溜《た》め息《いき》をついた。

「駄目ね、もっと気持を隠さないと……」

「そんなに、見え透いていたかな」

「甘えたがっている犬みたい」

「まさか」

「彼、新しい生活を始めたがっているんだと思う。でもあと半年の命だってこと、忘れないでね」

下で小便の音にまじって、言い争う声。笑いを含んだ奇声。ややあって深夜の地下鉄を思わせる排水音。

「見掛けとちがって、根は世話好きなのかな、彼」

「けっこう複雑な性格みたい。よけい単純ぶるんじゃない、他人の前じゃ」

「君、暴力をふるわれたりしたことあるの」

女はぼくに叩かれた尻のあたりに手をあてがっただけで、口をつぐんでしまった。

下からサクラの催促する声が、船倉いっぱいにこだました。

「船長、出掛けようぜ」

14

矢をつがえたボウガンを腕にサクラが先に立ち、引き金つきの催涙ガス・ボンベを手にぼくが続く。解除されたままの罠《わな》の板バネを蹴《け》りつけ、作業船倉を横切って靴音《くつおと》が響く。ぼくは習慣でつい足音をしのばせてしまうが、サクラは距離をかせぐのに熱心なようで、歩幅がひろい。それぞれの靴音に残響がつく。合成されて雨だれのリズムになる。

「こう派手に音をたてちゃ、気取られてしまうぞ。さっき逃げた奴、あんがい引き返してきて、その辺で待ち伏せているかもしれないだろ」

「いいんだ。向こうに積極的な攻撃の意志がない場合は、熊《くま》が相手でも、賑《にぎ》やかに接近したほうが安全なのさ」

作業船倉のリフトを登りきると、さすがに息がはずんだ。壁にもたれて呼吸をととのえる。サクラが腕時計をちらつかせて先をうながした。さらに数メートル進むと、床に段差がある中規模の（と言っても優に学校の講堂くらいはある）採石場跡に出る。作業船倉からの明かりが、やわらかな間接照明の効果をあげ、全壁面が厚手のビロード地の艶《つや》をおびている。将来はここに外界観察用の潜望鏡を設置するつもりだ。構造的に防音効果がいいので、さしあたっては改造銃や模擬弾の試射場に使っている。

「この高さだと、上はすぐに地面だな」キャップ・ランプのスイッチを入れ、サクラは呼吸の乱れも見せない。ビールくらいすぐに水に変えてしまう、牛なみの肝臓をしているのだろうか。あと半年の命だとはとても思えない。

「すぐと言っても、岩盤の厚さだけで、四メートル以上はあるはずだよ。そういう規則なんだ」

「この辺から臭いがきつくなるね」

入ってきた通路とは別に、天井までの切り口が、正面の壁を挟《はさ》んで向い合っている。

サクラは右に進むつもりらしい。

「そこを行っても、なんの支障もなかったわけか」

「べつに……なぜ……」

「やはり仕掛けをしてあるんだ」

外敵が侵入するとすればかならず通過するはずの通路なので、積層電池を月に一度交換する面倒もいとわず、かなり手強いやつを配備したつもりである。赤外線センサーで作動する、ゴキブリ用殺虫剤のボンベだ。

「気付かなかったね、仕掛けなんて」入り口の手前で足をとめ、「さっきの通路には、板バネの仕掛けがあったよな……でも、後にも先にもそれだけだぞ、仕掛けらしいものは」

サクラの言うとおりだった。安全装置にこそ手を触れられていなかったが、もっと悪質な妨害を受けていた。ボンベの作動部分をスプレーの凝固剤で固めてしまってあるのだ。器用な細工なのでちょっと目には分らない。よくよくぼくの手の内を読みつくした相手である。やはり以前から監視が続いていたのだろうか。たしかに千石の立場なら、依頼した購入品一覧表からだけでも、ある程度までの推察はつくだろう。

「ほかの仕掛けも、ぜんぶこの調子で骨抜きにされたのかな」

「らしいね」キャップ・ランプの光だけを頼りに、ふたたび前進を開始する。「第一そんなものがあったら、取り逃がすはずがないし、逆に侵入される気遣いだってなかったはずだろ。まあ、おれたちの仲間入りも、まんざら無駄《むだ》じゃなかったってことだな、そうだよな」

数メートル先で坑道の天井が急に高くなる。左にゆるやかな石段、突き当りは不規則に入り組んだ穴居人の住居跡を思わせる小部屋の集積だ。試掘の結果が思わしくないのでそのまま放置されたのだろう。

「床の砕石を整理すれば、個室タイプの居住区にいいんじゃないか」

「いいね」サクラが振り向いて笑った。「鉄格子《てつごうし》をはめれば、狂暴性の患者の隔離病《びょう》棟《とう》なんかにぴったりだ」

「反省はしている……」

「何を」下りの石段に踏み出していく。

「最初から、もっと率直に話し合っておくべきだったよ。この採石場跡の使用目的、実はとっくに決定済みなんだ。つまり、[生きのびるための切符]……何から生きのびるのかと言うと……つまり、万が一核戦争が起きた場合ここを待避壕《ごう》にして……」

「変り者だね、あんたも」サクラが歩速を変えずに振り向いた。一瞬キャップ・ランプが眼の端にまぶしい。

「事実、危険はそこまで迫っているんだよ。みんな平気な顔して生きているけど……」

「あらためて説明されるまでもないってこと。だって、そうだろう、生きのびるための切符、乗船資格、人力発電機に空調フィルターときたら、待避壕以外には考えられないじゃないか」

「気付いていたのかい」

「当然だろう……変り者だよ、まったく」

「だったらなぜ、野菜の貯蔵庫だとか、逃走犯人用のホテルだとか、下らないことを持ち出すんだ」

「船長だって、けっこうな内職をやっているじゃないか。水子の後始末とか、六価クロムの不法投棄とか……」

「話が違うだろ。ぼくの場合は、都合によって何時でも打ち切りに出来るし、打ち切っても後に影響が残らない。でも逃走犯人や気違いだって、やはり人間だからね。いったん乗船させておいて、こちらの都合だけで、はいさようならってわけにはいかないよ」

「そう、おれたちみたいにね」サクラが神経質に唾《つば》をすりあげた。「では、伺いましょう。船長としては、どういう人間を乗り組ませたいんだい。聞いていると、もっと素性の知れた人間をご要望らしいけど、そう素性の知れた人間ばかり集めてみたって、面白《おもしろ》くもなんともないぜ。第一、船長自身が、どこのものとも知れない馬の骨じゃないか。いまさら気取ってみても仕方ないだろう」

「気取ってなんかいないさ。でも、いざという場合、ここが未来のための遺伝子のプールになるわけだろ。それだけの責任はあるよ」

「これだけははっきり言っておく。彼女が出て行かない限り、おれもここに居坐《いすわ》らせてもらうからね」

三つ目の大型採石場跡。ただの直方体ではなく、かなり複雑に入り組んでいる。ざっと図解をすると、大箱の対角線にそって、上と下からそれぞれ小箱を押し込み、角を支柱で支えた感じ。古代の神殿をしのばせる荘重な威圧感。というより、神殿はこの感覚の応用だと考えるべきなのかもしれない。サクラが声をひそめた。

「……実をいうと、ここだけの話だけど……彼女、じつは病気なんだ」

「病気って、どこの」

「癌《がん》なんだ。骨髄の造血機能がやられているらしい。医者の診断だと、あと半年の命なんだってさ」

笑いかけて、息がとまった。空気がガラスのように固かった。どちらかが嘘《うそ》をついているのだ。でなければ両方が嘘をついているのだ。鮎《あゆ》の友釣《ともづ》りのつもりで、打ち合わせの不備から、同時に二本の竿《さお》をたれてしまったのかもしれない。もちろん、ごく僅《わず》かだが、両方の言い分がともに真実である可能性もある。たとえば偶然ふたりが病院の待合室で知り合った仲だとした場合……ありえないことではないだろう。しかし問いただす勇気はなかった。自分のことは知らない癌患者がふたり、互いにかばい合っているのだとしたら……［生きのびるための切符］を取り上げてしまうのは酷すぎる。

正面の石壁に一メートルほどの間隔で坑道口が三つ並んでいる。右側は軌道つきの下り坂で、中央はすぐ行き止まりになり、左は傍に石段をそなえたゆるやかな登り勾《こう》配《ばい》だ。サクラが首を傾《かし》げた。

「おかしいな、どれだったっけ」

「掘割に出たのなら、左側さ」

「気付かなかったよ、通路が三つも隣合っていたなんて……夢中だったからな……このへんで一度、追い付きかけたんだ、糞《くそ》ったれ」

「右も、けっきょくは落盤跡にぶっつかって、行き止まりなんだ」

「詳しいんだね」

「日課にしているんだよ。朝の体操と、最低二時間の測量、まだ欠かしたことがないな」

道はいったん平坦《へいたん》になり、急な下り勾配に変る。端の階段部分を使うことにした。

温度差のせいで、風が吹き上ってくる。水と藻《も》の臭いに、鋭い金属イオンの臭いがまじっている。

「あの下の掘割の水、けっきょく海にそそいでいるのかい」

「一部は神社の湧《わ》き水じゃないかな。まっすぐ延長したあたりに蕎麦《そば》や虹鱒《にじます》を食わせる店が二、三軒あるし……」

「今のところ、六価クロムのたれ流しの影響はないわけか」

「聞いてないね」

「あとで測量した図面、見せてくれよ。あるんだろう」

「略図なら会議室（作戦司令室を名乗るのはさすがに面映《おもはゆ》い）に貼ってある」

「でも、測量はしたわけだろ。測量結果の記録はないのかい」

無いことはない。かなり精密な記録をとってある。たっぷり半年かけて測量した平面投影図十六枚だ。ところがそれから立面図を起そうとしても、なぜかうまくいかない。無理に透視図を思い浮べようとすると、頭のなかで地滑りや陥没がおきてしまうのだ。ぼくの測量技術や作図能力にも問題はあるだろう。だがそれ以上に採石業者（もしくは職人）の作業そのものの、杜撰《ずさん》さといい加減さのせいが大きいように思う。どの直線も直線でなく、どの直角も直角でない。意図的な騙《だま》し絵のように誤差が少しずつ蓄積していき、いつの間にか南西方向が南東方向に捩《ねじ》れ、石段の下にあった床面が上にせりあがってしまう。この複雑さは、しかし単なる無計画性や試行錯誤の結果だけではなさそうである。四つの業者が協定を無視して、一つの山を競争で掘りまくり、四つの試行錯誤を複合させてしまったのだ。Aの業者がBの業者の腹をくぐって枝を封ずると、Bの業者はCの業者の先にまわって頭を押え、Cの業者はDの業者の尻《しり》に穴を開け、Dの業者がAの業者の懐《ふところ》にくらいつく。内々にもみ消された落盤事故や流血騒ぎは日常茶飯事だったらしい。

「実はいま、新しいシステムの測量器具を製作中なんだ。温度計と湿度計と風力計を組み合わせたもので、地図の等高線とか、天気予報の気圧配置図みたいなものが作成できないかと思って……」

「嫌《いや》なのかい」

「何が」

「測量図さ。なぜそう渋るんだ。見せて具合の悪いことでもあるのかい」

「見たって役に立たないからさ」

「役に立つか立たないかは、おれが決めるよ」

気に入らない。まるで人を殴っておいて、拳《こぶし》が痛んだと文句をつけているような言い分だ。

「ほら、水の流れる音がする」

「うん、近いね」

勾配を降りきったところで、急に足場が悪くなる。通路の壁も、荒れてくる。自然に剝離《はくり》した石の破片が散乱しているのだ。さりげなく振り向いて、地形が変化した地点に懐中電灯を向けてみた。地形と一緒に石の色も変化している。濃い緑から枯れかけたヨモギの葉のような色への移行が、くっきりとした斜めの線になって見える。その線に添っていくつかの穴が点在している。剝離したあとの窪《くぼ》みだ。上から二つ目の……一見したところ、他と較《くら》べてこれと言った特徴はないが、ぼくには特別な意味を持っている……そこに発破《はっぱ》を仕掛けてあるのだ。いざという時にはスイッチ一つでダイナマイトを爆発させることが出来る。坑道はここで船内と船外に分断されてしまうのだ。図面も同時に、ここから先は存在しないことになる。今ぼくが数歩引き返してスイッチを押しさえすれば、サクラもその存在しない空間の中に閉じ込められ、進むことも引き返すことも出来なくなってしまうのだ。

図面だけで船を乗っ取るつもりでいるとしたら、思い上りもいいとこだ。ぼくを見くびりすぎている。発破はここだけでなく、全部で合計九箇所の地点に仕掛けてあるのだ。雷管を結ぶ導線はすべて一箇所にまとめられ、一つの操作で連繫《れんけい》して作動するように配線され（念のために二系統）、起爆スイッチは船長室の点灯用の赤外線センサーと共用である。手許《てもと》の発信用スイッチ盤の操作が点灯より多少複雑なだけだ。これはまた方舟《はこぶね》出航の合図にもなる。船は震動に身をふるわせながら、瞬時に外界から遮蔽《しゃへい》され、『全員配置につけ』のサイレンが鳴りひびく。そして当分のあいだ、世界はここだけになってしまうのだ。

発破の場所を決めるのには、最初かなりの迷いがあった。船の総トン数は大きいに越したことはないと思ったからだ。八年前、採石業者がいっせいに操業を停止した際、規則に従ってすべての坑道口の密閉工事が行われ、採石場跡に開口部は一切存在しないというのが市議会ならびに役所の公式見解になっている。たしかにこの《蜜柑口《みかんぐち》》への通路と、総合市庁舎のボイラー室に通じている坑道を除けば、他に人間が出入りできるほどの開口部はなさそうだ。しかし核爆弾が相手となると話はまた別である。どんな小さな穴でも無視するわけにはいかない。まずいことに、調査を進めるにつれて、いたるところ穴だらけであることが分ってきた。配線、配管、排水、換気などの小開口部である。調査を重ねれば重ねるほど、数は殖える一方だ。考え方を変えるしかなかった。放射線もしくは放射性物質に汚染された外界から山を遮断できないのなら、汚染の可能性がある山の大部分を切り棄《す》てるしかないだろう。落盤しそうな場所を選んで、ダイナマイトを仕掛けることにした。砕いた岩石はフィルターとしても有効に機能してくれるはずだ。ただし爆発の結果については、地質学者でも土木専門家でもないので確実なことは分らない。言えるのは、無事に持ちこたえてほしいと願っているのが、どの区域かということだけだ。作業船倉を中心にして数え、二つ目の船倉まではたぶん安全だろう。素人《しろうと》の保証にすぎないが、希望的観測以上のものだという確信はある。水石《みずいし》(あるいは不見石)は、その名のとおり水と相性がいいらしく、含水量が多いほど特有の緑が深くなり、強度も増し、磨《みが》けば艶が出るほど緻密《ちみつ》になる。じつはその濃度分布を参考にして、方舟の心臓部をいまの作業船倉の位置に決めたのだ。あとは信じてもらうしかない。もしダイナマイトの爆発の連鎖反応で、船全体が潰《つぶ》れるようなことでもあれば、いずれ核爆発は防ぎきれなかったのだからと思ってあきらめてもらうしかない。実際に生きのびることよりも、最後の瞬間に、生への希望を持ちつづけることのほうがずっと大事だろう。それにピラミッドに負けない巨大な墓石だけは確実に約束されている。

「ここから先が難儀なんだよな」

積み石が行く手をはばんでいた。切り出したというよりは、かち割った感じの、大小の砕石だ。なかには賽の河原の塔みたいに積み上げられたものもある。トンネルはそこで終っていた。その先は切り立った深い崖だ。十メートル以上はあるだろう。ぼくの気持の中でも、ここが境界線だった。

「小便をしておこうか」

「そうだね」

いよいよ敵陣に乗り込むというので、かなり緊張ぎみだったようだ。サクラはあれだけビールを飲んだのだから、尿意をもよおすのが当然だろう。二人並んで積み石越しに放尿しはじめる。聞えてくる音があまり遠くからなので不安になり、つい体をそらせてズボンの前を濡《ぬ》らしてしまった。キャップ・ランプの光も届かない。もっとも何も見えないのは、絶壁の底で渦《うず》まいている霧のせいもある。

「おかしいな、さっきは霧なんか出ていなかったぞ」サクラが崖っぷちの左隅《ひだりすみ》に突き出している鉄の梯子《はしご》の頭に足を掛け、こわごわ下を覗《のぞ》き込む。

「地下水と外気の温度差と、それに湿度のバランスだろうね」

「奴《やつ》が地面に到着して、右に走るのを確認してから、梯子に取り付いたんだぜ。ところがどうだい、降りてみたら影も形もないじゃないか」

「だから水の中にもぐったのさ。水面より下に横穴があいているんだよ」

「せいぜい十秒から十五秒の間だろ、信じられないよ、こんな霧なんかぜんぜん無かったし」

「とにかく降りてみよう」

「しかし、降りてどうするつもりだい、船長の本当の腹は……」

「どうするって……まあ、向こうに着いても、無理はしないほうがいいと思うな。無用な挑発《ちょうはつ》はつつしんで……分るよ、攻撃が最大の防御だってことは……でも、出来れば話し合いでいきたいね……たとえばこの下の掘割を境界線にして、折り合いをつけるとか……」

サクラがキャップ・ランプの光で腕時計を覗いた。

「十八分経過か……」

「何が」

「出発してからさ」

「早かったね、時間が経つの」

「船長はどうする。好きにしていいよ。おれはここで引き返すけど」

「何処に……」相手の言っている意味がよく分らない。

「何処って、いま来た道さ。往復三十分ちょっとだから、いい頃合だろう」

「なぜ、降りたらすぐに掘割だよ」

「口実さ。掘割なんてどうでもよかったんだ」

「でも調べてみるだけの価値はあるよ。注意してみたら、たぶん、岸に濡れた足跡でも見付かるんじゃないかな」

「ひどい梯子さ。無理することはない」

「言い出したのは、君だぞ」

「だから、言っているじゃないか、口実だって」

「口実って、なんの口実……」

「おれだって、敵か味方かも分らない奴に喧嘩ふっかけるほど物好きじゃないよ」サクラはもう一度腕時計の上にライトを走らせ、徒歩競争のスタートを思わせるはずみをつけて地面を蹴った。「しかし、おれを見くびった奴には、それなりの覚悟をしてもらわなきゃね」

来たときよりもさらに速い足取りだ。声を掛けようとするのだが、息が切れて、ついて行くのがやっとだった。分らない。誰がサクラを見くびったと言うのだろう。昆虫屋は酔って寝込んでしまったし、それほど険悪な会話がかわされた記憶はない。しかし昆虫屋以外に登場人物はいないのだ。サクラを冒しているのは癌だけではないような気もした。

試射場まで来て、やっと足をとめる。べつに質問するつもりはなかったのに、サクラは引きしぼったボウガンに矢をつがえ、振り向きざまぼくの足首に狙いをさだめた。

「ここから先は声を立てちゃいかん。靴も脱いだほうがいいかな」

「菰野さん、たしかに酔っていたよ。狸寝入《たぬき》りだとは思えない」

「静かにしろったら」

帯電して、火花をちらさんばかりの調子だ。靴を脱ぎ、ベルトに挟み込む。引き留めようと思ったが、リフトで大きく差をつけられてしまった。作業船倉に降りた時には、もう向こう端に着いていた。しのび足で最後の坑道に踏み込んでいく。べつに昆虫屋をかばってやるつもりはない。言ってみれば自業自得である。あいつの傍若無人《ぼうじゃくぶじん》な態度、とくに彼女に対する遠慮の無さには、ぼくだって穏やかならざるものを感じていた。しかしサクラの射撃はあまり上手《うま》くない。狙いが狂って、上か下かになっている彼女のほうに命中しないとも限らないのだ。もちろん狙いが正確であっても、面倒には変りない。救急車の厄介《やっかい》になるだけならまだしも、警察沙汰《ざた》になったりしたら、進水式も待たずに沈没だ。致命傷のほうがまだましかもしれない。死体を解体して便器に流せば、残るのは後味の悪さだけで済む。そして半年後には（最悪の場合）、癌に冒された二つの死体をかかえ込み、ふたたび一人きりの船長になって、多分もう二度と［生きのびるための切符］を売りさばく相手を探す気力も失《う》せていることだろう。サクラはボウガンを構え、坑道の出口に立ちすくんでいた。矢はつがえられたままで、発射された形跡はない。ブリッジの下で紺に赤縞《あかじま》の寝袋が、芋虫の形に曲り、深い寝息をたてている。サクラがボウガンの安全装置を掛けて、気まずそうに笑った。

「おれの勘だけどね、もしかしたら［ほうき隊］の爺《じい》さんたち、今夜あたり実力行使に出る腹じゃないかな」

「なぜ」

「そんな気がしただけさ。でも、菰野さんもだらしない、たかがビールくらいであのざまだ」

15

女も寝椅子《ねいす》の上でうつぶせになり、頭から毛布をかぶって（下半身が露出していたという意味ではない）、昆虫屋《こんちゅうや》に劣らぬ深い寝息をたてていた。サクラが石段の中ほどに腰をおろし、手の甲で唇《くちびる》の端をぬぐいながら繰り返す。

「本気で射《う》つ気はなかったんだ。本当だよ。仮に最悪の事態が展開されていたとしても、実際に引き金を引く気はなかった、事実、引かなかったと思うよ……見掛けや口ほどには、荒っぽくないんだ、ただの駆引さ……くそ、駄目な男だね、おれって人間は。けっこう妬《や》いているんだぜ、どのみち半年の命で、誰のものでもなくなってしまうのに。未練がましいよね。でもいい女だろ、なんとなく、そう思わないか」

「思うよ、ずっとそう思っていたよ」

「おれ、組に入っていたころ、偶然ダーウィンの進化論っての読んだことがあるんだ。

漫画にしたやつだけどね。でもあれで人生観が変ったな。命を張って生きるなんて、ご大層なことは言いっこなし、ヤクザの喧嘩が本物の喧嘩なら、適者生存で人間ぜんぶヤクザになっちまうじゃないか。ヤクザにはヤクザの世界しか見えないんだ。縄張《なわば》り争いだけの人生さ。ヤクザって奴は、とんでもなく嫉妬《しっと》深いのさ」

「つまり、何が適者かってことだろ」

「そう、生きている者はぜんぶ適者。仮に菰野《こもの》さんが、お嬢さんのパンツを脱がそうとして、成功すればやはり適者さ」

「いやに悟ったんだね」

「悟ったわけじゃない、進化論だよ」

「そう言えばユープケッチャの縄張りも小さいよね。ほんの身の丈しかない」

「宗教ってやつは公平じゃない、地獄や極楽があったりするからな」

「素性《すじょう》の知れた人間ばかり乗り組ませても、面白くないという意見、分るような気がするよ」

「分るだろ、オリンピック村じゃないんだから、選手ばかり集めたって意味ないのさ」

「そう言えば、オリンピック阻止同盟ってのがあるんだってね」

コーヒーが沸いた。便器の縁に茶碗《ちゃわん》を並べ、絵の具を溶いたようなコーヒーを注《つ》ぎ分ける。サクラが昆虫屋を抱え起こし、火傷《やけど》しそうな茶碗を口にあてがってやる。

「菰野さん、起きろったら、まだ九時半だよ。相談があるんだ、起きてくれったら」

昆虫屋は充血した片目で、一口だけコーヒーをすすり、腕の改造銃を確認すると、かぶりを振って口もきかずにまた寝込んでしまう。ぼくとサクラは階段に戻《もど》り、ゆっくりコーヒーを飲みながら何かを待っていた。サクラがあくびを鼻から抜きながら言った。

「奴ら本気で実力行使に出るかな、ア……船長はどう思う、オゥ……」

「もう一度、千石を呼び出してみようか」

「なぜ」

「情況証拠としては、やはり有力容疑者だろ」

「そいつら、なぜみんな爺さんなのかな。婆《ばあ》さんはいないのかい」

「いないらしい、なぜかな。婆さんのほうが、現実的なのかな」

コーヒーばかり飲んでいると胃が荒れる。茹《ゆ》で卵《たまご》でも作ろうとして便器のほうに向いかけると、坑道口ふきんで人影らしいものがちらついた。カップを置き、昆虫屋の寝袋から改造ウージィをもぎ取って駆けだす。

「どうした」

「誰かいるぞ」

一気に階段を飛び降りたサクラが、たちまちぼくを追い越し、先に立つ。作業船倉の入口に、ボウガンを構えて立ちはだかるサクラの後ろ姿は、けっこうたのもしい。

「誰もいないじゃないか。リフトに登る余裕はなかったはずだぞ。そっちの穴に逃げ込んだのかな」第二船倉（居住区予定地）に通じる坑道めがけて指を鳴らす。

「そんなはずはない。袋小路《ふくろこうじ》だし……」そう言えばサクラはまだ知らなかったのだ。

一歩踏み込み、ウージィの銃身を差し入れ、大きく上下に振ってみせた。ベルが鳴り響いた。レールの下のスイッチを切る。「さっきも試してみたんだ、警報器はちゃんと活《い》きている」

「妙じゃないか」

「錯覚だったのかな……前にも時々こういうことがあったんだ。がらんどうだし、光の回りが悪いから、眼の中のゴミなんかがいろんな物に見えるんだよね」

「おれが見たのも、錯覚だって言うのかい」

「そうは言っていないよ」

「いや、錯覚でないとは言い切れない。こんなに広い屋根つきの場所で暮すのは、初めての経験だからな」

「何度か見失ったり、見付けたりしたわけだろ。錯覚だったら、見えても一回こっきりだよ」

「まあな……そっちの積み荷の中も調べてみるか」

サクラが資材保管所の入口を掩蔽《えんぺい》している古自転車の柵《さく》にボウガンの狙《ねら》いをつけた。ハンドルの方角はまちまちだし、侵入の形跡はない。偽装のからくりを知っている人間なら、中が行き止まりであることも知っているはずだ。もっとも武器庫を利用する気なら話はまた別である。逆襲の可能性さえ出てくる。ぼくも改造ウージィのコッキング・レバーを引いて身構えた。左右両端のハンドルの向きを揃《そろ》え、柵をずらし、中の明かりを点《つ》ける。出口をサクラに見張ってもらい、上の段から順に調べていく。誰もいなかった。

「神経過敏になりすぎていたんだ……」

「おあいこさ。おれだって、みっともないとこ見せちゃったからな」サクラがぼくのウージィの銃身に軽く指をすべらせた。「なるほど、こいつ、ただの玩具《おもちゃ》ってわけじゃなさそうだ。鉄砲好きの菰野さんが気にするだけの事はあるみたいだね」

「改造銃なんだ。このままでも、火薬を弱くすればセミ・オートで射てるんだよ」

「安全装置、頼みますよ。そういうの、かえって面倒の元になりかねないんだ」

「菰野さんの説だと、ボウガンは連射がきかないから、複数の敵には弱いんだとさ」

「ここにある銃、ぜんぶ改造済みかい」

「完全じゃないけどね」

「なるほど……これだけあれば、ちょっとした軍隊だな……」

サクラは最下段の武器庫の椅子に、深くもたれて、興奮気味にあたりを見回した。暴力嫌いみたいな口をきいていたくせに、いざ飛道具に取り囲まれてみると、やはり血が騒ぐのだろうか。銃器というやつはたしかに面倒の元なのかもしれない。ぼくとしては鼠《ねずみ》や、蛇や、迷い込んできた犬に対処するために揃えたもので、現に鼠を七匹と猫《ねこ》を一匹退治しているのだ。本物の外敵に対しては、むしろダイナマイトに期待をよせている。最終的には人工落盤が金庫の扉《とびら》のようにぼくらを保護してくれるはずである。

「上から寝袋を取ってくるよ」

「ねえ、ここが現在位置だろ……」

気付いたとたん、こんどは壁の図面に熱中しはじめた。新品の寝袋を二つかついで戻ってくると、参謀気取りで赤のビニール・テープを千切って貼りつけている。

「ここと、ここ……ね、敵はすくなくも三つの関門を通過しなければならない。とくにリフトを降りるときには、一列になって背中を向けざるを得ないわけだ。簡単に全滅じゃないか」

「寝込みを襲われさえしなければね……この黄色のストライプのが、Mサイズだ。君の分にしよう」

「とりあえず今夜は不寝番を立てたほうがよさそうだ」

ブリッジの下に引き返し、昆虫屋を端にして寝袋を並べた。ぼくが階段際で、サクラがまん中だ。脳味噌《のうみそ》にうどん粉を練り込んだような疲労感に襲われる。サクラが断りもなく冷蔵庫からビールを取り出してきた。

「乗船祝いの只酒《ただざけ》も、そう際限なしじゃ、有難《ありがた》みが薄れるぞ」

「そんな言い方はないだろう。飲み食いした分については、最初からちゃんと請求書を出してもらうつもりでいたよ。共同生活の原理じゃないか」

「不寝番のことが気になっていただけさ。目を覚ましているのは、ぼくら二人だけだからね」

「呆《あき》れたね」ビールの缶《かん》を開け、熱い味噌汁でもすするように口先をつける。「どうだい、この福助頭の菰野さん、まるで豚みたいによく寝てやがる」

「豚なんて言うのは、よせ」思わず声を上ずらせていた。

「まさか、そんなつもりで言ったわけじゃない」サクラは弁解がましく笑い、すぐに真顔に戻って、「そうだろう、本気でそんなこと思っていたら、わざわざ口に出したりするわけがないじゃないか」

「豚を馬鹿《ばか》にしちゃいけない」靴を脱ぎ、新品の寝袋のラベルをむしってファスナーを開け、肘枕《ひじまくら》して横になる。「そりゃ豚は愚鈍だよ。まあ、すくなくも、人間なみには愚鈍だろう。でも人間以下だと感じるとしたら、そう感じることのほうがもっと愚鈍なんだ。その点は菰野さんにもはっきり言っておいた。その手の筋肉信仰派とは、絶対に同席お断りだからね。この船は、かなりの長旅を覚悟しなけりゃならないんだ」

「分ったよ」

「オリンピック阻止同盟のシンボル・マーク、何だか知っているかい」

「知らないな」

「豚さ。ボールに脚をつけたような、まん丸で緑色の豚だよ……」

……オリンピック阻止同盟のメンバーは、胸に豚バッジをつけている。見たことないかな、銀の縁取りのある丸い緑のバッジさ。デモ行進の時には、豚のマークの旗を立てるんだ。トンカツ屋の宣伝と間違えられないように、顔だけは威厳を保っている。ちょっぴり口を開けて、牙《きば》をむいている。まだまだ少数派だけど、世界中、全国各地に散らばっているそうだよ。デブとその仲間が中心らしいけどね。あれは何時《いつ》のオリンピックの時だったっけ、テレビのニュース、憶《おぼ》えてないかな。競技場の中に阻止同盟の連中が豚旗(トンキ)をなびかせて堂々の進撃を開始した、あの場面、ちょっぴり共感もしたけど、抵抗感というか羞恥心《しゅうちしん》も感じたっけ。同盟のハンド・マイクがスローガンを繰り返しはじめる。

筋肉礼賛《らいさん》反対!

ビタミン剤反対!

国旗掲揚反対!

連中の狙いは掲揚されている各国の国旗を引きずり下すことだったらしい。たしかにオリンピック会場に林立する国旗の群れは、国家のでしゃばりすぎだ。そうでなくても人間という奴は、さしたる根拠もなしに、ひいきのチームを作りたがるものである。国旗掲揚はその弱点に便乗した巧妙な点数稼《かせ》ぎだ。国家ほどの巨大組織が、たかだか発達した筋肉くらいに、あれほど肩入れするというのは不自然すぎる。何かしら魂胆があるに違いない。それに強健な肉体のために国旗が掲げられ、国歌が演奏されるというのは、あきらかに一部国民に対する差別行為だ。公然と国威発揚のための式場と化した会場で、豚仲間が国旗を攻撃目標に定め、運営委員側が防戦にまわったのも当然の成り行きだろう。あわてた場内整備員が呼子を鳴らして駆けまわる。競技が中断され、腹を立てた観客が物を投げはじめた。

幕内弁当　ハンバーガー　アルミ缶

眼鏡の弦《つる》　ティッシュ・ペーパー

コンドーム　入れ歯　チューインガム

続いて選手団と警備員が同盟員に襲いかかる。

砂でうがいしながら、場内アナウンスの懇願。

『選手の皆さん、所定の位置に待機して下さい。競技は間もなく再開されます。観客の皆さん、そのまま静かにお待ち下さい。ただ今手洗いはぜんぶふさがっております』

しかしスタンドの斜面に添って熔岩《ようがん》流のように流れてくる廃棄物を押しとどめることはもはや不可能だ。すり鉢《ばち》型の競技場はゴミで埋まり、一部審判団が退場を宣言する。選手たちはますます荒れ狂い、阻止同盟の豚を八裂きにしただけでは飽き足らず、役員をほうむり、観客にまで襲撃の手をのばす。このままでは選手が可哀相《かわいそう》です、とスポーツ評論家の解説。やがてスタジアム全体が尻の穴を縫合された内臓みたいにふくれあがり、巨大便器の形になる。背中がえぐれた飛行船にも見える。いずれ錨《いかり》を引きちぎって舞い上り、百もの熱帯性低気圧が群がる洋上を疾駆しはじめるのだ。

[ハッピーエンド]

検札がまわってくる前に逃げ出そう。トンカツ屋の変装にきまっている。

「船長、テレビはないのかい」

サクラの声に目を覚ます。豚のことで何か言いあっていたような気もするが、どこから夢が始まったのか、はっきりとは思い出せない。

「ないよ、テレビなんか」

「残念だな、ちょうど〈ばんざいセブン〉の時間だぜ」

「なんだって」

「〈ばんざいセブン〉だよ」

「いずれテレビなんて無くなっちまうんだ」

「退屈しないのかい」

「旅行に出ればいいんだ。立体航空写真の地図で、何処でも好きな所に飛んで行ける。見るかい」

「結構、いまはそんな気分になれないよ」

サクラが深々と長いあくびをして、自分の寝袋に倒れ込み、涙をぬぐった。やっと戻ってきてくれた、数時間ぶりの静寂。地下採石場跡の石壁が、ぼくの気持を汲《く》み取ったような溜め息をつく。チチチチチ……草の種子がはぜるような沈黙のつぶやき。これまでぼくは採石場跡の石壁を、第二の皮膚のように感じていた。裏返しになって内側から眺《なが》めている自分の内臓のように感じていた。だがそんな馴《な》れ合いも、これっきりだ。共同生活をするからには、誰にとっても同じ景色でなければならない。壁はただの壁、床はただの床、天井はただの天井。石を相手に大声で独り言をいったり、汗をかくまで調子外れの歌を歌いまくったり、素裸でダンスに興ずるといった振舞いはつつしもう。そう、事態は変ってしまったのだ。仮にサクラや昆虫屋を追い出せたとしても、あの平穏は二度と戻ってきてくれまい。監視者が見張っている。ぼくが見たのは幻覚だったとしても、サクラが発見して追跡した人影は九十パーセント実在していたと考えるべきだろう。さもないと、何箇所かの罠に手を加えられていた事実に説明がつけられない。その謎《なぞ》の侵入者が、もし千石だったとしたら、彼は便器の秘密や防犯施設だけでなく、ぼくの独り言や歌まで盗み聞きしていたことになる。思っただけで全身の粘膜がタンニン漬《づ》けになる。

具体的な対応策を講ずるまでは、やはり不寝番でも立てるしかなさそうだ。そう思ったとき、突然サクラがいびきをかきはじめた。体臭のするシャツどころか、枕の代用品もなしに昏睡《こんすい》してしまった。これで起きているのはぼく一人だ。不寝番の籤《くじ》を作る手間もなくなった。腹は立ったが、無理にサクラや昆虫屋を起す気もしない。ボウガンと改造ウージィを手許に集め、流し場に向う。いつも寝られない時にするように、便器に掛けてチョコレートを肴《さかな》にビールでも飲みながら、じっくりユープケッチャの観察でもしてすごそうか。

しかし関心は自然に石段を伝ってブリッジの上に向ってしまう。ありもしない気配が増幅しはじめる。ぼくの体臭がしみ込んでいる寝椅子に、いま彼女が全身を密着させて寝入っているのだ。ぼくの体に合わせて窪んだカーブの中に、いま彼女がすっぽりくるまれているのだ。夢のなかでぼくの体臭を嗅《か》いでいるかもしれない。ぼくの代わりに寝椅子が彼女の素肌《すはだ》を抱いている。夢のなかで彼女は何かの信号を受け取っているにちがいない。もし正当な受信能力をそなえていれば、いまこそ起き上って……するとと彼女は実際に起き上り、ブリッジを横切ってやってきた。胸壁の端から覗き込み、顎《あご》の下に添えた手を振って、

「ねえ船長、ロッカーの中で、変な音がしているよ」

「静かに」

女は上半身を枯葉色のタオルケットでくるみ、下は裸なのかもしれない。Tシャツ一枚だったのだから、その可能性はある。ぐっすり寝入ってしまった寝袋の中の二人を指差し、わざとらしい困惑の表情を作ってみせる。共犯者の演技。女も手をふって応《こた》える。魚心に水心だろうか。

「三番のロッカーみたいだけど……聞えないかな」

「パーソナル無線の呼び出しだろう」

事態の急変に、一人だけで対応できたのはとにかく幸運だった。左手にボウガン、右手にウージィをかかえ、充血した足取りで石段を上る。鼻水をすすりながら考えていた。スカートに邪魔されない素肌の尻叩きはどんな感じがするのだろう。

16

——こちら、モグラ、どうぞ。

——こちら千石、緊急事態。いま、いいですか。手が空《す》いていますか、どうぞ。

——手が空いているかって、どういう意味さ。こっちこそ探しまくっていたんだよ、どうぞ。

——会って直接話したほうがいい、どうぞ。

——もったいぶりなさんなって、どうぞ。

——［ほうき隊］の代理なんだ。でも、ほかの局に割り込み盗聴されるとまずいよ、どうぞ。

——チャンネルはチェック済みなんだろ、どうぞ。

——死体。死体の始末を頼まれたんだ。聞かれちゃまずい、どうぞ。

——死体って、誰の死体。顔見知りかい。犯人は割れているの、どうぞ。

——会ってくださいよ、いいでしょう、どうぞ。

女が耳元でささやいた。

「駄目《だめ》、犯罪に巻きこまれるようなことをしちゃ駄目、罠《わな》かもしれないでしょう」

ぼくは寝椅子の肘掛けに腰をおろし、彼女は同じ肘掛けに膝《ひざ》を折って肩をあずけている。首をまわして見下すと、至近距離で視線が合う位置だ。通話機の声が呼びつづける。

——もしもし、マンホール主任、どうぞ……誰かそこに居るの、どうぞ。

女が微笑《ほほえ》み、舌を出す。

——いるわけないだろ、どうぞ。

——悪くない話でしょう。物が物だから、話の持っていき方では、かなり吹っ掛けられるんじゃないかな。もっとも［ほうき隊］としては直接交渉を希望しているんだ。嫌でしょう。だから、モグラさんが人と会いたがらないことをよく説明して、やっと折り合いをつけたんだ。ぐずぐずしていると向こうの代表が直接乗り込んで来ちゃいますよ、どうぞ。

——誰だい、代表って。まさか偽親父《おやじ》じゃないだろうね、どうぞ。

――だからぼくと会ってください。もっとも猪突《いのとつ》さんも、主任が思っているほど、ひどい人じゃないけどね、どうぞ。

――利《き》いた風な口きくんじゃないよ。とうとう殺人にまで手を出しやがったのか、あの野郎、どうぞ。

――誰もそんなこと言っちゃいない、どうぞ。

――君も信用できなくなってきたよ、猪突の肩を持つようじゃな、どうぞ。

――ぼくは［特棄社］の事務局長として、現実外交をすすめているだけさ。その点では完全中立。モグラ主義も、ほどほどにしてもらいたいですね、どうぞ。

――死体が腐らないうちに、焼き肉パーティでもすりゃいいんだ、どうぞ。

――そこも、思っているほど安全じゃありませんよ。猪突さんと話をつけたほうがいい。あの人もけっこういろいろと考えているみたいだし。この際、過去の行き掛かりは水に流して、涙は抜きでも、五年ぶりの親子対面も悪くないんじゃないですか。友達としての忠告、聞いて下さいよ、どうぞ。

――君って男、見損ったな。ぼくはいずれ君に、ここの鍵《かぎ》を渡すつもりでいたんだ。と言っても、分らないかもしれないけど……いや、分るのかな……ここに自由に出入りできる鍵さ……でも、こうなると、考えなおしたほうがよさそうだね。どうやら君だったらしいな、うろちょろ走り回っていた鼠の正体は、どうぞ。

「駄目、手の内を見せたりしちゃ」こんどは女がぼくの尻を叩《たた》いた。

——誤解があるみたいだな。主任と猪突さんの両方から、そんな疑いの目で見られたんじゃ、立つ瀬がないよ、どうぞ。

——会って話すことなんか、何もないってこと。以上、トンカチ。

——待ってくれ、大人しく引っ込んでくれるような相手じゃない。ぼくだって怖いんだ。それに今度の件の話がまとまれば、六価クロムの出荷についても考えなおしてくれるらしいし……どうぞ。

——問答無用、トンカチ。

——せんだっても猪突さん、突っ張り中学生をつかまえて、ペンチで指をつぶしちゃったんだ。どうせ脅しだろうと、たかをくって突っ張りつづけていると、本当にやったんだ、グチャッ、バリッて。すげえ悲鳴だったよ、どうぞ。

——トンカチ、トンカチ。

——意地っ張りだな、モグラさんも。考えが変ったら、また連絡ください、なるべく早くね、待っているから、トンカチ。

通話装置をロッカーに戻す。女が尋ねた。

「なんなの、トンカチって」

「QRT、通話終了のアマチュア無線用語だよ」

「面白《おもしろ》いね、トンカチか……」

「嫌な気分だ、後口が悪い」

「凄《すご》いね、ペンチで指をつぶすなんて。そういう人、本当にいるんだね」

「千石も、千石さ……」

「でも、今のやりとり、正直すぎたよ。菰野《こもの》さんだったら、もっと上手に駆引していたと思うな」

「一年以上、毎朝スィート・ポテトを買ってやったんだ。上得意だろう。六価クロムの歩合だって、きちんと二割ずつ払っていたし……」

「どうするつもり。ほうっておいたら、向こうから乗り込んでくる気じゃない」

「ぼくをおびき出すつもりなんだ、奴等、死体を餌《えさ》にして……誰の死体だと思う……それとも、ぼくを巻き込んで、共犯者に仕立て上げるつもりかな」

「くよくよ考えたって駄目。思い切って、下の二人に相談しようよ」

「無理だろう」

「無理かどうかは、相談した後で決めればいいでしょう」

「ぼくには向いてないみたいだ、こういう集団を組織するような仕事」

「集団と言ったって、たったの四人じゃないの」

「核シェルターを運営するための、三つの基本条件、知ってる。第一は糞便《ふんべん》の処理、第二は換気と温度の管理、第三が組織の運営なんだってさ」

「待って、起こす前に、オシッコしておく……きっと、水を流す音で、みんな目を覚ますから……」

タオルケットをまとっただけで、便器にまたがるつもりだろうか。そんなことはあり得ない、猥褻《わいせつ》すぎる、ここで着替えていくつもりだろう。ぼくのすぐ鼻先で、パンツ一枚になって赤い人造皮革のスカートをはき、いったん上半身裸になって、ヤシの木をプリントしたTシャツに袖《そで》をとおすのだ。脇毛《わきげ》の剃《そ》り跡や、へその形が間近に眺められる。ぼくもやっと人並みに、男と女が一緒にいる風景に自ら立ち会えることになりそうだ。考えてみると、これも船を建造したおかげである。それとも、単に気がおけない豚のせいだろうか。

半円を描いてタオルケットが寝椅子の上に滑り落ちた。あいにくスカートもシャツも着たままだった。半ば予期してはいたが、約束の駄賃を無視された子供の淋《さび》しさ。彼女が立去ったあとに、タオルケットが二つに割ったドーナッツ状になって残された。

ユープケッチャの糞もこんな形をしていたはずだ。床に膝をついて、顔を埋める。古くなって酸敗した食パンの臭《にお》いがした。これはタオルの臭いで、彼女の臭いではない。ふるえる手で描いた線のような放尿の音。紙を千切る音。つづいて水と空気が互いに相手を蹴《け》散らして一気に落下する排水音。彼女の名前を聞いておかなかったことが悔まれた。それにしても本当の癌《がん》患者は彼なのだろうか、彼女なのだろうか。やがて男たちの眠たげだが陽気な笑い声。女をからかっているらしい。ぼくが加わっていないと、とたんに解放的な気分になるようだ。われながら自分の陰にこもった性格にうんざりしてしまう。これでも独りでいる時にはけっこうはしゃいだ気分になれるのだ。石の壁を相手に歌ったり、笑ったり、独り芝居を演じたり……クモのように身軽なオブラートの上のダンス……退屈や孤独など感じたことはめったにない。

「船長」まだ喉《のど》にむくみを残した昆虫屋の声がした。「連絡がついたんだってね、あっちの連中と」

「降りていらっしゃいよ、コーヒーをいれるから」女の無邪気すぎる声がつづき、ぼくはやっとタオルケットから顔を上げた。

「夜明かしを覚悟したほうがよさそうだね」サクラがあくびまじりに、とつぜん奇声を発した。「アッカン、プッカ、アッカン、プッカ」

したい事をするのと、したくない事を拒むのとは、似ているようでまったく別のことなのだ。誰とも視線を交したくなかった。改造銃をかかえ、石段の三段目に腰を下す。女が流しでコーヒーの粉を計っていた。サクラが便器に掛けて目脂《めやに》をこすっていた。昆虫屋が寝袋から上半身を乗り出し、火のついたタバコを頭の上で回してみせる。

「これ一本だけ、本日の割り当て超過。なんだか、長い夢を見ていたな」

「しかし、いくら水圧が大きいからって、こんな穴に人間の死体が流し込めるものかね」サクラが股《また》のあいだから便器の穴を覗き込む。「死体って、もちろん人間の死体だろ」

「動物の場合は、死骸《しがい》よ。死体は人間に決っているでしょう」女がコーヒー沸しにスイッチを入れ、サクラのシャツの裾《すそ》で手を拭《ふ》いた。

「以前、猫の死骸を流したことがあるんだ」わざと誇張して両手をいっぱいに広げ、「これっくらいもある、三毛の化け猫さ。スポンと入っちまったよ」

「人間は猫とは違うよ、頭がでかいからな」昆虫屋が深々と吸ったタバコの煙を、出し惜しむように時間をかけて鼻から吐き出した。「頭より狭いところは、くぐれないんだ。檻《おり》の格子《こうし》も、入れる動物の頭の幅に合わせて決めるんだってね」

「頭の骨なんか、かち割ってしまえばいいんだ」ぼくも意地になって言い返す。「専門家がいるらしいよ、［ほうき隊］には。スーパーのあおりで、店をたたんだ肉屋だとさ」

「よして、気持が悪い」女は本気で腹を立てたようだ。「引き受けるつもりなの」

「とんでもない。あんな奴とかかわり合いになるのは、まっぴらさ」

「まっぴらなら、まっぴらと、なぜはっきり返事をしてやらないの。煮え切らないこと言うから、口実を与えてしまうんじゃない」

「なんの口実……」サクラが詰問《きつもん》する。

「船長が交渉に出向かなけりゃ、向こうから押し掛ける気なんだって」

「えらく強気に出たもんだな」昆虫屋が靴《くつ》の裏でタバコをもみ消した。

「お断りだよ。口をきくのも嫌だね。これだけははっきり言っておく。ぼくが船長であるかぎり、猪突の乗船資格だけは絶対に認めないからね。たとえ世界中の人口を収容できるとしても、あいつ一人にだけは外に残ってもらう。ぼくにとって生きのびるっていうことは、あいつに死んでもらうことなんだ」

「気持は分るけど……」昆虫屋がケースを開けて、眼鏡を取り出した。「どうやって追い返すつもりなんだい、実際に乗り込まれた場合……それも、一人だけならともかく、仲間を引き連れて来る気かもしれないし」

「要するに船長は頭を抱えこんでいるのさ」サクラが片方の靴を脱ぎ、土踏まずのあたりをもみはじめる。「つまりおれたちの出番だってことじゃないですか。かわりにおれたちが交渉のテーブルにつけばいいわけだ」

「そうよね」女がポットから茶碗にコーヒーを注《つ》ぎ分ける。「向こうだって、その千石って人を代理に立てているわけでしょう、船長が自分で出向くことないな……コーヒー、取りに来て」

「向こうも代理なら、こっちも代理で、言うことなし」サクラが茶碗を受け取りざま、いきなり女の左頬に激しい平手打ちをくわせた。

「痛い」女が叫んで左頬をおさえ、その手をすぐに手品師のポーズに構え、微笑んだ。

「でも、ぜんぜん痛くないの」

「身過ぎ世過ぎの生活の知恵さ」サクラが茶碗を昆虫屋に手渡しながら、うなずいて、

「顔のふくらみに手の窪みをぴったり合わせて、空気を破裂させるんだ。派手に鳴るわりには、ほとんど痛みを感じない。仲間割れに見せかけて、交渉相手をまごつかせる時なんかの手口だけど、けっこう効果があるみたいだぜ。ちょっとした特技だろう」

「たしかに特技だ、おかげで目が覚めたよ」昆虫屋が拭きあげた眼鏡を掛けて、寝袋

の上に坐《すわ》りなおした。「船長さえよけりゃ、おれと社長で交渉役引き受けてもいいよ。香具師《やし》とサクラなら、相性もいいんじゃないか」

「そうね、だまし屋と、だまされ屋なら、ぴったり」女が茶碗を差し出しながら、上目づかいにぼくを見る。石段の下と上だから上目づかいが当然なのだが、ぼくは勝手に裏の意味を嗅ぎとってしまう。サクラと昆虫屋が出掛けてしまえば、彼女と名実ともに二人っきりになれるのだ。

「いいさ、べつに異存なんかないよ」石段を降りて、茶碗を受け取る。冷した豆腐に似た指先の接触感。「でも、手強《てごわ》いぞ、すんなり理屈の通る相手じゃないからな。それに、交渉と言ったって、こちらとしては無条件で……」

女の素早い目くばせ。口をつぐむ。女が自分のコーヒーに息を吹きかけて冷しながら、

「ねえ、菰野さん、聞きたいことがあるんだけど、そのユープケッチャという虫、自分の糞を食べながら太陽に頭を向けて移動するんでしょう。暗くなって寝る時には、西に向いているわけよね」

「だろうね」気がなさそうに昆虫屋が答える。

「だったら変じゃない。次の朝、目を覚したとき、どうするのかな」

「知るもんか、船長に聞いてごらんよ。買った人がいちばん詳しいんじゃないか」

「ぼくは、そこまで考えてみなかったけど、言われてみるとたしかに変だね」

「変なことはないさ」昆虫屋が眼鏡を茶碗の湯気に当てて、わざと曇らせてしまう。

「頭を使えよ、頭を。時計がぜんぶ十二時間表示とは限らないだろ、二十四時間表示のやつだってあるんだ、見たことあるよ」

「でも、何時も太陽のほうに頭を向けているんじゃなかったっけ」

「糞を押して半回転させればいいだろ。ちゃんと辻褄《つじつま》は合う」

「お見事」女が唇を茶碗につけたまま笑い、コーヒーの表面に何重もの輪が走った。

「この調子でなんでも言いくるめちゃうの。その場で思いつくんだから、感心しちゃうよ」

「でもぼくはそれほど楽観的にはなれないな」

「心配するなって」サクラが音をたててコーヒーをすすり込む。

「そう、おれの交渉の原則は、終始船長の立場に立つことだ」眼鏡を曇らせたまま、昆虫屋がうなずく。「任せてもらった以上、期待を裏切ったりするものか」

「でも、この交渉の申し入れ自体が、実力行使のための口実かもしれないだろ」

「菰野さんはどう思う、元自衛隊員の経験者として」サクラがぼくのウージィを見ながら、引き金を引く手付きを繰り返した。「防衛できるかな、いざという場合」

「相手は老いぼれで、しかも素人《しろうと》だ。ここは構造的にみてかなりの要塞《ようさい》だよ。それにボウガン五挺《ちょう》に、改造銃七挺だろう、かなりの戦力とみなしていいんじゃないか……」

断続する信号音。無線機の呼び出しだ。

四人が申し合わせたように腰をあげ、一団となって石段を駆け上がる。サクラが先頭に立ち、昆虫屋が女の腕をひき、ぼくが女の腰を押す。そんな必要はないのだが、そうしていると安心だったのだ。

受信機の震動板をこする、風邪をひいた象のような声……

千石ではなく、猪突だった。

17

——よう、元気かい、久しぶりだな、お父さんだよ、どうぞ。

——よく言うよ、あんたなんかとは口もききたくないね、トンカチ。

——待ちなさい、これまでのことは水に流そう、お互い大人じゃないか、どうぞ。

——流せないね、トンカチ。

——聞いて損のない情報だぞ。どうぞ。

——トンカチ、トンカチ。

——聞けったら、足がついたんだ……

サクラがぼくの手首を握りしめた。指が開き、次の瞬間、通話機はサクラの手を経て昆虫屋の手へと移動している。昆虫屋に肩で胸を押され、ぼくは最前列からはみ出してしまう。そのかわり、腰が女の下腹部に密着し、埋め合わせがついたような気もしていた。

——はい、伺いましょう、代理の者です、どうぞ。

——あんた、誰。どうぞ。

——菰野です。渉外の担当だけど、用件をどうぞ。

——渉外担当とは大きく出たね。本業は何屋さん。どうぞ。

——学習用品の販売ですよ。主に昆虫の標本だとか。で、単刀直入に伺いますが、その付いたっての は何の足。どうぞ。

——面白いこと言うね。死体に決っているだろう、どうぞ。

——そうね、死体でお困りだそうですな。で、どんな素性の死体でしょう。殺人とか、変死体とか、いろいろあるわけですが……どうぞ。

——知るわけないだろう、うちの息子に聞いてみな、どうぞ。

——思わせぶりだね、どういう意味かな、どうぞ。

——意味も糞《くそ》もない、あんたたちが捨てた死体だろ……

「馬鹿いうな、死体なんて、見たことも聞いたこともないよ」

パーソナル無線は一方通行で、相互会話は出来ない。相手がスイッチ操作をしてくれない限り、通じないことを知りながら、反射的に大声をあげていた。昆虫屋が小刻みにぼくの肩を叩いてなだめ、女がさらに強く腰を押しつけてくる。猪突の声がつづいた。

――もちろん、あんたたちが犯人だという物的証拠はないさ。でも、情況証拠は十二分だよ。表沙汰《おもてざた》になれば、厄介《やっかい》なことになるぞ。私どもは、れっきとした社会奉仕事業団として、ゴミの収集業務にたずさわっている関係上、違法遺棄物に関しては、すすんで関係官庁に報告する義務がある。でもこの際、そう堅いことは言わずに、穏便にすまそうと提案しているんじゃないか。うちの息子、そこにいるんだろ。突っ張るのもいい加減にするように、話して下さいよ。親の心、子知らずって言うのかねえ。有意義な事業だと思って、陰ながら応援しているんだよ。あんたたちを不利な立場に追い込みたくない、今後はじゅうぶん協力し合って行けると思うんだ。どうぞ。

サクラがマイクの脇から声を張り上げる。

――有意義な事業って、ゴミ処理のことかい、どうぞ。

――はぐらかさないでほしいね。分っているんだ、原爆用の待避壕《ごう》だろ。将来性のある事業だよ。先見の明がある。詳しいことは、無線通話じゃなんだから、会ってじっくり話すとして、こっちはこっちで、会員募集なんかも進めているんだ。顔ぶれもそろっているし、力になれると思うよ……

「やはり脅迫なんだ」女の息が耳たぶの裏をかすめる。

「死体だって、小細工に決っているな」

「どうも先手を取られている感じだね」サクラが唇を噛《か》む。

猪突の声がつづく。

――きっと驚くと思うぞ。市の助役から、信用金庫の理事、市立病院の医者が二人に、菱富《ひしとみ》倉庫の社長まで契約書に判子をついてくれているんだ。有望だよ、発展性がある。つまらん死体の一つや二つで、あんたたちを窮地におとし入れるにはしのびないじゃないか。ま、そういうわけさ、どうぞ。

スイッチを受信状態にしたままで、昆虫屋が下顎をつき出し、歯を咬《か》み合わせた。

「船長、死体のこと、本当に心当りはないんだろうな」

「あるわけないだろう」

サクラがぼくの返事も待たずに、通話機を昆虫屋からもぎ取るようにして、送信のスイッチを入れた。

――その被害者の死因と年齢、教えてくれませんか。どうぞ。

――新顔か、あんた何の係だい、どうぞ。

――パーサー、客室係、どうぞ。

——面白いね。あいにく監察医じゃないので、死因も年齢もさっぱりさ。そっちこそ何か心当りがあるんだろ、どうぞ。

——誘導尋問はずるいぞ……

サクラがスイッチを切って、ぼくを見すえる。

「爺《じい》さんの中の誰かが迷い込んできて、罠に引っ掛かったんじゃないかな。目つぶしでもくらって、崖《がけ》から墜落するとかして……」

「でも、妨害されていたじゃないか、糊《のり》で固めたり。見ただろう」

「事故があったから、対策を講じたのかもしれない」

「違うな、あのプラスチックの固まりようは、かなり時間が経《た》っているよ」

「死体だって、新鮮な死体とは限らないじゃないか」昆虫屋が口をはさむ。

交信再開を催促するブザーの音。

「さっきおれが追跡した奴かな」サクラが指をはじいた。「あの掘割に落ちて、溺《おぼ》れ死んだのかもしれない。なあ、そうだろう、あんがい駄菓子《だがし》屋の千石って奴の死体じゃないのかな」

「違うと思う」女の息が耳たぶをくすぐる。「だって、船長が無線で話したの、あの後だもの。あんたたちが寝ている時よ」

「だったら、ごく新鮮な死体ってこともありうるね」昆虫屋がゆっくり、有無を言わさぬ調子でサクラから送信機を取り戻す。「殺《や》られたのは、その通話の後かもしれない。今だって、筋から言えば、そのポテト屋が通話口に出てしかるべきだろう。船長が猪突親父を敬遠していることは、向こうさんだって先刻ご承知のはずなんだから」

交信再開をうながすブザーの音が、苛立《いらだ》たしげに続いている。

「そうなんだ。考えてみりゃ、おかしいんだ。無線機を置いてあるのは、[千石屋]だからね。猪突が通話してくること自体、不自然なんだ」

「妙だな」サクラが唇を舐《な》め、唾《つば》を飲み込む。「するとポテト屋は、自分で自分の死体の始末を売り込んできたのかい」

昆虫屋が通話スイッチを入れた。

——もうしばらく待ってくれ、打ち合わせ中なんだ。

スイッチを切る。「仮にポテト屋が、自分の店で殺されたとすると、情況次第では船長が第一容疑者になりうるね。しかし、動機はなんだ」

「そんなもの、あるわけないだろ。殺してもいないのに」

「ちがう、猪突の側の動機さ」

「考えるだけ無駄よ。被害者がポテト屋さんと決ったわけじゃなし……」

女の手が軽くぼくの肩にかかる。とたんに彼女の意見が疑問の余地のないものに感じられ、嵩《かさ》にかかった言いかたで昆虫屋をうながした。

「確認をとってみろよ、千石を送話口に出してもらえば、すぐに分ることだろ」

首肯《うなず》いて昆虫屋がスイッチを入れた。

——もしもし、お待たせ、千石さんに代ってくれないかな。どうぞ。

——ちょっと席を外しているけど、伝言でよけりゃ……どうぞ。

——そこ、ポテト屋の店だろ。席を外すって、どういうこと。どうぞ。

——違う、［蜜柑口《みかんぐち》］の事務所だよ。こっちにも無線機を置いてあるんだ。なるほど、ポテト屋ね。たしかにポテト屋だな。（そばで誰かの耳打ち）そうか、バイクでタバコを買いに出たんだとさ。じきに戻ってくるってさ、どうぞ。

「死体の発見場所を聞いてみろよ」サクラがせっつく。

——死体の発見場所は。どうぞ。

——白を切っても駄目、［蜜柑口］の奥に決っているだろ。そっちが始末を引き受けてくれないのなら、警察に届けるしかないね。でも、警察沙汰になれば、嫌《いや》でも採石場跡全体が捜査の対象になっちゃうぞ。私としても、そういうことは避けたいんだ。息子を出してくれないか、傍で聞いているんだろ。和解してもいい頃だろう。誤解しているんじゃないか。子供のころの折檻《せっかん》を根にもっているのなら、言っておくけど、あれだって親心なんだぞ。家裁送りにでもなったら、一生、心の傷になって残ってしまうじゃないか。あれもこれも親心……聞いているんだろ、分ってくれよな。女房《にょうぼう》を踏み殺したなんてのも、根も葉もない中傷さ。この辺で、手を打とうや、親子の仲じゃないか。一緒に組んで、でっかくやろう、父さんも変ったんだぞ、人格円満、餡《あん》パン並さ、もう年だしな、どうぞ。

昆虫屋とサクラの間に、割って入り、送信機に向って怒鳴りつけてやる。

——親子面はよしてくれ、寒気がしてくるよ。

——だって、仕方がないだろう、事実上おまえの染色体の半分は、私の精液なんだからな。どうぞ。

——トンカチ。

——待てよ、父さんも最後の花を咲かせたいんだ。[ほうき隊]だって、けっこう評判をとったし、世間の役に立つことをやりたい、有意義な人生を送りたい。変ったんだよ、私も……どうぞ。

「なんだって死体なんかが割り込んで来たんだ……」つい弱音を吐いてしまう。ひどい一日だった。考えられるかぎりの偶発事故が、一挙に大津波になって押し寄せてきた。十三日の金曜日だとか、仏滅だとか、悪いことが重なる周期の存在を信じたくなる。昆虫屋が送信機に口を寄せ、妥協の色合いをこめた低い声で呼び掛けた。

——悪いけど、もうすこし時間をくれないか、どうぞ。

——くどいようだけど、私は息子と撚《よ》りを戻したいんだ、人情ってものだろう。待っているからな、どうぞ。

「どうする」スイッチを切って昆虫屋が溜《た》め息《いき》をつく。

「話し合いと言っても、そういくつも選択の余地があるわけじゃない」サクラが早口でぼくを振り向く。「そうだろう、[ほうき隊]を敵にまわさないためには、死体の処理を引き受けざるを得ないじゃないか。もっとも真犯人さえ突き止められれば、こっちがびくつく必要はないわけか……そうだな、ここはいっちょう強気で押すべきかな。船長が犯人でなけりゃ、犯人は向こうの誰かに決っているわけだ」

「そうとは限らない。おれだって船長を信じるよ。でも、向こうが現場に手を加えていないという保証は何処《どこ》にもないだろ。でっちあげの証拠にしても、巧《うま》く仕組まれていれば油断は出来ないよ」

「ここの洞窟《どうくつ》の入口、本当に二つしかないの」女が片膝を寝椅子《ねいす》にあずけて重心をずらす。密着していた下腹部との間に隙間《すきま》ができてしまう。「考えられないかな、[ほうき隊」以外のグループが、どこかぜんぜん別の場所に陣取っているってことは……」

「考えにくいね」絶対にあり得ないと断言するほどの根拠はなかった。高速プリンターなみの速度で、記憶のなかの測量図をめくってみる。存在していることは知っていても、調査の手をつけていない洞窟があることは事実だ。とくに東側の断崖《だんがい》の中腹にある、磨崖仏《まがいぶつ》のほこらのような掘削の跡。しかし内部から連絡している坑道がない。乾燥しやすい地形なので、石の材質が悪く、試掘だけで放棄されたのだろう。現在までにぼくが調べた限りでは、[蜜柑口]以外に人が出入りしている形跡はない。「それらしい兆候は、まるでなかったし……」

「疑い出せばきりがないさ。情況証拠だけで言えば、おれだって立派な容疑者だろ」

サクラが口に手を当てて、含み笑いをもらす。まるで似合わないし、いかがわしい仕種《ぐさ》だ。「怪しい奴《やつ》を取り逃がしたって言うのも、おれの言葉だけで、証拠があるわけじゃない。ぶっ殺しておいて、口を拭《ぬぐ》っているだけかもしれないじゃないか。百聞は一見にしかずだろ、やはり直接に出向いて、この目で確めてみたい気がするね」

「きりがない。まるっきり、どうどう巡りだ」昆虫屋が通話機を棚《たな》に置き、手を握りしめて指を鳴らした。「こういう場合、憶測や推測でいくら論じあっても、結論は出ないよ。分っている事実だけで、情勢を分析して、作戦要綱を立てるべきなんだ。そうだろう。当面われわれとして決断すべきことは、二つある。一つは死体、もしくは死体と称されている物の処理だ。いま一つは［ほうき隊］、もしくはそのボスである猪突からの、経営参加の申し入れの件……」

「勝手に議論をすすめないでくれよ」ほんの数ミリ、気付かれない程度に体を女のほうに近づける。接触を恢復《かいふく》したのか、しないのか、あまり微妙すぎて判断できない。

「もちろんさ」昆虫屋の眼鏡が汗でずり落ちた。「作戦の決定権はあくまでも船長にある。自明の理じゃないか。おれはただ、情勢分析をしてみただけさ。つまり、死体の処理問題と、猪突の介入問題とは、いちおう切り離すべきだろうね。二つをごっちゃにして交渉に臨むのは、向こうの思う壺《つぼ》だよ。死体を取り引きの材料にするのが、あちらさんの狙《ねら》いだろう。その手に乗っちゃまずい、そうだよな」

通話再開を催促するブザーの音。

「それは、そう」女が小刻みにうなずき、その揺れが腰に伝わってくる。「たしかに別問題だな。でも、死体の引渡しに応じない場合だってあるんじゃない、仲間入りを断ったりしたら」

「そうだね、その死体に関して、何か向こうの弱みを握っていなけりゃ……」大胆にさらに数ミリの接近をこころみる。

「その辺はお手のものさ」昆虫屋が眼鏡の弦《つる》をシャツの裾で拭った。「駆引のことなら任せておいてくれ、これまでも舌先五寸でなんとか食いつないできたんだ、自信はあるさ」

いつの間にか、昆虫屋かサクラのどちらかが、あるいは両方が、ぼくの代理で交渉に出向くことが既成事実になってしまっている。完全に二人を信頼していたわけではないが、歓迎すべきことだった。猪突と対等にやりあう自信はなかったし、うまく二人がそろって出掛けてくれれば、その間彼女と水入らずの時間をすごせるのだ。

「でも、気持が悪い……」気持の悪さが飴玉《あめだま》になって、女の舌をころがっている。

「死体をあのトイレに流したら、もう使えなくなってしまうな」

「大丈夫さ、血が出るわけじゃなし……」いや、それは嘘《うそ》だ。人工流産した胎児はおろか、猫の死骸を流した時だって、しばらくは便器に近づくのもためらわれた。無理に小便をしようとして、吐いてしまったこともある。流し場で料理が出来るようになるまでに四、五日もかかったほどだ。こんなふうに平気でいられるのは、死体の存在を本気にはしていないせいだろう。

鳴りつづけている催促のブザー。

「いいね」

昆虫屋が一同を順ぐりに眺めまわす。サクラと女がぼくを見詰める。

「いいよ。ただし死体の問題だけに限定してくれないと困るな。絶対にあいつを乗せるわけにはいかないんだ」

昆虫屋が通話機のスイッチを入れた。

——もしもし、お待たせ。こちら渉外の菰野。よろしいですか、どうぞ。

——どうぞ、どうぞ、待っていましたよ、どうぞ。

——交渉には応ずることにします。ただし料金その他は、死体の現物を見せてもらった上でないとね。発見場所や、その時の情況なんかも、詳しく説明していただいて……で、場所は何処がいいかな、どうぞ。

——待ってくれ、なにか誤解しているんじゃないか、あんたたちのために、当局への通報を差し控えてやろうと言っているんだよ、どうぞ。

——よせよ、ハッタリは。このやりとりは自動的にテープに録音されているんだ。死体の第一発見者が警察に通報を怠った上に、不法投棄まで企てたとなると、申し開きはかなり難しくなるんじゃないか、どうぞ。

「上手《うま》いもんだね、まったくの話……」サクラが首をすくめ、唇を舐める。効果はあったようだ。猪突がわけもなく笑いだす。

――分った、分った、言い争っている場合じゃないからな。場所なんか、何処だっていいさ、なんならこっちから出向いてもいいよ。いや、いっこうに構わん、作業用の軽トラックも、ちょうど遊んでいる時間だし、どうぞ。

「駄目だ、絶対に近付けちゃいけない」

「なぜ」昆虫屋が通話口を手で塞《ふさ》いだ。「あんた、びくつきすぎているんじゃないの。もちろん決定するのは船長だけど」

「向こうは人数が多いし、軍隊組織なんだ。数で攻めて来られたらどうする」

「数が心配なら、敵の陣地に乗り込むのは、もっと危いぞ」サクラが妙に媚《こび》を含んだ細い声で、「おれたちが向こうで人質になったら、船長、助けに来てくれるかい」

昆虫屋が通話機に呼びかけた。

――と、いうわけ……聞えただろ、信用ないんだよ、あんたって、どうぞ。

――弱ったたな。だったら、何処かもっと中立的な場所にするか。そうね、[笑い坂]なんかどうだい。あの辺なら目立たずに済むし。息子に聞いてみてくれよ、どうぞ。

「なんだい、その笑い何とかってのは……」昆虫屋がスイッチを受信の位置にしたままで振り向く。

「海岸添いの、辺鄙《へんぴ》な坂さ」

「変った名前だな」

「駅前通りを南に抜けて、漁業組合の倉庫をまわったあたりだよ。近くに海洞《かいどう》があって、風向きによって音がするんだ。笑い声というより、風邪をひいた子供がくすぐられているような、嫌な声だな。でもあの音を聞いて、もらい笑いをする奴もいるらしいね。老人性鬱病《うつびょう》の患者が、坂の下で弁当もって、風が吹いてくるのを待っているんだってさ」

「おかしいよ、聞いただけで笑いたくなってきた」

女がしのび笑いをもらして、腰をひねる。下腹部がソフトボールの感覚でぼくの尻に食い込む。ぼくの方でも、さらに共有空間(互いの肉がめり込んでいる部分)の拡大をこころみる。拒絶反応はない。自分が豚であることを忘れそうになる。猪突を船に呼びよせずにすめば、何処で交渉しようと構うものか。

「おれは遠慮させてほしいね」サクラが手をのばして通話機を爪《つめ》ではじいた。「行ってみたら死体だけで、そこにひょっこりお巡りが現われるなんてのは、まっぴらだからな」

「それもそうだ……」昆虫屋がスイッチを送話に切り替える。

――駄目だとさ。おれたちみんな臆病《おくびょう》なんだよ。行ってみたら、死体だけで、そこにひょっこりお巡りなんてのは、いただけませんからね。

——呆《あき》れたよ、私がそんな汚い手を使うと思うのかい。どうしようもないね。これでも街の浄化を心掛けているんだよ。ゴミや空き缶《かん》だけじゃない、精神の浄化も目標に置いているんだ。これからは人間の掃除もおろそかには出来ません。本当だよ、心底あんたたちの運動に共鳴して、一緒に手を組もうとしているんじゃないか……なあ、どうすりゃ信用してもらえるんだい、どうぞ。

——あんた、先物売りで、かなり稼《かせ》いだようなこと言っていたね、どうぞ。

——仲間を募っていると言ったんだ、有力筋の会員募集だよ。名簿から経理まで、あらいざらい監査してもらって構わないんだぜ。どうぞ。

「馬鹿《ばか》だな、方舟《はこぶね》出航の時が来て、地位も財産もあるもんか。とにかく乗組員募集の窓口は、ぼく一本だからね」

——そう、差し当っての交渉内容は死体の件だけに限らせてもらいます。それにしても困ったね、本当にどうしたらあんた、信用恢復出来るのかな。何かもっと安心材料は出せないのかい、どうぞ。

——なんだってこう嫌《きら》われなきゃならないのかね、さっぱり分らんよ、どうぞ。

「風呂《ふろ》に入らないからさ」通話機の傍から怒鳴りつけてやる。

――馬鹿いうな、入浴は清掃業務にたずさわっている者の義務であり常識だ。風呂に入らないのは深酒したときだけさ、心臓に悪いからな。どうぞ。

女が体を痙攣《けいれん》させて笑いだす。その震動でぼくは催眠術にかかってしまう。実際にかけられた経験はないが、きっとこんな感じなのだろう。時間の流れが消え、《今》だけがあちこち勝手に飛んでまわるのだ。

――嫌われ者のわりには、正直なところもあるな。教えてやろうか、おれたちを多少は安心させる返事のしかたもあるんだぜ。聞きたいかい、どうぞ。

――聞きたいよ、どうぞ。

――もっと悪党になって考えてごらんよ。本物の悪党なら、こんな回りくどいことはしないんじゃないか。黙って死体を、上の道から出入り口のゴミの中にほうり込めばそれで済む。こっちは嫌でも始末せざるを得なくなるわけだ。そうだろう、どうぞ。

――そうだね、あんたの言うとおりだよ。あんたみたいな切れ者を友達に持って、息子もさぞかし心強いだろうな。息子にも分ってもらえただろうか、今の理屈。私は思っているほどの悪党じゃないだろ。外観でえらく損をしているんだ。だったら場所は［笑い坂］でいいんだね、どうぞ。

――いや、そっちの事務所にしよう。死体の発見場所もその近くなんだろう、どうぞ。

——まあね。とにかく大歓迎するよ。酒もあるし、肴《さかな》もある。なんなら河岸《かし》までひとっ走り、使いを走らせてもいいぞ、ちょうど一番手の船が戻る時刻だし……でも、付き合いこれっきりなんて水臭いことは言いっこなしだぜ、どうぞ。

——あいにく、これっきり、これっきりさ。死体を片付ければ、お互いもう用なしだろ。話し合いは何時頃にしようか、どうぞ。

——来るのは誰だい。総勢何人になるのかな。どうぞ。

——行くのは二人。渉外担当のおれと、パーサー。さっきちょっと挨拶《あいさつ》したたろ。どうぞ。

——息子は来ないのかい、どうぞ。

——船長は無理だね、どうぞ。

——なぜ、どうぞ。

——なぜって、そのための渉外係じゃないか、どうぞ。

——なあ、いまこの部屋には私ひとりっきりなんだ。だからってわけじゃないけど、息子と話をさせてくれないか。あんたからも口を利《き》いてみてくれよ、ほんの二、三分でいい。たのむよ、な、どうぞ。

「どうする」

「そんなことより、千石はどうしたんだ」

——ポテト屋はどうしたのかって、聞いているよ、どうぞ。

——おかしいな、タバコ買いに出たっきりかな……

「もし死体が千石だったりしたら、容赦しないぞ。あいつ、いい奴だったよ。あいつとなら、組んでいけると思っていたんだ」

——まさか、ぴんぴんしてるとも。私だって千石君はお気に入りさ。彼の口癖、知っているかい。御破算、御破算、ぜんぶ御破算、ざまァ見ろってんだ……分るね、あの気持、ぜんぶ御破算にして、生きのびる価値がある奴と、ない奴と、最初から算盤《そろばん》を入れ直さなけりゃならない時代なんだよな。どうだい、そっくりだろう、どうぞ。

——何がそっくりなんだ、どうぞ。

——私の考えと、あんたたちの考えさ。どうぞ。

——何時にしようか、話し合いの時間は。どうぞ。

——まあ聞けったら。この世が御破算になったとき、誰に生きのびる価値があるのか、誰は死んでもかまわないのか、それを決めるのは実に大問題だ。そう思うだろう。あんたたちは、どんな物差しを準備しているのかな。どうぞ。

「冗談じゃないよ、人にお説教するような柄《がら》かって」

——お説教じゃない。ついせんだっての、春の中学の運動会の時のことさ。サバイバル・ゲームとかいう変な競技があったんだ。言ってみりゃ、まあ生き残り競争だな。実はこれが、新市庁舎の地下の防空壕をどう利用するかで、学識経験者とやらが集まって開いた研究会の結果だったらしいんだな。どうだい、話を続けてもいいかな、どうぞ。

昆虫屋がぼくの顔色を伺う。あえて反対はしなかった。市庁舎の地下にかかわりがあると言うのが、気掛りだったのだ。

——手短かに願いますよ、どうぞ。

——はしょって要点だけにするからね。ちょうど、市立中学四十周年の記念行事の一環として、誰が生きのびるに値いするかの資格審査が行われたのさ。前の日からの前線が沖合に停滞したままで、朝から糠雨《ぬかあめ》が降りつづいていたけど、気象台の希望的観測もあったし、いまさら記念事業にかけた費用と熱意をふいにはしたくなかったんだな。グランドの整備や、飾り付けにかけた努力もさることながら、このサバイバル・ゲームは早くからみんなの呼び物になっていた。いいかな、こんな調子で、どうぞ。

——どうぞ。

——まあゲームはゲームなんだが、誰もが最初はまごついたね。ルールがいっぷう変っているのさ。勝敗はあっても、競争はなし。生き残るってのは、そんなものなのかねえ。まず運動場が縦に三つに仕切られている。それぞれが赤、白、青のテープで色分けされている。そして両端にスタート・ラインとゴール。分るね。さて、競技開始の合図の旗で、出場選手は各自好みの色の旗を目指してゴールに向う。タイムを争うわけではないから、急ぐ必要はないし、旗選びも最後の瞬間でいいから、のんびりしたものさ。生徒も先生も、父兄も、招待客も、ハイキング気分で参加していたね。賞品につられたせいもあるかな、中学の運動会にしちゃ、豪勢に張り込んでいたからな。こんな調子でいいだろうか、どうぞ。

四人が同時に目を見交す。ぼくとしては、交渉に同行せずに済ませられるのなら、多少の辛抱はする覚悟だった。こういう場合、沈黙は消極的な同意になる。

——ま、いいだろ、どうぞ。

——ま、そんなふうにして出場選手が駆け出す。各自が選んだ色の陣地に入り終えたところで、審判長が三色に塗り分けたサイコロを振る。出た色の旗がひるがえって太鼓が鳴りひびく。規則だとそれを合図に、負け組は地面に倒れこむことになっていた。分るね、生き残った組だけがスタート・ラインに戻《もど》ることが出来るのさ。そしてもう一度、開始の合図だ。こんなふうに何度か同じ手順が繰り返されて、最後まで生き残った者が優勝。何か質問あるかい。どうぞ。

——賽《さい》の目《め》で決めるんじゃ、競技というより、博打《ばくち》じゃないか、どうぞ。

——戦場に運はつきものだろ。博打で結構じゃないか、それだけに緊迫感も相当なものだったぞ。なにしろ一等賞が赤いホンダの新型スクーターなんだ、地元商店連合会の寄付だけどね。実は私も参加したんだよ、でも他人が振る賽の目相手じゃ、いくら力走したってしょせん無駄な努力さ、どうぞ。

——脱線しないで、要点だけ、どうぞ。

——嫌ならやめてもいいんだよ、どうぞ。

——そういうのが脱線なんだ、どうぞ。

——天気のことはもう話したっけ。予報とは逆に悪くなるいっぽうでね。刷毛《はけ》で塗りつけるみたいな隙間のない雨になった……

女が笑った。べつに可笑《おかし》くもなかったが、調子を合わせて鼻を鳴らしてみる。腰は依然として密着したままだ。いずれ無理な姿勢のお返しがくるだろう。サクラは唇をなめ、昆虫屋は左右に頭をゆすり、二人とも固く眼を閉じている。

——生徒たちのドングリ帽子は油につけたみたいにべっとりだったし、運動場の砂もこねくりまわされて、ところどころ池になっている始末だ。校医が何度か校長に耳打ちしていたし、校長自身もそのたびに中止を思い立ったらしい。おずおずと来賓用テントの顔色を伺うんだな。でもそうはいかない、ホンダのスクーターの新車が待っているんだ。雨くらいで中止したら、暴動ものだよ。それが大人の約束っていうものだろう。こうしてなんとかゲームは続行され……で、どうなったと思う、どうぞ。

——どうなったんだ、どうぞ。

——えらい騒ぎになったのさ。生き残るチャンスは平等であるべきだという校長の考えで、とくに資格制限をしなかったから、どこからともなく姿を現わした出場希望者で最初のグランドはまるっきり芋洗いさ。全員を収容するためにスタート・ラインを五メートル前にずらしたくらいだ。開始時間も八分遅れだ。すごかったね、見せたかったよ、びしょ濡れの密集形態がしぶきをあげて地面を削っていくんだ。泣きわめく餓鬼の手をひきずって走るお袋、杖《つえ》を振りまわす爺《じい》さん、付き添いの肩にすがってふらついている病人、スクラムを組んで突進する漁連の青年団、信じられないくらいの時間をかけて、やっと各自が選んだ陣地になだれ込む。サイコロが振られて、旗がひるがえって、太鼓が鳴った。後で場所変えようとして袋叩きにあっている奴もいたけど、一回目はなんとかうまく各陣地に均等に散ってくれたね。負け組が地面にぶっ倒れて戦死者の役をする約束だけは、すぐには守られなかった。負けたうえに雨の中の泥《どろ》んこ遊びなんて、誰だって御免だからな。四方に設置したスピーカーから体育教師がわめいていたっけ。負け組、倒れてください、戦死です、負け組は全員倒れてください。誰もがふて腐れてさっさと引きあげはじめた。実は私もその一人だったのさ。ところが次の瞬間、一斉《いっせい》射撃がひびきわたったんだ。自動小銃の連射だったよ。もちろん録音テープの音さ。でも迫力満点だったね。体験したことはなくても、テレビや映画でおなじみの音だろ。負け組の連中が誘われるように倒れはじめた。倒れないと申し訳ないような気分だったんだね。戦死というより、集団処刑かな。一息いれようか、どうぞ。

女と密着した部分が、独立した生きものになって、ぼくを支配しはじめている。ぼくを占領しようとしてうごめいている。しかしこの非現実感の原因は、それだけではなさそうだった。通話機を伝って送られてくる言葉が、パズルのように組み上げられるにつれて、ぼくの中の猪突とは別にもう一人の猪突が形をとりはじめたのだ。同一人物だとは思えない。ぼくの知っている猪突なら、こんなクリーニング屋から戻って来たてのような、折り目のついた言葉を喋《しゃべ》るはずがない。蟬《せみ》の脱皮に立ち会っている気分だった。

——早いとこ結論を頼みます、どうぞ。

――そんなふうで、負け組が退場し、審判の合図で二回戦がはじまった。例の付き添いの肩につかまった病人、中風病みだろうな、あいつが勝ち組に残ったので足手まといもいいとこさ。それでも四回戦までは、三分の一ずつに減りながらなんとか順調に進行してくれたよ。いずれ先も見えてきたことだし、そろそろ帰り支度にかかる者もいたようだ。さて、妙な成り行きになったのは、五回戦からのことだ。いいかな、こんな調子で続けても。どうぞ。

――みんな聞いているみたいだ、続けてくれよ、どうぞ。

――そいつは有難《ありがた》い。さて、残りはたしか十一人だったっけ。中風病みを除く十人がいっせいにスタートを切ったところまではよかったんだ。ところが全員、なぜかゴール寸前で足をとめてしまった。それからどうしたと思う。中風病みがよたよた追い付くのをみんなして待っているのさ。病人が青の区画に入るのを見届けてから、後を追って同じ区画になだれ込んだ。妙な心理だと思わないか、縁起かつぎというか、群集心理というか、死なばもろともってやつだ。しかも、おかしな事に、賽の目が青と出た。十一人がそろって生きのび、スタート・ラインに引き返す。生きのびることは出来ても、これじゃ賞品に手がとどく機会はない。でも反則じゃないから、審判も文句のつけようがないわけだ。六回戦も、そっくり同じ進行状況だった。まさかとは思ったが、七回戦も同じことが繰り返された。薄気味が悪かったね。雨はますます激しくなるし、そんな時間でもないのに、水銀灯が光りはじめるし、ふだんなら騒ぎの種の生徒までが、グランドを囲む濡れた土嚢《どのう》みたいになっていたよ。八回戦の途中で、役員連中が協議に踏み切った。と、その時だ、突然自動小銃の一斉射撃がはじまった。音響係がヒステリーを起したんじゃないかな。とたんに中風病みが膝を折り、腰を折り、額を地面につけてばったり横倒しになっちまったのさ。勘違いして、笑い出した奴もいたっけ。校医が往診鞄《かばん》を下げて駆け付けたけど、もう手遅れだったな。これでゲームはお流れ。どう思う、生きのびるってのは結局、ああいうことなのかな。どうぞ。

——スクーターは、どうなったんだい、どうぞ。

——ああ、賞品ね。いちおう生存組十人で抽選したらしい。ところが死んだ爺さんの遺族から文句が出てね、全員そろって爺さんを待っていたんだから、爺さんが死んだ以上、他の連中も死んだとみなすべきだと言うわけだ。理屈じゃないか。結論が出ないまま、スクーターは現在も学校で保管中だとさ。おかしな話だろ、どうぞ。

——それで結局、何が言いたいんだ。どうぞ。

——分らないね。さっぱり分らん。分らないから、一緒に話し合おうと言っているんじゃないか。あんたたちには、分るのかい、どうぞ。

誰からともなしに、全員が力なく笑いだす。通話機の向こうで、厚手のゴム風船から空気が抜けていくような音がした。昔のままの猪突が笑っていた。

18

作業船倉の資材保管室で武器を選んだ。情況をどう認識しているかによって、選びかたが違ってくる。昆虫屋は小型の改造リボルバーを手にした。威嚇《いかく》が目的ならむしろ大型の目立つ器種のほうがいいだろう。無線のやりとりでは、なんとなく気が合ったような様子を見せていたくせに、内心では最悪の事態を想定しているのかもしれない。それとも単に銃器にたいする偏愛の現われだろうか。サクラはかなり迷ったあげくに、護身用の催涙ガス銃を選んだ。銃と言っても、引き金をつけ、有効距離を向上させただけで、要するにスプレーである。これも威嚇より実用本位だが、相手の戦闘能力を奪うだけで、殺傷を目的としたものではない。改造銃ほど攻撃的ではないが、確実な防御手段の必要は感じているのだろうか。ナイフやボウガンには目もくれなかった。

ぼくと女はボウガンをとった。戦闘内容の想定のしかたによって、武器の選択が規定されるし、また武器の選択が戦闘の性格をおのずから規定する。

ゴミ捨て場の野犬をなだめるために、傷《いた》んだ鰯《いわし》の干物《ひもの》（犬の餌用に、週に一度市場で分けてもらっている）を小分けにして、ハッチに出る。幕が上ったように、熱気が吹き下し、コンクリートの舗装を削るタイヤの音が充満する。偽装用の軽自動車のスクラップのドアから、餌をまく。この餌付《えづ》けのときの犬の鳴き真似《まね》は、ボスの威信を示して服従させる遠吠《とおぼ》えとは違うが、効果は似たようなものだ。待機していた昆虫屋とサクラに合図して危険がないことを知らせてやる。こうして野犬の群れを抑えているかぎり、この出入り口だけは確実にぼくの支配下にあるわけだ。

「帰ったら、クラクションを鳴らしてくれ。迎えに出るよ」

「なるべくなら、嫌な土産はなしで済ませるからな」

手を振って昆虫屋とサクラがあわただしくジープに乗り込む。いつもとは違う気配を感じるのか、餌を争う野犬たちの挙動が荒々しい。赤い尾燈《びとう》が橋脚の陰に見えなくなるまで見送った。高架自動車道が、帽子のひさしの位置で風景を横に切り取っているので、空模様は分らない。雨はやんだようだが、水平線が見分けられないのは、まだ雲が厚いせいだろう。右端の漁港の灯《ひ》だけが海の所在を明示している。交通量はかなり激しい。朝一番で九州入りを目指す長距離トラックが通過する時刻なのだ。沖合を砂利運搬船が東に向っている。

方舟に引き返しながら、派遣した二人の使いがこのまま戻って来ない場合のことを考えていた。バナナ・ジュースみたいな世界にくるまれてすごす、女と二人きりの日々。赤い人造皮革のスカートをはき、皮の薄い唇《くちびる》と垂れ目のあいだの形のいい鼻のあたまにかいた汗。その傍らで、ぼくは寡黙《かもく》なゴリラのように彼女を眺《なが》めて過すのだ。もし、そのつもりなら、二人の交渉委員に事故が起きる偶然を待つまでもなく、自分の意志でバナナ・ジュース的情況を即座に創《つく》り出すことだって出来なくはない。ダイナマイトのスイッチを入れるだけでいい。船と外界を結ぶ通路はすべて遮断《しゃだん》されてしまう。二人の使者は何万遍、山の周りを回りつづけても、二度とここに辿《たど》り着くことは出来ないのだ。いや、何もあの二人だけではない、ぼくには世界を締め出し、世界を消滅させる力がある。世界から遁走《とんそう》する呪文《じゅもん》を知っている。いずれ確実に核戦争が起きるのなら、多少その時期を早めてやるだけのことだ。そして平和なユープケッチャの生活が始まり……(そして多分、いずれは自分を引き千切って便器に流してしまいたくなるほど後悔する)

彼女は流し場で茶碗《ちゃわん》を洗っていた。短いスカートの下に、融《と》けたガラスを一気に引き伸ばしたような脚。二人っきりだと、なぜかかえって接近がためらわれる。

「そんなこと、後でいいよ、ぼくがやるから」

女は手を休め、数秒たってから無表情にぼくを見返す。

「……前には、何をするの」

「なんだって」

「洗い物は、後回しなんでしょう」

「そういう意味じゃないよ」

「そういう意味って、どういう意味……」

蛇口《じゃぐち》を締め、ゆっくり石段を上り、上から五段目あたりに腰をおろす。そろえた両膝《ひざ》に肘《ひじ》をついて顎《あご》を支えた。機嫌《きげん》をそこねたのか、挑発《ちょうはつ》しているのか、正直いってぼくには分らなかった。昆虫屋がいきなり尻叩《しりたた》きで成果をあげた前例もあることだし、誤解でもいいから挑発と受け取るべきだとも思ったが、言うべき言葉が出てこない。何時《いつ》だってこんなふうにして機会を取り逃がしてしまうのだ。

「あまり好きじゃないな、そういう態度……」張りのない、水っぽい声。

「そういうって、どういう……」

「オウムごっこしているみたい……」仁丹の粒ほどの微笑《ほほえ》み。「嫌だな……ほんとうに嫌だ……」

「何が……言ってごらんよ」

「女って、損だと思う」

「損とは限らないだろ。君なんか、得しているんじゃないか」

「わたしって、すごく害がないように見えるでしょう」

「うん、害なんて、想像できない」

「だから、いまの仕事にぴったり。ひとを信用させて、油断させるの」

「サクラの相棒ね……でも、実は害があるのかい」

「うん、二回ほど結婚詐欺《さぎ》をしたことがある」

「……でも、男だって結婚詐欺をする奴がいるよ」

「違うんだな。男が結婚詐欺をするときは、医者だとか、地主の息子だとか、会社の役員だとか、職業や財産を餌にするでしょう。でも女の餌は、女じゃない。ぜったい損だと思う。職業を聞かれて、ただ男って答える男はいないけど、女は、ただの女で通用しちゃうんだな」

「ぼくだって自慢できるほどの職業なんか持っちゃいないよ」

「昔は消防署員で、それからカメラマンになって、今は船長さんじゃない」

「でも、結婚詐欺の自信はないな。百パーセント見込みなしだよ」

やっと女が笑った。

「警官に職務質問されたとき、口ごもらずに答えられればいいのよ。でも女は職業なんて聞いてもくれない。女は女で、それ以上区別する必要なんかないと思っているんだ」

「たしかに差別だよね……人参《にんじん》のジュースでもつくろうか」

「それより、夜食のごはん炊《た》いておこうよ」

「ぼくがやる。勝手を知っているから」

「結婚前の男は、みんなそう言うけど、そういうのがいちばん詐欺にかかりやすいタイプなんだな」

「だって、まだ餌の臭《にお》いも嗅《か》がせてもらっていないよ」

「餌がほしいの」

またきわどい話になってきた。米を四合、計って鍋《なべ》に入れ、水を流しっぱなしで揉《も》み洗いする。いくらよく洗っても自分で炊いた飯は糠臭い。たぶん米が古いせいだろう。

「すると、女ってやつは、いつも詐欺を狙っているのかい」

「そうね、常習犯じゃないの、ほとんどの女が」

「ぼくなんか、まだ狙われたこともないぞ……でも、いいや、どうせもうじき御破算になるんだ」

「本当に御破算になっても、生きていく自信あるの」

「あるさ、ぼくなんか生れたときから御破算だったんだ。お袋が猪突《いのとつ》に強姦《ごうかん》されて、種付けされたんだからな」

そこまで言う必要はなかったかもしれない。でも、男の特権を振りまわす類《たぐい》の男でないことだけは、分ってほしかったのだ。たしかに結婚詐欺にかかる心配もないかわりに、たくらむ見込みもないモグラ男だ。しかしぼくは御破算に向って船出する方舟の、エンジン・キーをこの手に握っている船長である。いまこの瞬間にでも、錨《いかり》をあげるスイッチを押すことが出来る。そのことを知ったら彼女はなんと言うだろう。詐欺師よばわりするだろうか、それとも叩きやすいようにスカートをまくって尻を差し出すだろうか。

「子供の頃のことだけど、雨戸があって、戸袋に鳥が巣をつくったのよ。からすを小さくしたような茶色っぽい鳥。鳥って嫌い。朝うるさいし、ダニがつくし、よく見ると憎らしい顔してる。朝寝ていられないので、しゃくにさわって、夜も雨戸を一枚だけ戸袋に残したままにしておいたの。鳥が出入りできないように、隙間を狭くしたわけよ。そのまま忘れていたら、夏すぎてから気がついたんだ、雨戸と戸袋の隙間から、ひからびた小鳥の死骸が頭を出しているじゃないの。首だけ出して親から餌をもらっているうちに、だんだん大きくなって、出ることも入ることも出来なくなったんじゃないかな。ぞっとするでしょう。親の愛なんて、結局そんなものじゃない」

　ときおえた米を火にかける。

「年に一度くらいだけど、怖い夢を見るんだ。強姦の夢なんだよ。ぼくが強姦しているんだけど、されているのも、やはりぼくなんだ」

「面白いじゃない。それでどんな子が生れると思う。きっと、ねばねばした、涙やよだれや汗だけの子じゃないかな」

「君らしくない。似合わないよ、そんな言いかた……」

「いいの、べつに似合ってほしいとも思わない」

　気づまりな沈黙がつづく。なぜこんな話になってしまったのだろう。

「もし今この瞬間に、核爆弾が落ちて、ぼくら二人だけが生き残ったとしたら、どうなるかな」

「あの戸袋のなかの雛鳥《ひなどり》みたいになるんじゃない」

「じゃ、何処かに親鳥がいるわけだろ。親鳥は何処にいるんだ」

「知るわけないでしょ。雛鳥には親鳥なんて、餌をはこんでくるただのクチバシよ」

髭先《ひげさき》の感覚だけをたよりに、ひたすら掘りすすむモグラの会話。あるいはおっかなびっくりの、オブラートの上のダンス。それでもダンスであることに変わりはない。ぼくの気持は奇妙にはずんでいた。いつダイナマイトのスイッチを入れてもいいように、御破算に続く日々について、なんとかここで二人だけの取り決めを済ませておきたい。

「でも、小鳥の雛とは違うんじゃないか。ぼくら、一羽だけじゃないし、それにほら、飯炊きの鍋だってぐつぐつ音をたてはじめたし……」

「いま、ろくな生き方をしていない人間が、御破算になったからって、ろくな生き方が出来るわけないでしょう」

「君に地図を見せてあげようか。立体地図。国土地理院撮影のカラー空中写真でね、測量用のエアロコマンダーで十秒ごとにシャッターを切るんだってさ。つまり適当に角度変えて、地形の四分の三ずつを重複させてあるから、続き番号を並べて立体眼鏡で見ると、完全に遠近が浮び上ってくるんだよ。家の一軒一軒はもちろん、走っている人影や、車や、道路の舗装状態まで見分けがつく。びっくりすると思うな。実際にそこにいるみたいなんだ。テレビ塔や高圧線の柱なんかがあると、眼に突き刺さってくるみたいだよ」

「立体地図に、ユープケッチャか……君って、徹底して偽物好きなんだね」

「騙《だま》されたと思って、とにかく見てごらんよ。文句はそれから……」

地図も立体眼鏡も、カメラなどの貴重品と一緒に便器の上の棚の中だ。ローラー付きのガラスの引き戸だが、防湿のためにゴムのパッキングがしてあり、開閉には多少のこつがいる。靴《くつ》を脱いだ。便器の縁は滑りやすいし、もともと石の肌触《はだざわ》りが好きで、普段ははだしの生活なのだ。それにデパートの屋上で痛めた左膝がまだ完全でない。

「ここに直径一ミリのダイヤと、直径一メートルのガラス玉があるとして、君ならどっちが欲しい」

こういう時はすすんで傷つくにかぎる。地図旅行に誘うついでに、ひさしぶりにカメラでもいじってみようか。

「そう、御破算の後ならもちろんガラス玉だろうね。手仕事が好きなんだ。なにか手仕事をするとき、よく口に出して言ってみるんだよ。人間は猿《さる》じゃない、人間は猿じゃない……なぜか愉快になってくるから不思議だね。生きがいってのは、なにか他の物で埋めることじゃなく、充足の自覚じゃないかな。人間は猿じゃない、人間は猿じゃない……人間の指先の動きって、信じられないくらい精妙なものだろ」

「何時だったかテレビで見たんだけど、チンパンジーと人間の、縫い針に糸を通す競争、どっちが勝ったと思う」

「もちろん人間さ、だって……」

「問題なくチンパンジーの勝ち」

「まさか、信じられないよ」

「二倍以上の早さね」

足が滑った。左足が爪先《つまさき》から、すっぽり便器の穴にはまり込んだ。猪突につながれた時の鎖の傷跡が残っているほうの足である。体をささえようとして、うっかり排水用の支柱を摑《つか》んでしまった。長いパイプの中を、水の円筒が落下していく重量感のある響き。万力《まんりき》で締め上げるような陰圧が、栓《せん》になってはまり込んだ足を、さらに深々と引きずり込む。もがけばもがくほど、吸い付きがよくなり、ふくらはぎの辺までくわえ込まれてしまった。

女が立ち上って体をこわばらせる。

「どうしたの」

「馬鹿みたいだな。こんなことって、初めてだよ」

爪先だけはわずかに動く。ぬるぬるした感触が背筋を走る。パイプの周囲はきっと黴菌《ばいきん》の巣なのだ。

19

女はしばらく息を止めていた。下唇を湿し、笑おうとしたが、眉間《みけん》に皺《しわ》が深すぎる。おびえと笑いのまん中で、立往生してしまったのだ。無理もない。ぼく自身、恐慌《きょうこう》に胃の腑《ふ》を締めあげられながら、ちょっぴり笑いを耐えているような感じもあった。

「まずいことになった……」

「抜けないの」

「びくともしない」

「もっと姿勢を楽にしてみたら」

「そうだね……落ちたほうの脚には、体重をかけないほうがいいね」

こういう場合、騒ぎ立てると、かえって事態を悪化させてしまうものだ。つとめて平静を保ち、挫《くじ》けず、逸《はや》らず、無駄《むだ》な消耗を避けること。まず体重を両足に均等に振り分けるために、腰を引き、膝で便器の縁をはさむようにしてみた。片足にだけ便器の靴を履いた感じだ。体重の振り分けはできたが、この姿勢は長続きしそうにない。膝が外側に湾曲してしまうのだ。もっといい工夫はないものだろうか。膝を直角に折って、椅子《いす》に掛ける姿勢が一番かもしれない。ただ肝心の腰掛け部分が欠けている。適当な高さの台を用意してもらう必要がありそうだ。しかし便器のカーブに添った加工には、かなりの手間と技術がいるだろう。彼女の手には負えそうにない。テレビに出演したという、人間より早く縫い針に糸を通すチンパンジーにでも交渉してみるか。

知恵の輪を探る感じで、自分の関節と筋肉の関係をなぞっていく。彼女はまだ釈然としない表情でぼくを観察しつづけている。不意打ちを警戒しているのかもしれない。

「そういう場合、ふつうは一一九番に電話するんじゃない」

「そうだね、エレベーターに挟《はさ》まれたときなんかは……」

「君、消防署に勤めたことがあるんだったら、そういう電話、受けたことないの」

「抜けなくなった指輪のことなら、誰かが相談を受けているの、聞いたおぼえがあるけど」

「どうするの、指輪の場合は」

「指を上に向けて、心臓より高くして、唾をつけたり、石鹼《せっけん》を塗ったり、まあ常識的な指導だよ。でもぼくの場合、まさか脚を上に向けるわけにはいかないし、石鹸を塗ったりしたら逆効果だろ」

「カッターを用意してあるって聞いたけど」

「うん、カッターも使うね」

「上のテーブルにある機械、電動鋸《のこぎり》でしょう」

「冗談じゃない。カッターってのは、技術がいるんだ、素人《しろうと》の手には負えないよ。一つ手許《てもと》が狂っただけでよ、脚ごとばっさりじゃないか」

「おしっこしたくなる前に、抜けてくれるといいけど……」

「君、さっき行ったばかりだろ」

「わたしは平気よ、どこでだって出来るから」

足首に錘《おも》りを下げられたようだ。思考の配列が狂いだした。きつく巻きすぎた糸玉が、ぶつぶつ切れはじめる感じだ。

「肩を貸してくれないか。引っ張り上げてみようよ。時間がたつと浮腫《むくみ》がひどくなって、ますます抜けにくくなるからね」

彼女が便器の前に背を向けて立つ。気兼ねなく両腕を肩にまわし、全体重をかけて上半身を密着させる。焼けた枯草のような髪の臭い。こんな滑稽《こっけい》な情況でさえなければば、ぼくの人生を百八十度転換させたかもしれない大事件だ。まだ希望を捨てたわけではない。すっぽり足が抜け、しかも姿勢はこのまま持続してくれないとも限らないのだ。両肘をしぼって、垂直に体を押し上げる。しかし変化したのは彼女の姿勢だけだった。肩が落ち、前のめりに崩れ、ぼくの膝も関節にさからって前にしなう。かろうじて痛みをこらえる。なんの成果も無かったが、その接触感は、ぼくを恐慌状態におちいる危険から救ってくれた。

「無理だな、パイプの中が真空なんだ」

「往復何分くらいかかるの、ここから［ほうき隊］の事務所まで」

「せいぜい片道十分だろう」

「早く済めば、そろそろ戻ってもいい頃ね」

「そう簡単にはいかないさ、人間の死体の取り引きだからね。連中が戻る前に、抜け出しておきたいよ」

「無線連絡くらいしてくれてもいいのに。寄り道して一杯はじめたら長いのよ。ボンドで椅子に貼《は》り付けたみたい」

「死体を車に置きっぱなしでかい」

「そうね、物騒すぎるかな……」

彼女は階段に引き返し、下から二段目に腰を下してしまう。一歩離れただけで、もうぼくの手には届かないのだ。これが待望の水入らずの時だったのかと、われながらみじめな気持になってしまう。

「葡萄酒《ぶどうしゅ》の栓も抜けないとなると、手古摺《てこず》らされるからな」

「何か欲しい物があったら言ってね」

「ないよ、欲しいものなんか」

「痛むの」

「痒《かゆ》いのと、くすぐったいのと、半々かな。鬱血《うっけつ》しているんだよね」

しばらく間があって、女が顔をあげた。

「パイプの中が真空になっているわけね。下に弁があるんじゃない。その弁を開ければ、圧力も普通に戻るんじゃないかな」

「そうだろうね。はっきり調べたわけじゃないけど、地下水の水位差を利用した構造だと思うんだ。つまりこの陰圧をつくっている直接のバルブは、水自身で、その奥にレバーと連動して水の流れを遮断《しゃだん》する、たとえば水車式の弁のようなものが回転しているんじゃないかな」

「見てきてあげる」ゼンマイがほどけたように立ち上がった。力がなくても体重が軽いとあんなふうに動けるのだ。「道順を教えて」

「教えたいけど、知らないんだ。どこにも出入り口がないんだよ」

「変じゃない、誰かが入って工事をしたわけでしょう、通路はあるはずよ」

「そう思ったから、この周辺はかなり念入りに調査したつもりだけどね」

「塞《ふさ》いだのかな」

「いや、塞いだ跡もない。想像だけど、別の業者が別の坑道を使って無断で下の層にもぐり込んだんじゃないかな。ひどい陣取り合戦で、クモの巣みたいにもつれ合って、落盤事故なんかも始終だったらしいし……ためしに図面を見てみようか。さっき足を踏み滑らしたとき、航空写真と一緒にスクラップ帳を落しただろ。拾ってみてくれないか」

女が気のすすまない足取りで石段を降りてくる。

「やっぱり変だ、納得できないよ。だって上で使えるように、下に細工がしてあるわけでしょう。無関係に作業をしていて、偶然そうなったなんてあり得ないよ」

一定の距離をおき、それ以上は近付かないようにしてスクラップ帳を差し出し、あわてて手を引っ込める。よほどみじめに映っているのだろう。たしかにこういう無様な失態は、同情よりも軽蔑《けいべつ》のほうがふさわしい。

「ほら、これが作業船倉を中心にした図面……」

「いいよ、そういうの苦手なんだ。顔色がよくない、何か薬でも飲む」

「アスピリンでも飲んでおこうか。取ってきてくれる。さっきの薬箱、寝椅子の下に突っ込んであるだろ、たしか緑色の紙の筒じゃなかったっけ……」

女がアスピリンを探してくれている間、スクラップ帳のページを繰って、調査の行き届いていない周辺部分に目を走らせる。リフトも梯子《はしご》もない竪穴《たてあな》や、とくに深い水路についてはほとんど未調査のままである。危険だったし、いずれダイナマイトで遮断する予定の線より外にあった。しかしもういちどその気になって検討すれば、あんがい便器の下への通路を辿《たど》ることができるかもしれない。集中力が低下していた。膝が鳴り、とつぜん大小の痛みが一気に脇《わき》の下まで枝をひろげる。

「アスピリン、一錠でいい」

「三錠。ふつう薬の量は年齢で指定してあるけど、本当は体重で決めるべきなんだ」

「写真、撮っておいてあげようか」

「なぜ」

「人間の植木みたい。珍しいし、記念になると思うよ。もし本当に『御破算で始めましては』と声がかかったら、女なんか廃業して、カメラでも始めようかと思っているんだ」

「御破算になってからでは手遅れさ。今なら広告時代で、媒体が氾濫《はんらん》しているから、営業の腕さえあれば写真の腕なんか関係なしにけっこう商売になるらしいけど」

「嫌味《いやみ》ね。そのままの姿勢で、何日くらい持ちそう」

「ちくしょう、膝がずきずきするよ。ふくらはぎが剝《は》げっちまいそうだ。血行障害で組織が腐りはじめたら、凍傷と同じで、切断だろうね。鎮痛剤や抗生物質で一時しのぎをしてみても、いいとこ四、五日じゃないかな」

「オシッコや、ウンチの問題もあるし……」

「それより睡眠が問題さ。どこまで正気でいられるやら……」

「拷問《ごうもん》だね」

「いくら拷問されたって、白状することなんか無いのに……」

「自由に歩きまわれるってことは、大事なことなんだな」

「そりゃ大事さ。人間、植物じゃないんだから」

「でも君は地図の旅行だけで満足なんでしょう」

「話が違う。君だって空は飛べないだろ。それが飛べてしまうんだ、航空写真の旅行だと……」

「君を見ていると、気が滅入《めい》ってくる。こんな所で生き残ったって、死んだのも同じじゃないの」

「大違いさ。二歩でも、三歩でも歩けるのと、ぜんぜん歩けないのとでは、まるっきり違うよ。ひとりでトイレに行けないのは悲しいことだけど、南極に行けないからって悲しがる奴《やつ》がいるかい」

「君は一歩も歩けないじゃないか」

「なんとかなるさ。こんな馬鹿《ばか》げたこと、いつまでも続くわけないだろ」

「そうね、風船だって時間が経《た》てばだんだんしぼんでいくし……」

「自由ってのは、自分で発見するものなんだ。ここにだって自由はあるよ」

「君、学校を出たの」

「いや、高校中退さ」

「ときどき勉強した人みたいな喋り方するね。本も沢山もっているし」

「読むのが好きなんだ。図書館で借りるんだよ。でも細工物のほうが得意かな。バッグの止め金なんか、すぐにでも修繕してあげる」

「なにか読みたい本があったら、取ってきてあげようか」

唇の端に風で吹きよせられたような薄笑い。からかわれていたらしい。

「死ぬことがはっきり分っている癌《がん》の患者だって、死ぬまでは生きようとするじゃないか。死ぬまでの間を生きることが、生きることなんだ」

「悪いけど、それほど幸福そうには見えないな。たしかに丈夫そうな船だけど」

「だって生きることが先決だろ」

「君って、変だよ。まるで戦争を待っているみたい」

「鯨《くじら》の集団自殺のこと、聞いたことある」

「あるけど、よくは知らない」

「鯨って、かなり知能が高いことになっているだろ。でもとつぜん狂ったように岸をめがけて泳ぎだして、群れごと浅瀬に乗り上げ座礁《ざしょう》してしまうんだってさ。いくら海に戻してやろうとしても駄目らしい。そのまま空気に溺れて死んでしまうんだ」

「何かに追いかけられているんじゃないの」

「鯨を怖がらせるとすれば、シャチか鮫《さめ》くらいのものだろう。ところが鮫のいない海域でも見られる現象だし、シャチ自身が鯨の仲間で、やはり集団自殺をするらしいよ。そこで学者が頭をひねって、面白《おもしろ》い仮説を立てたんだ。もしかしたら、溺れるのを怖がって水から逃げているんじゃないかって……」

「まさか、もともと海の生き物じゃないの」

「でも魚じゃない。もとは肺で呼吸する地上の哺乳類《ほにゅう》だったんだ」

「先祖返りっていうこと」

「おかしいな、足がちくちくしはじめた、蟻《あり》が巣をつくっているみたいだ……だから鯨は浮上能力が失われれば窒息する。何かそういう伝染病があるのかもしれないだろ。その病気にかかると、水が怖くなるんだ、狂犬病みたいに」

「鯨のことは、そうかもしれないけど……」女が首筋を揉みながら呟《つぶや》く。「本当のこと言うと、わたし、癌のほうが怖いんだ。いつ落ちるか分らない爆弾なんかより、ずっと怖いよ」

「君も鯨病にかかっているんだ」言い返してはみたが、穴に逃げ込むミミズのように頼りない。彼女が力を貸してくれなければ、ぼくにだって船出を祝う自信はない。

「わたし、空が見えないと駄目なんだ」

「どういう意味」

「わたしにも口に出して言ってみる呪《まじな》いがあるんだ。いつだったか、空を眺めていたら、空気が生き物に見えてきたのね。樹《き》の枝は血管にそっくりでしょう。形だけでなく、炭酸ガスを酸素に変えたり、窒素を吸収したり、ちゃんと新陳代謝もしているわけだし……風や気圧の変化は空気の筋肉の運動で、草や樹の根っこは指や手足ね。棲《す》みついている動物は、血球やウィールスや大腸菌で……」

「人間はなんだろう」

「寄生虫かもしれない」

「癌かな」

「そうかもしれない。体調が悪いよね、最近の空気は……」

「呪《まじな》いは、なんて言うの」

「空気さん、生きているね……」

「甘いんだな、核戦争になったら、空気だっていちころさ。爆発の塵《ちり》におおわれて、何箇月ものあいだ、地球が氷漬《こおりづ》けになってしまうんだ」

「でも、空が見えないと駄目」

彼女を引き止めなければならない。なんとしてでも便器から抜け出そう。一歩でも歩くことが出来れば、ここの暮しだってまんざらではないはずだ。むかし猪突の手で、この同じ便器に鎖でつながれた時の屈辱と怒りが、タイヤに釘《くぎ》を刺した感じで涙腺《るいせん》から噴き出してきた。昆虫屋とサクラが戻ってくる前に自由になっていたい。彼らまで見物席に招待して、喜ばせてやることはない。脱出の意志が一点に絞り込まれた。コロンブスの卵は、スーパーの安売り卵にだって通用するありふれた法則にすぎないのだ。

「君には無理かな、パイプの周りのコンクリートを削るのは……」

「どうやって……」

「タガネでさ。テーブルの下の工具箱にハンマーと一緒に入っているよ。パイプの口から床まで十二、三センチ。くわえ込まれているぼくの足の部分が三十センチ。差し引き十七、八センチだね。つまり床を二十センチ掘り下げて、パイプに穴を開ければ、足に怪我《けが》をする心配なしに空気を入れられる。下の弁を操作するのと同じ原理だろ」

「すっかり同じってわけにはいかないと思うな」

「なぜ」

「便器が使えなくなるじゃないの」

「耐水パテが工具の中に入っているよ」

「駄目よ、パテなんか。圧力がかかったら保《も》ちっこないでしょう。死体を始末しなければならないのよ」

「ぼくの足が抜けてくれなきゃ、死体の始末だって出来ないんだぞ」

「便器を壊すくらいなら、君の脚を切断するんじゃないかな」

「正気かい。ぼくは船長なんだ。これはぼくの便器なんだ」

唇を左右に引いて、点のような微笑み。冗談だったらしい。

「でも脚が自然に抜けるのを待っていたら、死体が腐ってしまう。嫌だな、臭いには敏感なのよ」

「もちろん、みんなが戻ってくれば、打つ手はいくらもあると思うよ。滑車の櫓《やぐら》を組み立てて、ウインチで引いてもらうとか……」

「関節が抜けるんじゃない」

昆虫屋とサクラも、やはりパイプに穴を開けることに反対するだろうか。そうだ、パテが駄目なら、溶接にすればいい。いや、やはり無理だろう。足の栓がなくなり、パイプの水が落ちてしまえば、サイフォンの原理でふたたび口元まで満杯になってしまう。穴から絶え間なく水の流出がつづく。水びたしの状態でも溶接できる特殊な技術があるらしいが、そんな道具を当てにするわけにはいかない。なにか他に実現可能な方法はないものだろうか。

水を吸ってふくらんだ神経が、皮膚を食い破ってじかにパイプに接触した。虫歯で氷をかじった激痛。全身が穴だらけになって、痛みのガスが噴き出す。

「駄目だ、足が変になってきた。我慢できないよ。大声でわめくしかないな」

「しびれたの」

「違う。手を握ってくれないか。寒気がする。どこかに触らせてもらえないかな。おっぱいでもいいし、お尻《しり》でもいい……」

彼女は階段の下に腰をおろしたっきり、表情をこわばらせて身じろぎもしない。歯《は》磨《みが》きのチューブみたいにしぼりあげられ、喉《のど》から叫びがあふれ出す。羽ばたくように両手で太腿《ふともも》をたたき、猿のように吠《ほ》えつづける。彼女は耳を覆《おお》った。吠えながら考えていた。馬鹿げたことに、ぼくはまだ彼女の名前も聞き出していないのだ。

20

「静かにしてよ」女が叫んで床を踏み鳴らした。石の床だから、ほとんど効果はない。しかしぼくもわめき疲れて、そろそろ切りをつけたい頃合いだった。「……あれ、クラクションの合図じゃないかな」

言われてみると、そんな気もする。

「様子みてきてくれる」ひりつく喉。わめき声の残響がまだ耳の底に残っていて、独り言のようにしか聞えない。

女がボウガン片手に、便器の前を大きく迂回《うかい》して、ハッチに向った。ボウガンを持ったままでは、垂直の梯子は無理である。足許に立て掛け、馴《な》れない腰つきで登りはじめる。一段ごとに、赤い革のスカートがめくれ上り、素足がむき出しになる。一動作ごとに、高圧ガスの静脈注射をされているようだ。体重よりも重みを増した便器のなかの脚に悩まされながら、まだそんな反応が出来ることに呆《あき》れてしまう。せっかくの機会を物に出来なかった自分の不器用さに、あらためて腹が立つ。

女が閂《かんぬき》を抜いて、鉄扉《てっぴ》を開けた。クラクションの音が明瞭《めいりょう》になる。犬もけたたましく吠え立てている。犬の耳は敏感なので、扉《とびら》越しにぼくのわめき声を聞き分け、よけいに興奮気味なのだろう。女が軽い合図を残してトンネルのなかに消えた。あと数分で男たちの手が借りられるのだ。多少権威に傷がつくのはやむをえない。方法はともかく、これで救出してもらえる見込みがついた。緊張がゆるんだせいか、脚の痒《かゆ》さが数十倍に増幅された。痒さは痛みよりも耐えがたい。

女が引き返してきて、顔をのぞかせる。

「どうしよう、犬を追い払ってほしいんだって」

「無理だよ、動けるわけないだろ」

「でも、すごいよ、犬が……」

「弱ったな……ハンド・マイクでためしてみようか」梯子を降りてくる慎重すぎる動作に苛立《いらだ》ちながら、同時にめくれ上るスカートの刺激を楽しんでいる。「テーブルの本棚《ほんだな》側の端、電気器具の部品やハンダ鏝《ごて》なんかと一緒に、あるだろう赤いラッパ型の……マイクとスピーカーが、ワイヤレスで分離できるようになったやつ……」

マイク部分をぼくの手許に残し、スピーカーをトンネルの向こう端まで搬《はこ》ばせる。

マイクの受け渡しの際、わざと指先を接触させてみたが、拒絶反応らしいものはなかった。サクラが戻ってきたせいだろうか、それともぼくの思い込みだったのだろうか。

「スイッチを入れるだけでいいの」

「アンテナをいっぱいに伸ばして、ボリュームも右ぎりぎりまで廻《まわ》して……」

マイク側も電源を入れて、アンテナを伸ばす。

「テスト、テスト、ただ今マイクのテスト中……」囁《ささや》き声のつもりが、霧笛のように野太い声になってトンネルから吹き返してくる。呼吸をととのえ、犬の遠吠えの形に舌の奥を軟口蓋《なんこうがい》に引き付け、胸いっぱいに息を吸い込んだ。便器の中でコンニャクを床に落したような音がして、さらに数ミリ沈み込む感覚があった。気のせいだろう。ありったけの感情こめ、秘術をつくして、長い弔歌を歌いあげる。自分でもびっくりするほどの音量だった。街中の夜空にひびきわたり、お節介な奴が一一〇番したかもしれない。女が引き返してきて、指を丸めてみせた。今後は野良犬《のらいぬ》どもも、これまでの鳴きかたでは満足してくれないのではないかと心配だ。

犬の騒ぎは静まったのに、派遣した斥候《せっこう》たちはいっこうに姿を現わそうとしない。

マイクのボリュームを下げて呼んでみる。

「何をぐずぐずしているんだ」

「荷物があるんだって」女が中継役になって叫び返す。

「後まわしでいいだろ、荷物なんか」

外としばらく折衝の間があって、女が答える。

「すごく重要な荷物なんだって」

「ぼくの脚より重要な問題なんて、あるわけないよ」

「到着……」

女が後じさりながら、梯子を降りてくる。女に関してだけなら、いくらゆっくりでも構わない。やがてサクラの後ろ姿。工事場などで使う青い厚手のビニール・シートの包みを引きずっている。人間をまるめた程度の大きさで、重さもかなりあるようだ。嫌な予感がした。やはり死体だろうか。つづいて包みの押し役が顔を見せる。予期に反して、昆虫屋の大頭ではなかった。荒い息遣いに肩を波打たせている千石だ。アイロンのきいた白の開襟《かいきん》シャツに、膝の抜けたカーキーの作業ズボンという調和を欠いた服装で、千石はまず女に深々と頭をさげ、ぼくを見た。状況が飲み込めないらしく、ただじっとぼくを凝視しつづけるだけだ。サクラも振り向いて、爪先立ち、不審げにシートの包みから手を離す。意外な成り行きに、ぼくもすぐには対応の言葉が思い浮ばない。

「はまり込んでしまったのよ。何か名案はない」女がぼくに替って弁明する。

不自然な長い沈黙。先に口を切ったほうが負けになる。

「悪いけど、おれ、小便してくるよ」サクラが抑揚のない早口で、トンネルの奥に引き返していった。

「便器から、抜けないんですか。でも、なぜ……」千石が不安げに、声を喉にからませる。

「抜けないんだよ。菰野《こもの》さんは、何処《どこ》にいるの」ぼくの声も乾いている。しかし水分を摂るのは先にのばしたほうがよさそうだ。

「[ほうき隊]と協議中です。いろいろとあったんですよ……」

「その荷物、まさかスィート・ポテトじゃないんだろ」

「まさか、死体に決っているでしょう」千石は苛立ちを抑え、声もひそめた。「最初からそういう話じゃなかったんですか」

「死体なら、君の死体だと思い込んでいたから……」

「縁起でもない」

「嫌ねえ……」女がボウガンを取り上げ、便器のほうへ戻ってきた。振り向いて、ぼくとの距離を計り、三メートル弱のところで立ち止まる。

「誰の死体なんだ」

「誰だと思います」

「顔見知りかい」

「びっくりすると思うな」

「君でなけりゃ……そうだね、まさか、菰野さんじゃないだろうね」

「そんなはずないよ」女が気ぜわしく口をはさむ。「死体の話が出たのは、菰野さんが出掛ける前なんだから」

「じゃ、誰なんだ」脚の感覚に邪魔されて、考えがまとまらない。死んで驚くような奴が誰か他にいただろうか。実の母親が死んだ時でさえ、カメラを落してレンズを狂わせてしまった時ほどにも動転しなかった。もっとも猪突と同棲《どうせい》中（なかば強制されたものではあったが）であり、死亡通知が半月遅れの葉書だったせいもある。

「なかなか扱いの難しい、微妙な死体なんですよ」千石は第一船倉の端から端に、貪《どん》欲《よく》で好奇心いっぱいの視線を素早く往復させる。彼にとっては初めて見る廃棄物不法処理場であり、得体の知れない仕事仲間であるマンホール主任の棲《す》み家《か》なのだ。「主任……じゃなく、ここでは船長か……いま脚を漬《つ》けているその便器が、つまり問題のマンホールだったわけですか」

「漬けているなんて、そんな悠長《ゆうちょう》な話じゃないの」彼女は毅然《きぜん》とすると、急に年齢を感じさせる。あんがい、こちらが素顔なのかもしれない。「見れば分るでしょう」

「隠していたわけじゃないんだ」この場はいったん悪びれるしかないだろう。「いずれ仲間入りしてもらうつもりでいたんだ。気持のなかじゃ、とっくに仲間さ。君となら上手《うま》くやって行けることは分っていたんだ。本当だよ、ちゃんと乗船券、君の分も用意してある。ちょうどいい機会だし……」

「それ、嫌がらせじゃないんでしょうね」

「まさか……なぜ……」

「死体の処理を妨害しようとして、ふざけた芝居を打っているんじゃないのかな」

「とんでもない、応援を待っていたんだ。早く手を貸してくれよ」

「芝居だって」サクラがズボンのファスナーを閉めながら、前かがみになってトンネルを戻ってきた。ぼくを見て、ファスナーに手をかけたまま、下手な切り絵の形で静止してしまう。「何をもたついているんだ、まだ抜けないのかい」

「いろいろとやってみたの」女が強く首を左右に振り、やっとはずみを取り戻す。やはり永年の相棒が傍にいると心強いのだろう。「すごい圧力、中が真空状態らしいよ。引いても回しても、びくともしないの。アスピリンが効いてきたのか、ちょっと具合いいみたいだけど、さっきまでは大変だった、わめくやら、怒鳴るやらで……」

「甘えているんじゃないのか」サクラが鉄扉を閉め、閂を掛ける。

「自分で落ちてみりゃ分るよ。足の裏をワイヤ・ブラシでくすぐられてみろって」

「真空状態と言っても、具体的に何気圧かが問題だな」千石が冷やかな調子で、「面積あたりの減圧比が限界を越えると、まず血の滲出《しんしゅつ》が始まり、次に皮膚が裂けて肉がはじけ出すそうですよ。パイプと肉が密着したまま均衡を保っているところを見ると、たいした圧力じゃないのかもしれない」

「理屈はいいから、なんとかしてくれよ」

「その前に、死体を便器の近くまで搬んでおこうや」サクラが千石をうながし、二人でシートの包みを引きずりはじめる。サクラは梯子のほうに引こうとするが、罠《わな》の存在を知らない千石は階段のほうに向い、ロープが外れて、シートの端が口を開けた。血もこぼれなかったし、肉片がはみ出しもしない。黒いビニールのゴミ袋らしいものが艶《つや》やかにのぞき、かえって死体の現実感があった。

「駄目よ、そっちは」女が千石に注意を与える。凪《なぎ》のあとに海から吹く風のようにさわやかな声だ。初めての男には本能的にあの声を使うのだろうか。「仕掛けがあるの、その階段、あぶないんだ」

「仕掛けだらけだからな、ここは。あんた、知らないわけじゃないんだろ」サクラがとくに返事を期待するふうもなく、足場から下をのぞき込み、「ここから落すか、やたらと重いからな」

「でも、死体ですよ」

「死体だからさ。つぶれた分だけ、よけい流しやすくなる……」

女がなにか仕種《しぐさ》をしたようだが、後ろ姿なので意味までは汲《く》み取れない。サクラが気まずそうに笑い、シートに向って手を合わせた。千石は不安定な姿勢で包みに足を掛け、浮き上ったシートの端をロープの下に押し込もうとしている。

「死体より、こっちを先に頼みたいね」平静を装ってみるが、膝に心臓が落ち込んで脈打っているような不快感と、万一脱出の手段が見付からない場合の怖《おそ》れから、不様に声が裏返ってしまう。「便器が使えなけりゃ、死体の始末も糞《くそ》もないだろ」

「そうせかすなって」サクラが千石をうながし、死体の包みを足場から押し出した。

「誰の遺体か知ったら、船長だってそう邪険には出来ないと思うよ」

「落っことすほうが、もっと邪険じゃないの」

女が叫んだ時には、青いシートの包みは足場を離れ、一回転半して床に落ちた。たしかに水気の多い肉塊の音だ。もちろん粘土でも似たような音がするかもしれない。

「誰なんだ」

「丁重に弔ってやろうじゃないか、流す前に……」

サクラが先に立って梯子を降りてくる。千石がその後に続く。女はボウガンを胸に押し当て包みを見据《みす》えている。

「誰なんだ」

「正確に言えば、これは、船長の遺体だよ」サクラが唇《くちびる》を拭《ぬぐ》って振り向いた。正面から見ると、小鼻が削《そ》げ、白眼《しろめ》が青みをおびている。態度ほどには冷静でないらしい。いくら拭っても唇の端に白い泡《あわ》が残ってしまう。

「誰だって」

「そうだね、正確に言えば、そうだね……」千石の喉は逆に乾ききっている。

「どういう意味さ。冗談を楽しんでいるような心境じゃないんだ」

「つまり、あんたってこと……」サクラが唇を拭った手をシャツの裾《すそ》にこすりつける。

「身代りさ。つまり身代り殺人だよ。最初に手を下した犯人は、船長のつもりで殺《や》ったらしいんだな。だからもし人違いされなかったら、今ごろ船長がこのシートの中身だったはずなんだよ」

「犯人は誰なんだ」

ぼくが尋ねたのと同時に、女が問いただす。

「身代りになったのは誰」

「殺られるはずだった当人がいちばんよく知っているんじゃないの」千石が見え透いた強がりを言う。

「見当もつかないよ。ぼくに似ていたのかな」

「それほどじゃないけどね」居心地が悪そうに千石が小首を傾《かし》げ、救いを求めるようにサクラを見た。

「菰野さんでしょう」女が歯を食いしばったまま、シートの包みからさらに遠ざかる。

「菰野さんが、なんだって」

「身代りになったのよ」

「じゃ、殺ったのは猪突か」その瞬間だけは、たしかに脚の苦痛を忘れていた。

「違うんだ」サクラが包みを顎《あご》でしゃくって、言いにくそうに、「どっちかと言うと、むしろ逆なんだな」

「菰野さんが猪突を殺ったんだって」ぼくの声も緊張で鼓膜に突き刺さった針のように震えている。「するとそのシートの中は、猪突なのかい」

「まあ、ねんごろに冥福《めいふく》をお祈りするとして……」

「余計なことを言うな」

青いビニールシートの包みにじっと目を据える。これが本当にあの猪突だろうか。緑色のハンチングを頭に載せ、納豆を古雑巾《ふるぞうきん》でくるんだような体臭を撒《ま》きちらして歩いていた、あの怪物なのだろうか。自分の妻を踏み殺し、ぼくの母を強姦し、ぼくを便器に鎖でつなぎ、不見石《みずいし》の業者のためにブロック建築の建物にブルドーザーを突っ込んだ、あの乱暴者なのだろうか。評判の釣《つ》り宿《やど》と、二十五トンの釣り船を二隻《せき》手放し、こりもせず市会議員を目指したがついに一度も果さず、［ほうき隊］の隊長になってやっとバッジを胸にすることが出来た、あの嫌《きら》われ者なのだろうか。一種の解放感はあった。よくよく猪突を恐れていたらしい。憎む以上に恐れていたらしい。だがそれ以上の感慨はない。便器に脚をくわえ込まれたせいで、感情が麻痺《まひ》してしまっているのかもしれない。殺される現場を目撃していれば、多少は感じ方も違ったはずだ。こんなふうに折りたたまれてしまっても、まだ巨大であることには驚嘆させられる。ただ折り曲げただけなのだろうか、それとも解体してまとめなおしたのだろうか。あらゆる証拠隠滅のなかで、人間の始末がいちばんの難物だと言われているのも分るような気がした。

「でも、理屈に合わないじゃないの」女が顎をこわばらせた聞きとりにくい声で、

「なぜ菰野さんが、その人を、船長と人違いしたりするの。どうして……」

「いや、菰野さんが人違いしたわけじゃない。事情は込み入っているんだ。菰野さんみたいに達者には言えないが、加害者と被害者といった単純な分け方は出来ないんだよ。つまり、船長を狙《ねら》っていたそもそもの容疑者はまた別にいて、猪突さんは菰野さんを、その容疑者だと思い込んでしまった……」

「そうなんだ」千石が説明のために両手の握り拳《こぶし》を突き出して相槌《あいづち》をうつ。「もともと猪突さんが死体と言っていたのは、その容疑者のことだったんだ。本当に死体にするつもりか、脅しをかけていただけなのか、その辺は知らないよ。その辺の事情は、いま菰野さんが［ほうき隊］の連中から事情聴取しているから、おっつけ詳細が分るだろうけど……それに、ぼくの意見としては、菰野さんも猪突さんに対して警戒心が強すぎたんじゃないですか。船長に吹き込まれすぎて……」

「たしかに、不意打ちを狙いすぎたきらいはあるな」サクラが包みを見ながら、両手をズボンにこすりつける。「それに、拳銃《けんじゅう》もまずかった。いや、菰野さんの立場がどうこう言っているわけじゃないよ、あれはたしかに正当防衛さ。ただ拳銃の弾が残ってしまった。貫通しなかったんだよ。死体を解剖されたら、銃の出所を追及されて、船長まで立場が悪くなる。でも、これは菰野さんからの伝言だけど、［ほうき隊］の連中の口封じは徹底させるから、その点は安心してくれとさ」

「ただの渉外係には惜しい人だよ」千石がもっともらしく首肯《うなず》いてみせる。「あの人、指導力があるね、もう完全に［ほうき隊］の隊長です。猪突さんが死んで十分もしないうちに、新方式で部隊を再編成して、号令かけていたからな……」

脚に巣をつくっていた蟻が、蠅《はえ》に変った。産みつけられたウジが神経にくらいつく。叫ぶ気はないのに、叫んでいた。手にしていたのがスクラップ帳でなく、ハンマーだったらと思い、腹立ちまぎれに自由なほうの脚で便器を蹴《け》りつける。痛撃を受けたのは便器ではなく、はまり込んだ膝の関節のほうだった。

21

もしサクラと千石が、暴れるぼくを両脇《わき》から支えてくれなかったら、膝《ひざ》を折ってしまっていたかもしれない。痛みのせいでかえって気を取り直すことが出来たようだ。ちょっぴり小便を漏らしてしまったが、大したことではない。収穫は、ぼくの発作に驚いた二人が真剣に救出を検討しはじめてくれたことである。まずアスピリン二錠と、抗ヒスタミン剤三倍量を追加してもらう。冷しておいたアイスノンを便器にはまったほうの太腿部《だいたいぶ》に巻き付けてもらった。それから水道の配管に使った残りの鉄パイプの両端を二人に支えてもらい、肘《ひじ》と両脇でぶら下ってみた。膝の部分を彼女が両手でマッサージしてくれた。渾身《こんしん》の力をふりしぼった。サクラと千石も喉《のど》が裂けそうな気合をかけてくれた。鉄パイプが曲り、千石の肩が脱臼《だっきゅう》寸前の音をたてて鳴り、ぼくはさらに多量の（たぶんコップ一杯ていどの）小便を漏らしてしまう。脚が動いた形跡はまったくない。パンツから内股《うちもも》を伝って膝に流れる液体を感じながら、これ以上我慢していたら尿毒症になると思った。流し場から蒸し器を取ってもらった。空炊《からだ》きで底に炭がこびりついているので、惜しくはない。全員に背を向けてもらって、蒸し器のなかに小便をした。

「便器のなかでオマルを使うなんて話、誰に話しても信じちゃもらえないよな」サクラが困惑と狼狽《ろうばい》を笑いでごまかそうとしているのがよく分る。やっと事態の深刻さに気付きはじめたのだ。

「飛行機のなかで蝶々《ちょうちょう》が飛んでいるのを見たことがあるけど、べつに変じゃなかったよ」陽気すぎる女の声は、小便の音をかばおうとする心遣いだろうか。

途中でいちど小便の音が跡切《とぎ》れ、千石が振り向いた。

「すみません、済んだかと思ったんだ。意外とでかいんですね」

つられてサクラも振り向いた。

「小便こらえていたからだろ。誰だってそれくらいにはなるさ」

もちろん女は振り向かない。蒸し器の蓋《ふた》をして床に置こうとすると、膝に激痛が走り、言い返そうと用意していた文句も消し飛んでしまう。かわりに千石が受け取ってくれた。結局のところ悪いやつではなさそうだ。徐々に下腹の苦痛がやわらいでいく。膀胱《ぼうこう》の緊張も脚の苦痛を助長していたようだ。千石の開襟シャツの襟《えり》のバッジが目についた。感謝すべきだとは思いながらも、つい嫌味が出てしまう。

「金の箒《ほうき》とは豪勢だね、いつからそんなもの着用するようになったんだい」

「ただのメッキですよ」千石は［ほうき隊］のバッジを親指の腹でさすり、「一般隊員は銀色なんだ。船長なら当然金メッキで、おまけに横線が着くんじゃないかな。上級幹部は、横線入りなんです」

「そうか、要するにコルクの栓《せん》をしたガラス瓶《びん》を冷蔵庫で冷しすぎたような具合なんだ」サクラが一歩さがって、上から下に、ぼくと便器の関係をしげしげと観察する。

「こういう場合、どうすればいいのかな」

「温めて中の空気を膨張させるか、釘《くぎ》で穴を開けて、空気を入れてやるか、どちらかしかないだろう」口出しをしないように、視線で女に願いをこめる。「この場合、温めようはないんだから、けっきょくは空気穴だろうね」

「ぼくもそう思う」千石が傷《いた》めた肩をさすり、唇をすぼめて笑った。気のせいか卑屈な印象がうかがえる。「理屈から考えて、気圧と均衡させるしかないからね」

「どの辺がいいかな、釘をぶち込むとしたら」サクラが便器と床のあいだを覗《のぞ》き込んだ。

「二十センチもコンクリートを掘れば、足の下に届いてくれるよ」

「もちろん駄目だね、そんなことは」サクラがそっけなく、その場で結論を出した。めったに見せない笑顔が残酷だ。「船長の脚なら、薬でも塗っておけば済むけど、便器を壊しちゃまずい。便器あっての大船だろ、菰野さんに申し訳が立たないじゃないか。死体の始末は最優先事項なんだ」

「脚に添って、ゴムホースを通してみたら」女が声をはずませたが、あまり確信はなさそうだ。

「ホースが通るような隙間《すきま》はないよ。いくらデブでも、水枕《みずまくら》とは違うんだ」ふたたび脈動の威嚇《いかく》が、ふくらはぎを襲う。皮膚とパイプのあいだに異物が挿入《そうにゅう》されることを想像しただけで、肺胞いっぱいに悲鳴の芽が充満しはじめる。

「いや、その案、けっこう使えそうだぞ。細い銅か、鉄のパイプだったら、上手く行くんじゃないですか」

千石が近付きざま、ぼくの脚と便器の隙間に指を突っ込もうとした。思い付きに夢中になって、手負いの豚の狂暴性を忘れてしまったらしい。指をつかんで、ねじあげてやった。腕に自信があるほうではないが、干物《ひもの》なみの千石の筋肉よりはまだ標準に近いつもりだ。

「よせよ、折れるじゃないか」

「謝れ」

「何を」

「なんでもいいから、謝るんだ」

「すみません、痛いよ」

「こっちはもっと痛いめを見ているんだ」

「すみません」

「本気で済まないと思っているのなら、正直にぶちまけてしまうんだな。結果的には猪突《いのとつ》がこのとおりお陀仏《だぶつ》してしまった。でも、ぼくの身代りだそうだけど、根拠は何なんだ。分りやすく説明してみろよ。あんな作り話、いくらだってでっち上げられるじゃないか」

「蜜柑口《みかんぐち》のゴミ捨て場の壁に、スプレーの塗料で落書がしてあったんですよ、『豚の死体無料贈呈、腸詰め製造業者殿』って」

千石の声があまり弱々しいので、つい手を離してしまう。安全な距離まで後じさると、指の関節を揉《も》みながら、たちまちふてくされた表情に戻《もど》ってしまった。また不器用なやりかたで敵を殖《ふや》してしまったようである。

「そんなものが、なんの証拠になるんだ」

「大体の見当くらいつくでしょう、スプレーのペイントで落書するのが、どういう連中か……」

「つまり、そいつらは、船長と［ほうき隊］が同じ穴のむじなだと考えていたんじゃないか」サクラが考えをまとめようとするらしく、握り合わせた両手の中を覗き込むようにして、「あるいは船長が［ほうき隊］の影のボスだと勘繰っていたのかもしれない。つまり、［ほうき隊］に対する恨みを、船長にぶっつけて来たわけさ」

「豚肉がなんだって……もう一度言ってくれよ、その落書……」

「『豚の死体無料贈呈、腸詰め製造業者殿』。一種の殺人予告だと取れなくもないでしょう」千石が薄笑いを浮べる。

「そう、今から考えてみると、おれも菰野さんも、正面から堂々と乗り込めばよかったんだな」サクラが両手の間に目を据《す》えたまま言葉をつづけた。「ところが菰野さん、商売がら、他人をペテンにかけつけているから、自分もかけられはしまいかと猜疑心《さいぎしん》のかたまりになっていたんだ。それに、見掛けによらないものだね、レインジャー部隊ってのか、少数精鋭部隊で敵陣深く潜入する作戦、あれが大好物らしい。自衛隊のせいというより、テレビ映画の見過ぎじゃないかな。それで、やることときたら、まさに人質救出作戦さ。おれはもともとサクラなんだから、一緒になってはしゃいで見せるしかないじゃないか。かなり離れた所でジープを停めて、あとは歩き。じっくり下見を済ませてから、潜入は二手に分れ、時計をきっかり合わせて、三分後におれが正面からドアをノックする。敵の注意が……敵と決め込んでしまったところが、そもそもおかしいんだが……そっちに引き付けられた隙に、菰野さんが裏の窓から敵の隊長室に突入を敢行する。これはあくまでも打ち合わせの話だよ。事実がどんなふうだったかは知りようがない。おれが事務所の入口のドアを、注意を引き付けるためだから多少手荒くノックした。運が悪いことに、ガラスが割れっちまったんだ。次の瞬間、電気が消えた。誰かが危険を感じて消したのか、偶然の停電だったのか、その辺は問題が残るけどね。そして、ほとんど同時に、拳銃の発射音が聞えた……どう思う、船長としては……同士討ちだよ、個人としてならしょせん殺人だけど、国と国との戦争なら、謀略にかかった被害者同士ってことにならないかね。狙われたのはけっきょく、船長だったのさ」

「上手いなあ、ぼくにはとてもそんなふうには整理して説明できないよ」おせじでもなければ、皮肉でもなさそうだ。ぼくは千石のそういう素直さが好きである。勝ち目もないのに針鼠《はりねずみ》みたいに身構えているぼくには、真似《まね》が出来ない。

「でも、誰なんだ、そんな落書した奴。心当りなんかないぞ。だいいち動機がないじゃないか」

「そういう落書を消してまわるのも、［ほうき隊］の仕事だったってことはありますけど……殺人の動機としては弱いよね」千石が傷めた腕を大きく回転させながら、深呼吸を繰り返す。「詳細は、間もなく、菰野さんがつかんで来ると思うけど……」

「その蒸し器、借りてもいい」

女が小声で言った。目的は尋ねるまでもない。答えも必要のないことだ。女がまだぼくの小便のぬくもりが残ったままの蒸し器を捧げるように持って作業船倉に向う。しかし疚《やま》しさと郷愁めいた感動で胸が熱くなる。脚のほうの熱も限界まで上昇する。しかしアスピリンが効いているせいか、痛みはさほどでなく、抗ヒスタミンの大量投与が苛《いら》立《だ》ちも抑えてくれていた。千石が聞き耳を立てているのを見て、内心皮肉な勝利感を味わうほどのゆとりさえあった。

それから事態が急展開した。作業船倉で起き得るはずの、どんな憶測にも合致しないざわめき。すくなくも彼女の生理現象の範囲では、いくら想像力をたくましくしても、起き得ない物音。昆虫屋が坑道づたいに戻って来たのだろうか。極端な犬嫌いのことだから、考えられないことではない。彼も［ほうき隊］の最高幹部に就任した以上、(まだ実感がないし、疑う気持のほうが強いが）信頼できる道案内くらい簡単に見付けられたはずだ。

　女が坑道から駆け出してきた。狼狽と混乱で、足の動きと上半身の揺れが、完全に失調状態におちいっている。何か言おうとしているらしいが、あえぎに喉をふさがれ、声にならない。石段の下まで烈風にあおられた看板のように飛んで来て、錨《いかり》にすがるようにボウガンをつかみ上げた。肩で息をしながら、スカート越しにパンツを直す。

「どうしたんだ」

　ずれはあったが、口々に、三人が同じ文句を口にする。

　返事を待つ必要はなかった。坑道にせわしい足音が近付いてくる。刻みは早いが、軽くて水っぽい音。ゴム底の運動靴《ぐつ》らしい。女がボウガンに矢をつがえた。形も色彩も、枯枝そっくりな少年が二人、勢いよく駆け込んできてドラム缶《かん》の列の前で立ちすくむ。前髪を逆立て、赤と紫の革ジャンパーを羽織り、裾をしぼっただぶだぶのズボンをはいた連中だ。一見して所属が判別できる十代後半の少年たちである。

「邪魔すんな」

　少年の一人が、声変りしそこなったしゃがれ声でわめき、ベルトからチェーンを引き抜いた。ぼくも負けずに絶叫する。うっかり脚のことを忘れて流し場の下のウージィに手をのばしかけたのだ。ぼくの叫びを攻撃合図と取ったのか、同時にチェーンを振りかざして少年たちが突進してきた。相手に余裕を与えない心得のある攻撃法だ。反射的に女がボウガンの引き金を引いていた。アルミ矢が赤ジャンパーの少年の耳に命中し、床に当って跳ね返った。軽い瞬間的な残響も、効果をともなった場合は、けっこう威嚇的である。サクラがすかさず別のボウガンに矢をつがえる。赤ジャンパーが耳に手をやり、掌《てのひら》を濡《ぬ》らした鮮血を目にした。一言も発さず、二人はハッチ目掛けて跳ね上る。跳鼠《とびねずみ》というのはたぶんこういう走り方をするのだろう。

するとあるいは、この連中だったのだろうか。ぼくが何度か気配を感じ、しかしあまりの素早さに錯覚か鼠だろうと高をくくり……つい数時間前にはサクラがおびき出され、数百メートルもの追跡をさせられ……たしかにこの連中なら、カラー・スプレーで落書もするだろう。この採石場跡を占拠するために、ぼくの排除を企てても不思議はない。ぼくも猪突も同じ穴のムジナに見えたのだろう。サクラや千石の報告も現実味をおびてくる。

猪突が死体になって搬び込まれる前に、無線で申し入れてきた死体処理の件もあらためて考えなおさざるを得なくなった。はた迷惑な注文だと思っていたが、ぼくが実情にうとかっただけのことかもしれないのだ。少年たちは方舟《はこぶね》に巣食う白蟻《しろあり》の集団なのかもしれない。知らないうちに方舟は、四方八方から穴だらけにされていたのかもしれない。だとしたら猪突に劣らずぼくの敵である。通報があった時点で少年たちの誰かはすでに死体になっているのだろうか。それとも死体処分の予約をしてきただけだろうか。千石はどっちつかずの言い方をしていたが、今の少年たちの狼狽ぶりだと、情況はかなり切迫していたのだろう。

少年たちはドラム缶の縁にそって走った。そのままハッチへの階段を駆け登る。次の瞬間、期待どおり騙《だま》し板を踏んで墜落する。サクラと女が、とくに女が、全身をよじって笑い出す。しかしさすがに少年たちの身は軽く、落ちた反動をつかって跳躍し、足場の横木にとりつき、上まで一気によじ登ってしまった。閂《かんぬき》を外して、トンネルの中にもぐり込んで行く。犬が吠えはじめた。自分の重さで鉄扉《てっぴ》が閉まり、たっぷり余韻をひびかせる。

「ジープの鍵《かぎ》、付けっぱなしじゃないの」やっと女が笑いやんで、涙をぬぐった。

「そんな勇気があるものか、犬が吠えるの聞いただろ」サクラも洟《はな》をすすって、唾《つば》を吐いた。

「ここの犬、咬《か》みつくんだってね」千石が眉《まゆ》をひそめる。「死人はもう沢山だよ」

「でもあんたたち、本気で戦争ごっこを始める気でいたんだろ」サクラが足場の下の青い包みを顎でしゃくった。「便器が大活躍の予定だったんだ」

「死人が出るような戦争じゃありませんよ」千石が沈んだ調子で答える。

「なんの戦争」女の声が好奇心で仔猫《こねこ》のようにふくらむ。

「餓鬼との戦争さ」サクラが小馬鹿《こばか》にした調子で、千石を見た。「そうなんだろ」

「餓鬼といっても、たった二人じゃないの。兎《うさぎ》みたいにさっさと逃げて行ってしまったし……」女は急に関心をなくしたらしく、ぼくの脚を見ながら便器のまわりを半周した。「船長の脚、なんとかしないと駄目《だめ》ね。みんなで、もっと真剣に考えようよ」

「ちがう、二人だけじゃない」千石が言い返した。

そう、いまの二人だけが餓鬼の全部であるはずがない。脚のことだって——いよいよとなれば、パイプに穴を開ける以外にないのだし、そうさせるつもりだが——少年たちの本拠を突き止めることが、あんがい解決への最短距離かもしれないのだ。これまで連中の寄生に気付かなかったのは、彼らが未調査の部分に棲みついていたせいだろう。と言うことは、便器の下の装置への通路を熟知している可能性もあるわけだ。しかもその可能性は大きい。東側の加太（カブト）橋口には、内側から連絡する坑道がまったく発見できないのに、外部からはよく目立つ。兜川《かぶとがわ》に面した断崖《だんがい》の中腹に口を開けているので、現在でも封鎖されないまま放置されているのだ。餓鬼どもが巣をつくるには絶好の足場だろう。昔は石材搬出用の自動車道路もあったらしいが、閉山の数箇月前に起きた例の大陥没事故の際、ナイフで切ったように削ぎ落され、圧縮された空気が坑道を吹き抜け、山全体が猛獣のように吠えて市民の半数が眠りから叩《たた》き起こされたという。その後に二週間にわたって白糸の滝が新名所になり、川をせきとめた落石をさらうのに四箇月を要したらしい。故意か測量ミスかは分らないが、蜜柑口の業者が境界を無視して東口の領分に掘りすすみ、構造を支えるために必要な壁や支柱を削り取ったためだと言われている。対岸の加太市から眺《なが》めると、羊歯《しだ》や蔦《つた》のひさしの下に坑道の断面の一部が認められるが、風化しやすい不見石はすでに土の色に戻ってしまっていて、目立たない。高倍率の双眼鏡で覗くと、爆撃の跡なみに砕けた石材が床いちめんに散乱しているのが分る。石材の間には、明らかな人間の痕跡《こんせき》もある。アルミ缶、タバコの空箱、クラゲみたいに地面にこびりついたティッシュ・ペーパー、漫画週刊誌、それからもしかしたら使用済みのコンドームの干物……

「二人っきりなんてことはないさ」千石が繰返す。「小競合《こぜりあ》いは三日も前から続いているんですよ。今夜あたりが決戦でしょう」

「でも、隊長さんは、死体になって転がっているのに」女が思い出したように鼻をつまんで、顎を引いた。「誰と誰の戦争だろう。いまの二人、あんなに慌《あわ》てて、誰から逃げて来たんだろう」

「隊長は変っても、作戦は続行中さ。この作戦に関しては、老人連中も士気盛んだからな」千石の口調には何かひどく気掛りなものがある。上手に餌《えさ》でくるんだ釣針の感触がある。

「馬鹿馬鹿しい、おれには興味ないね、そんな話」サクラが溜《た》め息《いき》をついて、ぼくとシートの包みを見較《みくら》べた。「思い切って、医者に往診たのもうか」

千石が露骨に嘲《あざけ》りの調子をこめて高笑いした。サクラがくってかかる。

「何がおかしい」

「戦争の内容を知っても、興味がないかどうか……」

「おれは医者の話をしているんだ」

「こんな時間に往診する医者がいるわけないでしょう」

「なんの戦争なんだ」

「絶対に乗りますよ、賭《か》けてもいい」

「そりゃ乗るわよ」女が無愛想に言い、すぐに営業用の微笑に戻って、「乗るのが商売なんだ、わたしたち。興味とは別問題。くだいて言うと、露店のサクラなのよ。ご用の節はよろしくね」

「そういう態度、ぼくは好きじゃない」千石が上体をそらせて身構えた。「疑問があっても、理解しようと心掛けるのが、共同生活の最低条件じゃないですか。ぼくなんか、船長に疑問を呈する前に、これまでポテトを買いつづけてもらった恩義もあるし、なぜ信頼しきってもらえないのか、自己分析をするんです」

「ご立派だね」サクラが音をたてて唾をすすり、舌を鳴らした。「サクラで申し訳ないことしましたよ」

「そんな意味じゃない」千石が道に迷ったように口ごもる。「ぼく、何度か手伝ったことがあるけど、選挙の運動員なんてみんなサクラですね」

「あんた、何が言いたいんだ」

「たしかに人間清掃も［ほうき隊］の業務内容の一つであることは認めます。［ルート猪鍋《いのなべ》］の餓鬼どもが世間の鼻つまみであることも認めます」

「［猪鍋］だって」

「そう、ユーモアのあるチーム名だと思いませんか。挑発《ちょうはつ》ですよ。［ほうき隊］が連中の車のタイヤに穴を開けてまわったりするから……」

「菰野さんだって、まさかそんな戦争なんかに乗りっこないさ」膝小僧の裏を指で押しながら、ぼくも反論した。いくら元自衛隊員で飛道具に惚《ほ》れ込んでいるにしても、根が利己的で、確実な目先の利益しか信じない冷笑家だ。永続する希望など求めていたら、香具師《やし》など務まるものではない。「でも、万一、餓鬼の一人でもつかまってくれたら……」

「とにかく、横線三本入りの金バッジですからね」

「まあ号令は様になっていたな、老人サービスのつもりなんだろうさ」

「いや、菰野さんは、本気だと思う」

「あんた、おかしいぞ、何を心配しているんだ」

「心配なんだよ」

「そりゃ、屑《くず》にきまっているさ、[猪鍋]の餓鬼なんて。でも[ほうき隊]の爺《じじい》どもだって似たりよったりだろう。だいたい人間を屑と屑でないのに分けるのが気にくわんね。ちゃんと進化論で勉強したのさ」短く自嘲《じちょう》的な笑いをはさみ、「屑が肥料になって樹《き》が育つんだろ」

脈拍に合わせて、また脚がうずきはじめた。こんどは皮膚をナイフで切り裂くような、激痛の予感がする。危険な兆候だ。普段なら絶対に嫌な歯医者にでも、いよいよ虫歯が本格化すれば飛んで行きたくなる。ペンチででもかまわないから抜き取ってもらいたくなる。この調子で苦痛が激しくなれば、すすんで脚の切断を願い出ないとも限らない。

「もしぼくに何かあったら、次の船長は君がいちばんの適任かな」

「おれが船長だって」サクラが笑おうとしかけて、顔をこわばらせた。「人違いじゃないのかい。おれが船長になったら、この船、［さくら丸］だぜ。笑っちゃうよ。羅《ら》針盤《しんばん》もなけりゃ、海図もなしだ。走る気もないのに、走ったふりをしてみせるだけの船になっちゃうぜ」

「ぼくにだって、羅針盤なんか無かったよ」脚の膨張がつづいている。「でも、もし餓鬼が一人でもつかまったら、尋問してみたいんだな、この便器の下に通じている通路について、何か知らないか……」

「そうね、きっとまだいるんじゃない、さっきの二人、すぐ外に……」女がボウガンを膝で支えて、弦《つる》に指を掛けた。

「無駄じゃないかな、連中、採石場の内部についてそんなに詳しいわけはないんだ。こんなに奥まで入り込んできたのは、ついこの二、三日のことですよ、追っ手からさんざん逃げまどったあげく……［ほうき隊］の狙い、じつは女子中学生狩りだったんですよ」

「なんだって」

「女子中学生狩り……」

22

その時ぼくらは全員、足場の上の鉄扉を見詰めていた。女はボウガンをかかえて便器の正面、三歩ばかりのところに立ち、サクラは石段の下で、腰を下しかける途中の半端《はんぱ》な姿勢で柱に手をかけ、千石は流し場につづく石壁にもたれていた。『女子中学生狩り』という、初耳だが刺激的な言葉の意味を、各人各様に思い描いていたようだ。鉄扉の向こうですくんでいるはずの二人の餓鬼を捕え、料理するためにも、その言葉に充分なじんでおく必要がありそうに思えたのだ。

だから作業船倉への通路に、別の人影が現われても、向こうから声を掛けられるまでは誰一人気付かなかった。

「失礼します」

口調や態度は違うが、まぎれもなく［ルート猪鍋］の仲間だ。逆立てた髪の毛を半分黄色に染めた、油漬《あぶらづ》けの枯枝。女が素早くボウガンを構えなおす。枯枝は落ち着きのない視線を、まんべんなく、船倉じゅうに走らせた。特に何かに注目したふうでもない。

「失礼します」

今度ははっきり千石を認め、上半身を折って敬礼する。千石も片手を振って応《こた》えたが、いかにも迷惑そうな返礼だ。

「何しに来た」

「失礼します」［猪鍋］のグループと区別できるのは、右手にかかえたやや小ぶりの竹箒と、胸につけた銀色のバッジである。左肩に吊《つ》った大型の携帯無線のアンテナを伸ばして呼びかける。「本部どうぞ、本部どうぞ……こちら斥候《せっこう》の《イ》、現在位置、海岸口一号石室、異状なし、どうぞ……そのとおりです、不審の者、発見できません、どうぞ……そのとおりです、全員四名です、どうぞ……了解しました、失礼します、どうぞ……」

「菰野《こもの》さんに連絡したの」女がボウガンを下し、丸薬を反転させるように舌を鳴らした。

「隊長は今こちらに向っています。もうじき到着されます。移動本部をここに設置します。ぼくはここで待機します。失礼しました」

語尾を跳ね上げる言いまわしは今の若者風だが、態度や表情は疲れた老人のように無感動だ。ぼくの奇妙な情況についてさえ、なんの関心も示さない。予備知識があるわけはないのだ。現代風で冷酷な若者を演じているのだろうか、それとも老人の仲間入りして、化石になってしまったのだろうか。ただ命令に服従するだけでなく、命令なしにでもとにかく服従する、忠誠人間の見本になりきっているのかもしれない。周囲の者にある種の畏怖《いふ》感を与えることは事実だ。そのわりには身軽に、いちばん手前の角のドラム缶に飛び乗った。足を揺り、箒の柄《え》を叩いてリズムをとっている。まさか軍歌を口ずさんでいるわけではないだろう。

「目障りだな」サクラが呟いた。

「スパイだよ」千石が聞えよがしに言った。「つい二、三日前までは、[ルート猪鍋]のメンバーだったんだ。猪突さんから、小遣い銭もらって、仲間の情報流していたんだ。そうだろう、なぜ黙っているんだ。女子中学生を売り込んだのも、おまえなんだろ」

少年は無表情に千石を見やっただけで、何も答えない。

「女子中学生狩りって、なんなの」女が振り向いて、千石に尋ねた。

「菰野さんに聞いて下さいよ」

「女には面白《おもしろ》い話じゃありません」少年があっさり、事務的に答える。

「なんだい、チビ、生意気な口きくと、本当に射《う》っちゃうよ」女が床に腰を下し、膝射ちの姿勢をとって、引き金に指をかけた。

「格好いいな、パンツが覗いているけど」少年は強がりを崩そうとしない。

「馬鹿、彼女、本当に射つぞ」

サクラが叫び、便器の横の測量図のスクラップ帳を、床からすくい上げざま投げつけた。スクラップ帳は女の肩をかすめ、ボウガンの照門に落ちる。狙いを外された矢がドラム缶に当り、派手な音をたてて天井に舞い上った。

「邪魔しないでよ」

立ち上った女の傍を、サクラがまっすぐ通りぬけ、少年に近づくなり力いっぱい平手打ちをくわせた。少年もドラム缶から飛び降り、箒をもって身構える。

「何をする」

「何も糞もあるか、礼を言うんだ、礼を。命を助けてもらったんじゃないか」

少年はゆっくり肩の力をぬき、間が悪そうに膝をゆすりだした。

「失礼しました……」

「そう、それでいいんだ」

「嫌《いや》な餓鬼ね……」

女がボウガンを差し出し、サクラが弦を引きしぼって止め金に掛ける。千石は壁から離れ、体をこわばらせていた。よほど衝撃が大きかったのだろう。しかしぼくは見当をつけていた。たぶん呼吸を合わせたサクラ同士の芝居に違いない。それにしても見事なトリックだ。情勢は一変していた。聞き出すのなら今である。

「この下に、ちょっとした機械室みたいなものがあるんじゃないか。知っているだろ。通路は、何処《どこ》に通じているのかな」

少年ははじめてぼくを正視した。便器に眼を落し、もう一度ぼくを見た。

「何しているんですか」

「質問に答えるのよ」女が弦を張ったボウガンに矢をつがえなおす。

「おれたち、その図面のコピーしか知りません」

「その図面って、どの図面……」

箒の柄で少年が差し示したのは、さっきサクラがトリックに使ったぼくのスクラップ帳だった。女が床から拾いあげ、折れたページをなおして、返してくれた。

「なぜ知っているの、この図面のこと」

「その棚《たな》からしばらく借り出して、町の本屋でコピーしたからです」

二重の衝撃だった。こんな小僧っこに、すっかり足許《あしもと》を見られていたという屈辱。自分だけの秘密だと信じきっていた、お目出度さ。しかもこれで便器の下からパイプの仕掛けを操作するという、もっとも安全、かつ確実な脱出の希望が絶たれてしまったのだ。

「でも君たち、加太《かぶと》橋口の坑道跡が根城なんだろ。あそこに通じているはずなんだ。思い出してみてくれよ、海岸のほうに、下にのびている坑道がなかったかな。あったはずだよ、そうとしか考えられないんだ」

「この下にですか」

「そう、この真下に」

「じゃあ、この下かな……」

「心当りがあるのかい」

「何処か、見落しはありませんか」

「教えてくれよ、ヒントだけでいいから……」

「加太橋口だったっけ、あの東側の、兜川に面した崖《がけ》の洞窟《どうくつ》。あそこで昔、陥没事故があったのは知っているでしょう」

「知っているさ」

「あの洞窟は十メートルも行ったら、すぐに行き止まりです」

「おかしいじゃないか、この下に部屋があること、なぜ知っているんだ」

「いま教えてもらったからですよ」

「でも見落しがあるって言っただろ」

「そうとしか考えられないじゃないか」

女がボウガンを構えなおして、両足をふんばった。

「口のききかたが悪いよ」

「失礼しました」少年が表情も変えずに続ける。「知りたいんだ、おれたちも」

千石が苛立たしげに口をはさんだ。

「本当かもしれない、事実連中も探しているんですよ。女子中学生が十何人か、どこかに消えてしまったんだ」

「どこかって……」サクラが唾を飲み込む。

「うまく餌《えさ》を仕掛けて、蜜柑口から追い込んだんだろ」千石がさりげなく誘導する。

「家出したやつを集めて来たんだ」少年がはじめて、少年らしい張りのある声で主張した。「スパイなんかじゃない。おれたち、ここで好き勝手にやるつもりでいたんだ、大人の干渉なんか受けないでさ。自分たちの村をつくって、ちゃんとやって見せるつもりでいたんだ、それで［ほうき隊］の猪突さんとも、ちゃんと交渉して、金も払って、ここの権利を分けてもらったんだ。ちゃんと権利があるんだぞ」

「要領の得ない話になってきたな」サクラが千石の表情をうかがう。

「言いのがれはよせよ」千石が神経質に笑う。「騙して女子中学生を連れ込んで、そこを［ほうき隊］に襲わせたんじゃないか」

「違う。中で誰かが待ち伏せていたんだ」

「誰かって、誰が」

「ここの豚仲間さ」

サクラがゆっくりと前に進み出た。「言いすぎだぞ、おい……」

「いいよ、言わせておけって」やっとぼくにも分りかけてきた。襲撃を受けた［猪鍋］のグループは暗い迷路の中を逃げまどい、そのうち女子中学生を含む一団が何処かに行方不明になったのだ。その何処かは、ぼくにとっても重要な何処かである。少女たちの行方の追及は、他人事《ひとごと》ではなくなった。「これまでここに住んでいたのは、ぼく一人だよ。他の三人は、全員今日からの新規加入者さ。菰野さんに聞いてみてもいい。ぼく一人で君たちを襲撃したり出来るわけないだろ」

「でも襲撃されたんだ」

「だから［ほうき隊］に襲撃されたのさ」

「［ほうき隊］は護《まも》ってくれたよ」

「呆《あき》れた馬鹿だ」千石が突き出した両腕を象の鼻のようにゆすって大声をあげる。「こんな奴、見たことないよ。嘘《うそ》を言う奴はいくらもいるけど、自分で自分に嘘をつく奴なんて初めてだ。だったら、なぜ、君以外のグループ員があんなに［ほうき隊］から逃げまわるんだ。でたらめ言うんじゃないよ。海岸口の採石場跡に一人しか住んでいないことだって、君は知っていた。何から何まで知っていた。そういうのをスパイって言うんだ、分ったかい」

とつぜん少年が泣きだした。箒の柄に額を押しつけ、肩をふるわせて泣きだした。

「馬鹿……」女がボウガンを下げて石段に引き返す。

「なんとか思い出してみろよ、女の子のグループを見失ったのが、どの辺だったか……」ふくらはぎに巣食っていたウジが、ミミズにまで成長しかけている。この次おそってくる発作を、はたして正常な意識で持ちこたえられるかどうか自信はない。ミミズが肢《あし》を生やしてゲジゲジにでもなったら、もう駄目だ。肢が沢山ある虫は我慢できない。切り捨ててもらったほうがまだましである。

遠近法で接近が誇張された靴音のひびき。今度こそは昆虫屋《こんちゅうや》らしい。坑道口に大頭の影がせり出す。姿を見せるぎりぎりの所で停止し、艶《つや》のある声をひびかせた。

「ご苦労、伝令二名残して、あとは全員ほかの捜索班に合流。以上」

これが同じ昆虫屋だろうか。むろん同じ昆虫屋だ。姿を見てほっとする。

「遅かったな」サクラも安堵《あんど》の色を隠さずに、声をはずませた。やはり頼りにしていたのだろうか。

「うん、遅くなった……」

「失礼します」泣きやんだ少年が、箒を銃のように脇に立て、かかとを合わせた。

「君は……」

「斥候の《イ》号です」

太いしゃがれ声と一緒に、別の人影が昆虫屋の背後に立つ。空間のなかにぽっかり人間の形にあいた空洞のような老人。老人といってもまだ六十代だ。肩幅が広く、背筋もしゃんと伸びている。寸詰りに見える紺の制服。逆さにして小脇に構えた竹箒の先は、黒光りのするもので埋められている。鉄の芯《しん》でも入れているのだろう、そのまま武器になりそうだ。もう一方の肩には大型のズックの鞄《かばん》を掛けている。

「そうそう、斥候だったね」昆虫屋は軽くうなずき、影のような（顔色が制服に近い浅黒さなので、影を連想したらしい）老人のほうに手をあげ、ぼくらに紹介した。

「副官だよ。前の隊長の時からの、経歴のある人でね……」

「お世話になります」影が深々と頭を下げた。

少年と老人をその場に残して、昆虫屋がゆっくり近付いてくる。質問の順序を整理するために時間稼《かせ》ぎをしているようだ。ぼくは昆虫屋と老人の両方ともが、すこしも体を濡らしていないのが不可解だった。蜜柑口からやって来たのなら、例の地下水をたたえた壕《ごう》を渡らなければならなかったはずである。そう言えば少年たちも全員、乾いていた。なぜだろう。あんがい地理に精通していないのは、ぼくの方だったのだろうか。

昆虫屋が便器とぼくを見較べる。シートの包みとぼくを見較べる。それから残りの三人を見回した。

「やっかいな事になってしまった」死体の包みを顎でしゃくって、「船長にとっては、どうなんだろう、やはり肉親の死である以上、深刻な事態だろうね。それとも、ちょっとした面倒くらいのところかな……」

「深刻なわけ、ないだろ。そりゃ死体一般としての重みは、あるていど感じざるを得ないけど」

「でも便器のほうは、深刻なんだろ。まさか死体処理に抵抗してるわけじゃないよね」

「見たら分るでしょう」女が言い放つ。

「むろん、分るさ」

「えらいことになったよね」千石の声はおびえている。「いろいろやってみたけど、葡萄酒《ぶどうしゅ》の栓みたいにはまり込んじゃって」

「おれはそろそろ、うんざりしてきたな」サクラがしきりと腕をさすった。「どうもここは面倒が多すぎる」

「たしかに面倒が多すぎる」昆虫屋はまたぼくと包みを見較べ、小鼻のわきを爪《つめ》で引っ掻《か》いた。「いろいろとやり甲斐《がい》のある仕事だとは思ったよ、[ほうき隊]の連中とも話し合ってみて……でも、まずは船長の脚が問題かな……」

「わたし、さっきから考えているんだけど、方法は二つしかないと思うの」女が慎重に周囲の反応に気をくばりながら、静かに言った。

そう、静かに言うべきことだ。ぼくには女の考えが、自分の考えのように見通せた。たしかに二つしかない。そしてその選択は微妙である。

「そう、おれもそう思うよ」意外にもサクラがすぐに同調した。

「ぼくも原則的にはそんな気がしている」千石までが、調子を合わせる。本当に四人がそろって、同じ結論に達しているのだろうか、この結論は誰が歩いても迷いようのない、一本道なのだろうか。

昆虫屋が石段わきの寝袋をまるめて、椅子《いす》がわりにした。

「聞こうじゃないか、全員一致となれば、きっと名案に決っているさ」

誰だって猫《ねこ》に鈴を付けに行く役は敬遠したい。けっきょく女が、無害を自任している微笑を含ませて口を切る。

「簡単に言っちゃうと、一つは便器を壊すことね。もう一つは、下の機械室を探し当てて、バルブを操作して圧力をなくすること。そうよね」

「なるほど……」

「でもそれぞれに欠点がある。便器を壊したら、修繕までの間、死体の始末を待たなければならない。下の機械室を探し当てるには、行方不明の女子中学生の潜伏場所を突き止めなければならない」

「なぜ……」

「船長の推理だと、どちらもこれまでの調査では浮んで来ていない場所でしょう。関係あるはずだって言うの」

「なるほど」

坑道口に待機中の副官から声がかかった。

「一挙両得と申しますか、一石二鳥と申しますか、いや、お悔みなんぞも申し上げねばならないところでありますが、それはまたあらためまして、差し当り責任担当者としては失跡者捜索の線をお薦めしますね。私ども、永年にわたって、猪突先生の指導のもとに自主独立の老人王国の建設を夢みてまいりました。いや、私ども老人王国という言葉は用いません。［ほうき隊］では老人という言葉は差別用語に指定されております。猪突先生はすべてにわたって妥協のない厳しいかたでした。私どもは棄民と呼んでおります。したがいまして、厳密には年齢とは無関係な概念なのであります。ただ老齢はあるていどの肉体的衰弱をもたらし、恢復《かいふく》不能であるという特性、ならびに万人の宿命であるという点において、棄民を代表するものでありますから、［ほうき隊］の辞書ではこれを代表棄民と呼んでおります。したがいまして、私どもが建設を夢みておりますのは、正式には《代表棄民王国》なのであります。さいわい実現の日が近付いてまいりました。ほどなく空からウラニウムやプルトニウムの業火《ごうか》が降りそそぎ、そこに居《お》られる千石さんの申されるところの御破算の時が迫っているのです」

「なんだろう、あの人」女が呟《つぶや》く。

「玄人《くろうと》だね」サクラが呟き返す。

「……聞えるでしょう、世界が号泣している。暖かい家庭の絵本を見て号泣している。結婚式場のテレビ・コマーシャルを見て号泣している。カラオケ・スナックで合唱しながら号泣している。私ども代表棄民の耳には、はっきり聞えるのです。猪突先生の死を無駄《むだ》にしてはならない。菰野隊長、ならびに船長さん、よろしくご指導くださ い」

影副官は脇のズックの鞄のファスナーを開け、何やら腐りかけたキャベツのようなものを取り出した。うやうやしく捧《ささ》げ持ち、儀式ばった足取りで進み出る。ぼくの正面に立ち、記念品贈呈の要領で差し出した。生前の猪突の象徴だった、例の緑色のハンチングだ。影が頭を下げて、うやうやしく口上を述べた。

「先生の形見の品です、お納め下さい。どうか、力をお落しにならず、先生のご遺志を果されますように」

触るのも嫌だった。猪突の嫌な部分を煮詰めてつくった結晶だ。物質化した臭気だ。しかし受け取らないわけにはいかない。儀式とは、そういうものなのだ。この潤滑油が行きとどいた老人は、帽子が粗末に扱われるのは許せても、儀式の無視は金輪際《こんりんざい》許さないだろう。すぐ傍にいながら昆虫屋が沈黙をまもり、冷笑のかけらも見せないのは、まだ知り合って間がないだけでなく、副官の内部にひそむ狂気に気付いているからに違いない。後にさがりながら、便器を覗き込んで首肯《うなず》いた。

「災難ですなァ……」自分も箒を杖《つえ》がわりに中腰になり、昆虫屋に話しかける。強制力をもった丁重さだ。「外まわりの清掃班もこの際全員呼び戻して、雌餓鬼の捜索に当らせたらどんなものでしょう。士気も上ります。差し当り船長さんのお役に立てるばかりでなく、これは《代表棄民王国》の存亡にかかわる問題でもあります。世間が業火に滅び、私らが無事生きのびたとしても、子孫を残せなけりゃ、せっかく生きた甲斐がない。世間にも顔向けがならない。それに竹や笹《ささ》が枯れる前に花を咲かせ実を結ぶように、代表棄民はおおむね性欲旺盛《おうせい》です。また学問的にも実証されていますが、女をはらませる能力においてもなんら遜色《そんしょく》はありません。誰しも女の話は飯より好きですから」

「話が違うじゃないか」体をこわばらせたまま、冴《さ》えない声で少年が叫ぶ。「あんたたちは、手出ししないっていう約束だったじゃないか」

「手は出さなくても、チンポコを出すよ。文句あるか」副官がしゃんと背をのばして、箒の柄で床を叩く。金属の音がした。「お裾《すそ》分《わ》けにあずかりたけりゃ、尊敬の念を失わないことだ。いいか、尊敬の念だぞ。それとも裁判にかかりたいのかな。どっちにするか返事をしてみろ、返事の仕方、教えてやったよな」

猪突の言いまわしに似ていると思った。昆虫屋は視線を床に落し、耳の下を掻きながら、表情を一定の水準に保とうと苦慮しているようだ。「かなりのもんだな」女が唇《くちびる》を咬《か》む。「この相手なら、乗った振りはしやすいよ」サクラが相槌《あいづち》をうつ。少年はしばらく躊躇《ちゅうちょ》してから、姿勢を正し、無表情のまま歌うように言った。

「失礼しましたァ」

「それでいいんだ」

「なるほど……」昆虫屋が大頭を左右にゆすり、ズボンのポケットをまさぐりながら、「最終判断は、船長の生理的忍耐の限界点ということになるのかな」

「そう思う」女がきびしい調子で、とっさに反応した。「そんな当てにならない捜索なんか、当てに出来ない。さっきもこの人、気が変になりかけたんだ」

「便器を壊すって、どうやるんだ」

「中が真空になっているわけだから、パイプに穴を開けて、空気を入れてやるのよ。周りのコンクリートを二十センチも欠いてやれば……」

「賭け率の問題だね、なるほど」昆虫屋がポケットから金メッキのバッジを摑《つか》み出した。「どうだい、みんな、街の盛り場なんかでも、けっこう幅を利《き》かせられるらしいぞ、とくに金バッジはな……」

誰も手を出そうとする者はいなかった。副官が督促する。

「伝令を出しましょうか、外の清掃班に。ただちに引き返させて、捜索班に編入すべきです」

「女子中学生が十何人かに、[ほうき隊]の爺《じい》さんたちが何十人だって……」風呂《ふろ》の中でしぼった手拭《てぬぐ》いの泡《あわ》のような、サクラのくぐもった声。

「ぼくは許せない。絶対に許せない」千石が息巻いた。「その女の子たちに、たとえこの世が御破算になったとしても、幸いぼくらだけが生きのびたとしても、あくまでも相手を選択する自由を保証すべきだよ。規約の重要項目として採択することを提案する。だいたい、雌餓鬼とはなんだ。そんな言い方をするなら、ぼくは今後いっさいの協力を拒否するよ」

数秒間の沈黙があった。少年が囁《ささや》く。

「話が違うんだよ、ぜんぜん……」

「どうだい、船長、あと何時間くらい辛抱できそうかな」昆虫屋が寝袋に両肘《ひじ》を支え、バッジをじゃらつかせながら、ぼくに微笑《ほほえ》みかける。ジープを停めて笹蒲鉾《ささかまぼこ》を買ってきたときの表情とそっくりだ。

「一つ聞きたいことがあるんだ。菰野さんたち、蜜柑口から来たんだろ。なぜ濡れていないんだ、服はともかく、頭も何処も……」

「そう、おれもおかしいと思っていたんだ」サクラもせわしく口をはさんだ。

「ボートですよ」副官が薄笑いを浮べる。「ゴムボート。あんな便利なもの知らなかったとはね。水門というか、東側の水面すれすれの天井の下に押し込んであります。いつでもご利用ください。船底に仰向けになって寝るんですよ。足と手で、天井を掻いて進めば、四、五メートルで階段に出ます。外からボートを操作するには、やはり水門の天井の滑車にロープを取り付けてありますから……」

一言もない。合理的すぎる説明は、ささやかなぼくの希望も打ち砕いてしまった。未知の通路が存在していたわけではないのだ。

「第三の方法がないわけじゃない。でも、問題外だろうな」昆虫屋がバッジの一つを膝でこすって、自分の胸に留めた。「脚の切断さ。ただ理屈の上の、可能性としての話だけどね」

「時間の無駄です、隊長、猪突先生ならとっくに伝令を出していたでしょう。先生は人間の使い方を知っていた。雌餓鬼でふるい立たないようでは人心掌握は出来ません」

副官が便器の前に進み出る。つい身構えたが、ぼくに危害を加えるつもりはなさそうだ。自分でも気付かずに、落ちるにまかせておいた猪突の緑のハンチングを拾いあげ、埃《ほこり》(帽子のほうが、どんな埃よりも埃っぽいのに)をはらって船倉を横切り、青いシートの上に丁重に供えた。両手を合わせて、柏手《かしわで》をうつ。神式なのか、仏式なのかは、さして問題ではないらしい。後ろ姿も空間にあけた穴に見えた。

「いいだろう、伝令を出そう」昆虫屋が立ち上る。「誰か医者を知らないかな。特に[ほうき隊]の専属とまではいかなくても、多少の無理は聞いてもらえる医者……」

「いますが、産婦人科ですよ」副官が困惑気味に答える。

「何をするつもりだ」口が乾いているくせに、また小便がしたくなった。

「何科でもいいんだ」掌《てのひら》を立てて、他人の発言を封じ込める。「往診が駄目なら、薬だけでもいい。なるべく強力な鎮痛剤を頼みたいな。薬局で売っているようなものは駄目だぞ。麻薬指定の、モルヒネ級の強烈なやつ。無理がきくんだろう」

「きかせようと思えば、きくでしょう。そう始終でなけりゃ」

「それに睡眠薬と、抗生物質。伝令を出してくれ、大至急だ」

「清掃班の呼び戻しは……」

「その件に関しては、副官に一任するよ」

23

「空が見たいな」溜め息まじりに、細い声で女が言った。

「まだ夜中だよ」脚のうずきが妙な具合だ、心臓の脈拍と一致しないのだ。

「だから、明日になったら」

「出て行きたいのかい」

「出て行きたいよ」

さりげなく、流し場を洗うふりをしながら、女がウージィを拾って便器の縁に立て掛けてくれた。膝《ひざ》を曲げないでも、手をのばせば届く位置だ。ぼくの身を案じてくれているのだろうか。事態が緊張の度を増していることは事実である。

伝令たちに命令の通達を終えたのだろう、副官が作業船倉から引き返してきた。箒《ほうき》の柄《え》で床を打って、少年に命令をくだす。

「斥候《イ》号」

「失礼しました」

「上の部屋から、椅子と机をお借りしてこい」

「椅子と机をお借りしてきます。失礼します」

「勝手な真似《まね》をするな」

叫んで昆虫屋とサクラに援護を求める。すぐに反応してくれたのは、サクラと女だった。サクラが石段の下に立ちはだかり、女がボウガンの安全装置を外す。昆虫屋はただ首を左右に振って、消極的に少年の動きを牽制《けんせい》しただけだ。ぼくはまだ新しい勢力配置になじんでいない。むしろ深い溜め息をついた千石のほうが、ぼくに同情を寄せてくれていたのかもしれない。

「なぜです」副官は、不服というより、意外の感を受けたらしい。「この機会に、日課のなかの重要な手順を二、三、新隊長にご説明申し上げたいのです。資料に目を通していただくのに、机と椅子くらい欲しいです」

「理由の如何《いかん》を問わず、許可なく立ち入りは禁止する」

「許可して下さいよ」

「そう固いことを言わなくてもいいと思うがね……」昆虫屋がぼくと副官の両方を笑顔でなだめて、床に寝袋を広げた。「とりあえずこの上で我慢するか。ゴザ敷いて、夜ざくら見物だ」

副官がズックの鞄から取り出した品物を寝袋の上に並べるのを見て、職業意識が刺激されたのだろう、サクラも笑った。いや、サクラだけが笑った。いっさい元手をかけない露店商の雰囲気《ふんいき》そっくりだ。昆虫屋もさすがに苦笑を隠せない。女が石段の最下段に掛け、その三段上にサクラが手摺《てす》りから見下すようにして場所をとる。昆虫屋はブリッジ側の壁ぎわにあぐらをかき、千石までが便器の近くまで回り込んできて覗《のぞ》き込む。ぼくはもちろん便器の上の特等席だ。斥候の少年だけがドラム缶のそばでふてくされている。

脚の具合がますます不穏な感じだ。症状が全身にまわり始めているらしく、悪寒《おかん》がする。理性では拒否しながら、気持のどこかに医者の薬を待ち受けているところがあるようだ。抗生物質ならともかく、モルヒネに焦《こ》がれているのだ。

副官が品物を広げた。一冊の電話帳が目立つ。

「電話帳なんか、どうするんだ」腑《ふ》に落ちない表情で、昆虫屋が問いただした。

「後で裁判に使います。追ってご説明しますが……」

「隊長ってのは、説明を聞くだけで、決定権はないのかい」

「めっそうもない。ただ急激すぎる改革はお薦めしかねますね。全員が納得している習慣は、各自の肉体の一部になり切っています。習慣に疑惑を抱かせるのは得策ではありません。隊の構成員であるという誇りと、服従の心理とは、不可分のものです」

「あんた、そんなこと、何処で教わったんだい」

「ご想像にまかせます」影男がはじめて笑った。嫌味ではないが、愉快そうでもない、味のしない笑いだった。「私、しばらく、政治にも関係していましたから……」

「たしかに、面白いよね、政治は」

「支配する立場に立てば、こんなに面白いものはありません。支配権を奪われる恐怖さえ、代償として受け入れてしまえば、国土を所有する以上の贅沢《ぜいたく》は、この世に存在しないでしょう。猪突《いのとつ》先生は満足されていました」

「国土と言ったって、たかだか《代表棄民王国》じゃないか」

「認識不足です。小判にじゃれつく猫は物笑いの種ですよ。国の価値は、大小や貧富などで決るものではありません。国際法に基いて、外国からの承認を手にすることが問題なんです。いったん承認されてしまえば、掌ほどもない国でも国家主権を認められる。分りますか。この世に国家主権を越える権力はないんですよ。何をしたって……殺したって、盗みをはたらいたって、取り込み詐欺《さぎ》でさんざん腹を肥《こや》したって、絶対に逮捕も監禁もされません。非難されることはあっても、罰せられることはないのです。今世紀はまさに国家主権の世紀ですからね」

「愉快だね、この人」昆虫屋は探るように一同を見回し、ほんの一瞬、考え込む目付きになった。「でも、しょせん夢物語さ。拝んだって、頼んだって、誰が《代表棄民王国》を承認したりするものか」

「分っていないね。いや、失礼しました。御破算の時代に入るんだってこと、お忘れにならないで下さい。自分で自分を承認すればいい時代です。新時代なんですよ」

「あんたも、本気で核戦争が始まると思っているの」

「始まりますね」

「ぼくもそう思う」歯を食いしばるほどの悪寒に耐えて、つい口をはさんでしまう。

「なぜ」副官にはべつに同調者の出現を喜ぶ気などないらしい。

「だって、先手必勝の手を発見した場合——誰もがその手の発見を目標にして競争しているわけでしょう——せっかくの新手を遠慮して使わないなんてことがあるかな」

「着眼はいい」ほんの一瞬だが、影が影のような眼を開けて、もう一つの眼を覗かせてくれたような気がした。「でも、もっと肝心なのは、仮に国家が悪性の伝染病にかかったとしても、強制入院をさせる場所も手段もないことでしょうね」

「まるっきり、絶望じゃないか」千石がうめく。

「だから面白いとも言えるでしょう。創世記の第一章に立ち会っているのだと思えば、こんなに面白いことはない。国造りですよ」

「しかし、王国なんて嫌《きら》いだな」便器の中の膨張感が、膝の上にまでひろがり、脚にかかる体重が耐えがたく感じられはじめた。ちょっとでいいから腰を下したい。「菰野さんにも言ったよね、王政や独裁は、性に合わないんだ」

「同じことです」副官が寝袋の上に並べた電話帳と、書類の束を、定規をあてがうようにして揃《そろ》えなおし、「船長がおっしゃりたいのは民主化のことでしょう。民主化というのは、個人の生産効率を高めるために、国家がやむを得ずとった便法にすぎません。コンピューターの効率を上げるために、端末機の自由度を拡張するようなものです。どんな民主主義制度にも、国家反逆罪、もしくはそれに準じた自由の規制がありますからね」

「そりゃ自由にだって、自己防衛の権利くらいあるだろう」

「ありますとも。しかしそれを保障するのはやはり国家ですね。外に対しては内政干渉からの防衛、内に対しては反逆の防止、つまり軍隊と警察が国家の二大原則です。支配原理が機能していない国家なんてありませんよ。支配しているのが個人であれ、組織であれ、パスポートの発行元は厳然として存在するのです。でも、いいじゃありませんか、差し当り私どもが問題にしているのは《代表棄民王国》にすぎません。ここでは《王国》なんて、ちょっとした言葉の綾《あや》でしょう。外界から隔離された理想郷のことを話すとき、よくそんな言い回しを使うじゃありませんか。具体的な制度の決定は、私としては、隊長、もしくは船長に一任したいと考えています」

反射的にぼくと昆虫屋が顔を見合わせる。見事に楔《くさび》が打ち込まれたのだ。しかも『一任したいと考えています』という含みのある表現で、自分の立場を示威することも忘れてはいない。なかなかのくわせ者だ。いつか似たような夢を見たことがあるような気がする。［生きのびるための切符］の販売に本腰を入れればじめれば、いずれは直面せざるを得ない、避けがたい場面だったのかもしれない。妖怪《ようかい》の棲《す》む森の社も、目をそむけて走りすぎれば怖いことなんかないと自分に言い聞かせてきたが、そうはいかないのだ。これがたぶん生きのびることの実体なのだろう。

「おれ、誰に雇われているのかな」サクラが疲れた声で姿勢を変えた。たしかに石の階段では尻《しり》が痛くなるだろう。だがぼくの疲労はそんな生易しいものではない。「情勢把握《はあく》が困難になってきた。誰を手伝えばいいんだい、誰がおれを雇ってくれているのかな」

「ぼくが雇うよ」この際一人でも多く味方につけておくべきだ。とりあえず手を貸してもらいたいこともあった。

「で、売り物はなんだい」

「分っているだろう、ぼくの立場さ。その前に、悪いけど、上の本棚から百科事典を搬《はこ》んでくれないか」

「言ってみろよ、かわりに調べてやるから」

「積み上げて椅子がわりにしたいんだ。そろそろ膝が持たなくなってきた」

「五、六冊かな。七冊あればじゅうぶんだよな」

副官が大判のメモ用紙を開き、フェルトペンで線を引く。幾つかの区切りをつけ、数字を書き込んだ。

「失礼します。要約して日課をご説明しましょう。午前四時三十分、作業終了。入浴。全員合唱」

「合唱って、軍歌なんだ」千石が口をはさむ。

「そうです。『ここはお国を何百里、離れて遠き満洲《まんしゅう》の』ってやつです」

「冴《さ》えないねえ、新鮮味がないよ」昆虫屋が首を振る。

「いや、代表棄民には相応《ふさわ》しい歌です。犬のように死んでいくしかなかった兵隊の、犬のように善良な悲しみがよく歌い込まれています」

「そりゃ悲しいだろうさ、『友は野末の石の下』なんだから」

「違いますね、全員がここぞとばかりに声を張り上げるのは、『眼に涙』のところです。あそこだけはぴったりと声がそろいます」

「似たようなものじゃないか」

「五時、食堂に集合」

「場所は何処だい」

「今日からこの隣の第二石室を使わせていただきます」

「冗談じゃない。誰の許可を受けたんだ。そんな勝手な真似は許せないよ」

「でも、もう、設営班が、機材や食料の搬入をはじめておりますが……」

「菰野さん、[ほうき隊]の隊長になったからって、そこまでやる権利はないんだよ」

「駄目でしょうか」副官が、打ち合せどおりの科白《せりふ》を口にする調子で、「リフトの上の第三石室に変更してもよろしいですが。あそこまでは、もう八割がた搬入を終えているはずです。とにかく全員、一刻も早く女子中学生の捜索班に編入を希望していますから、これは士気にかかわる問題でもあるのです」

「船長、ここのところはおれに任せてくれないか。混乱の最中に事態の変更は、よけいに事態を混乱させると思うんだ。なんとかお互い納得し合えるように、まとめてみるつもりだから……」

もっと昆虫屋らしい、舌先五寸の論法を期待していただけに、気抜けしてしまった。副官の前でこんな有様では、先が思いやられる。昆虫屋はどんな手順で、短時間のうちに隊長の座を獲得できたのだろう。拳銃《けんじゅう》で猪突を射殺しただけなら、猿山《さるやま》のボス争いと変りない。ここで必要以上に昆虫屋を追い詰めるのは、副官の思う壺《つぼ》かもしれないのだ。サクラが百科事典を肩に積んで石段を降りてきた。

「それにこの隣は、第二石室なんかじゃない。作業船倉という、ちゃんとした名前がついているんだ」

「失礼しました」

女がサクラと一緒に、百科事典を便器の斜め後ろに積みあげ、高さを調節してくれた。千石もぼくの両脇《わき》に腕を差し込み、膝に負担をかけずに腰を下す手伝いをしてくれる。捻挫《ねんざ》した筋を伸ばすような痛みを耐え抜くと、たしかに体が楽になった。眠気に似た霧の渦《うず》が、ふわふわ頭のなかを飛びまわる。かわりに膝と土踏まずに電極を埋め込み、リズムに合わせて電流を流しつづけているような衝撃がつづく。きわめてゆっくりとだが、徐々に電流が強まっていくのが分る。

「もうちょっとの辛抱です」副官が言い終えてから、取って付けたように眼尻に皺《しわ》をよせた。影がしだいに肉付けされて、確実に空間を占領しはじめている。

「薬を飲んでも、楽になるだけで、問題が解決するわけじゃないからね」

「楽になってもらいたいのさ、とりあえず」昆虫屋が手を振って笑う。「いいじゃないか、その百科事典のアイディア、体重がかからないだけでもかなり違うだろう」

「麻薬で眠らせておいて、膝を切断するなんて言い出したら……」まずサクラの眼をのぞき込み、女と眼を見交し、千石とも視線をまじえる。「ぼくを護ってくれるよな。奴《やつ》らに絶対、手出しさせないでくれるよな」

「言葉をつつしんでほしいね、船長」昆虫屋がはっきり正面に向きなおった。「いくらなんでも、言いすぎじゃないか」

「そう仕向けたのは、あんた自身だよ。なんだい、自衛隊に入って、失望したなんて言っておきながら、けっこう楽しそうだったぞ、さっきの号令なんか……」

「その点については、おれ自身意外に思っているんだ。儲《もう》けもないのに、嘘は言わないよ。命令する立場か、される立場かで、えらく違うんだな。じつにはっきりと違う。自動車の部品と、運転する人間くらいの差はあるね」

「空が見たい……」女が流し場で水を飲みながら、教科書を読むような節まわしで言った。

「なんと言っても国を所有するのが、最大の贅沢です。失礼しました」副官がメモ用紙に引いた線の上に、三番目の点をうつ。「食事は［ほうき隊］の誓いの言葉の斉唱《せいしょう》で始めます。『掃き清めよう、行く手をさえぎる、すべての屑を』……今朝は、この季節ですと、そろそろ夜が白んでいます、当然朝ですね……特に猪突先生に対する黙禱《もくとう》の時間を割きたいと思います。倒した相手に礼をつくすことは、部下の信頼をつなぐ秘訣《ひけつ》の一つです。よろしければ、船長の弔辞などもいただけると……」

「ふざけないでくれよ」

「失礼しました、無理にとは申しません。五時四十五分、食事終了。十五分間休憩。六時からいよいよ裁判の時間です。裁判は二部に分れ、第一部は相互裁判です。これは無記名の投書方式による、隊員相互の内部告発ですね。規律を保持するためにはきわめて有効です。おっしゃりたい事はよく分ります。しかしある程度の相互不信は、組織の活性化のためのカンフル剤として、欠かせませんからね。もちろん投書のぜんぶを公開する必要はない、隊長と私で握りつぶすこともできるし、創作することもできる……」

「なぜ、でっち上げと言わないんだ」サクラが階段の上から、紙飛行機のような攻撃をかける。

「言いたけりゃ、ご自由に」

「暗いんだ、この連中、とにかく暗いんだよ」千石がうめいた。

「馬鹿《ばか》な……」副官は奥歯を吸って、唇を閉じたまま、いっぱいに顎《あご》を開ける。入れ歯かもしれない。「きれい事は言いっこなし。いまこの方法は会社組織、学校教育、あらゆるところに応用されている。自主管理方式って言うんですよ。さて、裁判の第二部に入るとしましょうか。なんと言ってもこれが、一日を締めくくる最大の行事ですし……いや、それまでに運よく、女子中学生が網にかかってくれていたら、行事予定の変更も必要かな。一般隊員はあらぬ夢を描いていることでしょう。その場で抽選で分配してもらえるとかね。雌餓鬼の扱いや、隊員の説得は、慎重に検討しなければなりません。気の進まない人には、べつに参加してもらう必要はないんだ、私は楽しみにしていますよ。船長だって、それで問題解決の糸口をつかめるかもしれないんだ。一般隊員には顔見世の陳列紹介だけにして、まずはわれわれだけで、じっくり面接調査でしょうね」

「こんな話、よく黙って聞いていられるな」千石の呼吸は発声に必要な量を上回ってしまっている。「我慢できないよ」

「誰も我慢してくれと頼んでいるわけじゃない」言い捨てて、副官が先を続ける。

「雌餓鬼のことはさておき、裁判の第二部でいよいよこいつが必要になります」

かなり使い古した感じの電話帳の上に手を載せ、効果をはかるように、口をつぐむ。狙《ねら》いどおり効果は満点だ。あるていどの察しがつくだけに、よけい気分が滅入《めい》ってくる。


「あの子、まだ泣いているんじゃない」

女が肩越しに囁いた。少年はドラム缶に掛けた両腕に顔を伏せ、身じろぎもしない。泣いているのかもしれないが、ただ居眠りをしているだけかもしれない。


「脚が腐りかけているみたいだよ」

「もうちょっとの辛抱……」

「ウージィでパイプに穴を開けても駄目《だめ》だろうな」

「出血するだけよ、肉で蓋していることに変りはないんだから」

「つまりこれで人選をするわけです」副官が電話帳を取り上げ、ページを繰ってみせる。色とりどりのペンで、さまざまな記号が書き込まれている。♯、＊、♂♀、☆★、▽▲、※、Ω、¥、〆、◎、？、……「これで、生きのびるに値いする人間であるかどうかを判定していきます。あいうえお順で、各音一名ずつ、一日平均約三十名の審査を行います。圧倒的に拒否が多い場合は、当然排除されます。つまり、結果的には死刑宣告ですね。意見が割れた場合は、留保。留保にもさまざまなランクがあります。再審査によって、ランクの変更が行われたり、死刑が確定したりします」

「その審査、どこに基準を置いているの。資料の収集だって、容易じゃないだろう」

屑人間こそ理想の乗組員だという、進化論的持論を棚上げして、サクラは約束どおりぼくの疑問を代弁してくれた。

「でも、痛快だってことは分るね」昆虫屋が副官にうなずいて、部下に理解のあるところを示そうとする。「生殺与奪の権とはまさにこの事だ。もちろん未来に対する責任を課された、重大な仕事だけどね」

「むろん各種の資料が参考に供されます。市役所のコンピューターから抜き取ってきた、かなり詳細な家族構成や、職業、収入などの資料の閲覧、興信所や私立探偵《たんてい》社の報告の利用などですね。しかしなにぶん、事態は急を要しますので、一日平均三十人は最低目標です。一人に五分以上を割くわけにはまいりません。そこで、手っ取り早く、世間の噂《うわさ》や評判であるとか、外から見た住居の印象などを判断の材料にすることもあります。電話帳の記載以外に参考にすべき資料がない場合は、姓名、商店や会社なら屋号や社名、電話番号などから受ける直感で評決します」

「無罪でも、死刑になる可能性があるわけか」昆虫屋があぐらを組みかえた。

「誰だって無罪ですよ、裁判を受けるまではね」

「そりゃそうだ。サイコロで決めるよりはましか」

「サイコロは駄目です。死刑が出る確率が低すぎます」

「そんなに死刑が多いのかい……まあ、仕方ないな、もともと収容人員が限られているんだから」

「頭がおかしいんだ」耳もとの女の声がかすれている。

「死刑と無罪放免の、比率は……」サクラの声も、口内容積が縮小し、力がない。

「完全な無罪はまだありません」副官の声はいぜんとして平静だ。それとも平静を装って楽しんでいるのだろうか。「大半が死刑、残りが留保で、留保のなかには再審、未決、保釈、仮釈放、執行猶予《ゆうよ》、上告、などの各段階があり、新証拠や新証言の提出を待って再検討されることになっています。でも、なんと言っても死刑ですね。いちど裁判の現場をご覧になれば納得されると思いますが、隊員の代表棄民諸君がいちばん熱狂するのは、やはり死刑宣告の瞬間ですよ。代表棄民としての生き甲斐《がい》を感じる瞬間なんでしょうね。でも異常人格あつかいは止めていただきたい」開いた電話帳の上に、掌を伏せて置き、顔は動かさずに視線だけで女とサクラをはじき返すように見た。「生き残る人間の選別のための、心苦しい手段だったはずの死刑宣告が、いつの間にか目的に、それも歓喜をともなう目的に変ってしまった。代表棄民のひねくれ根性だという解釈も成り立つでしょう。でもそれだけじゃない。私が子供のころ読んだ童話で、二つだけ忘れられない場面があります。筋は忘れてしまいましたが、そこだけは鮮明に覚えています。一つは『不思議の国のアリス』のなかの女王が、前後の事情にかかわりなく死刑だ、死刑だ、と叫びまくる場面。もう一つは、題名は忘れましたがアンデルセンの童話のなかで、若い王子が木陰に隠れていて、通りかかる旅人に端から死刑を宣告して斬《き》り殺してしまう場面。子供の世界でもそうなんです。まして代表棄民は、ある意味で、彼ら自身が執行猶予中の死刑囚ですからね。しかも私どもの死刑宣告は、刑の執行を伴わない。刑を執行するのは、刑の宣告を受けた死刑囚自身なんです」

今はもう軽く前後に振れるだけの排水用の梃子《てこ》に肩をあずけ、膝小僧のわきを揉《も》みながら、ぼくは寝小便で全身びしょ濡《ぬ》れになったような気分を味わっていた。猪突の他人を無視した狂暴さを、溶剤に融《と》かし、蒸留し、結晶させれば、この副官の論理になるのかもしれない。そう考えて、はねつけてしまえれば、まだ救われる。しかし考えてみると、無意識のうちにぼくが取ってきた行動と、瓜《うり》二つなのだ。[生きのびるための切符]を売りしぶっていた、あの消極性との類似を指摘されると、反論の余地がない。昆虫屋からも、サクラからも、ぼくは繰り返し排他性を指摘されてきた。そのとおりなのだ。結果的には裁判なしで、内証の死刑宣告帳にサインしつづけていたのと同じことなのだ。どっちが残忍だったか、判定は微妙である。すくなくも「ほうき隊」を非難する根拠は失われてしまった。その前に自分を非難し、ひねりつぶしてしまいたい。

「でも、そんなふうに消去法だけじゃ、能率が悪くて仕方がないだろう」サクラがなんとか形勢の逆転をねらって、指をはじき、手摺りを叩く。「逆に人材のリストアップも必要なんじゃないか。医者だとか、看護婦だとか、コンピューターの専門家だとか、車の整備士だとか……」

「核爆発の後じゃ、コンピューターなんて必要ないでしょう」遠慮がちに皮肉ったのは、千石だ。「電磁波の影響で、ああいったものは、全部いかれちゃうんだ」

「その方面の配慮はほぼ完了しています」副官が答えた。「隊員の中には調理士もいれば、計理士もいるし、農業関係者もいます。大工、左官、柔道の有段者、食肉の解体屋、スィート・ポテトの職人、カメラの専門家、それからうちの隊長には暴徒鎮圧という特殊技術の心得もある……」

後の三人については、自分の情報収集の確かさの誇示と、多少のからかいもあったようだ。ぼくとしてはむしろ、食肉解体屋の前後に取った、これ見よがしの間合いのほうが気になった。サクラが負けん気を出して口をはさむ。

「おれ、手品だったら、玄人《くろうと》はだしだよ」

「たのもしいですね」副官が言って、静かに電話帳を閉じた。「手品もそうでしょうが、生きのびるのに必要なのは、実用品だけじゃありません。どんな闘争にも、夢が必要だ。精神的な充足が、すべてに勝る報酬です。それがこの裁判です」

「おれも夢を売っていた……」闇《やみ》の中を探るような目つきで昆虫屋がぼくを見た。

「ユープケッチャの残り、まだジープの中に置きっぱなしだろ」

「夢だけじゃ、どうしょうもないよ。ナイフもいるし、拳銃《けんじゅう》もいるし、便器もいる」

サクラが急に立ち上った。緊張のあまり体が震えている。深呼吸して坐《すわ》りなおした。

「ここにいると、まるっきり金の苦労なんてないみたいだな。そりゃ御破算になれば、借金する奴も、借金取りもいなくなるだろうさ。でもここを一歩出りゃ、いたるところでうじゃうじゃ、借りた奴と貸した奴の鬼ごっこなんだぜ。御破算なんて、そんな旨《うま》い話があってたまるか」

「空気もいるよ」女がぼんやり繰り返す。

「だから、雌餓鬼狩りを遂行しているのです。女は若いほうが面白い。そうは思いませんか、隊長。濡れた紙みたいなものだ。時間をかけてゆっくり炙《あぶ》って、火がつくまでが楽しみです。それにしても遅いな、薬はどうなったのかな。斥候《せっこう》に、医者に出した伝令の様子と、捜索活動の進行情況を調べさせましょう。命令は隊長にお願い出来ますか」

うなずいて昆虫屋が立ち上る。胸の金バッジを軽く親指の腹でさすり、ドラム缶《かん》に顔を伏せている少年を凝視しながら、喘息《ぜんそく》気味の息を肩までいっぱいに吸い込んだ。ハッチの鉄扉《てっぴ》がきしみ、悲鳴が聞えた。せっかく詰め込んだ昆虫屋の息が、声にならずに抜けてしまう。

「助けてくれ、死んじゃうよ」ころがり出てきた少年が、足場の上に四つん這《ば》いになる。女に耳を射《う》たれた赤ジャンパーだ。血が止まりきっていないらしく、耳たぶが赤く二倍にふくらんで見えた。「仲間が犬に食われているんだ、助けてくれよ」

「なんだ、そんな所にいたのか」副官が年にしては素早く立ち上り、再び中腰になって額に唾《つば》を塗った。しびれを治すまじないだろう。昔祖母がやっていたのを思い出す。

「降りてこい、遠慮はいらんよ」

「助けてくれ、お願いだ、犬に咬《か》まれているんだよ」

「おい斥候、なぜいい加減な報告をした」突然昆虫屋が背筋をのばし、声を響かせる。

「不審な者はいないと言ったな。あいつは不審じゃないのか。どうなんだ」

「失礼しました。誰も教えてくれませんでした」斥候《イ》号が歯を食いしばる。

「訊《き》かれなかったからさ」千石が嵩《かさ》にかかって言い返す。

「いや、ここの連中がかならずしも協力的ではないことを伝えておかなかった私も悪かった」副官がドラム缶のほうに十歩あるいて、床を見詰める。「ここにあるのは血痕《けっこん》だ。見逃した私もうかつだった。あいつに傷を負わせたのは、どなたですか」

「わたし……」女が高くボウガンをかかげて見せる。

「なるほど、ここの皆さんは協力を怠り、斥候は義務を怠った。処分は隊長におまかせしましょう」

「なんとかしてくれよ、食い殺されかけているんだぞ。死んだら殺人だぞ、分っているのか、頼むよ……」

「うるさい」昆虫屋の首筋が、大頭と釣《つ》り合いのとれる太さにふくらんだ。「いまさら死体なんかで驚くか。斥候、そこのチンピラを引きずり降せ。引きずり降して、女の子の隠れ場所を白状させるんだ」

「あいつは知りゃしないよ」少年の声に戻《もど》ってしまっている。「一緒に逃げた奴しか、知るわけないだろ」

赤ジャンパーも声を合わせる。「知ってりゃ、一緒に逃げているよ。一緒に逃げてりゃ、こんな目にあっちゃいないよ」

「隊長、いったん下した命令は、撤回しない方がよろしいでしょう」副官が眉《まゆ》の付け根をつまみ、紛失物を悔む姿勢でうなだれ、便器のほうに引き返してくる。

「分っている」昆虫屋がベルトの後ろから改造拳銃を抜き出した。撃鉄を起して、両足をふんばる。「早く引きずり降せ、引きずり降して白状させるんだ」

箒《ほうき》を構え、あきらめた表情で、斥候少年が足場に向って前進した。赤ジャンパーが膝立ちになり、チェーンをほどいて一と振りする。鉄が足場の板にくい込む音はひどく生理的だ。骨に出刃庖丁《でばぼうちょう》を打ち込まれる場面を連想して身がすくんだ。

「来るな」

「降りて来いったら、頼むから」

「頼んでいるのは、こっちだろう」

「命令なんだ」

「裏切りやがって」

「違う、誤解だよ」

爆発音がひびきわたる。残響がピンポン玉になって跳ねまわる。昆虫屋が天井に向けて拳銃を発射したのだ。渋い薬草を焦《こ》がしたような火薬の臭《にお》い。ボウガンで痛いめをみた経験のある赤ジャンパーは、たちまち恐怖にへたり込んでしまう。

「引きずり降せ。箒を尻の穴に突っ込んででも、白状させろ。そいつが口を割らないと、船長が困るんだぞ。死んでも構わん、死体の始末は気にするな」

船長が困る、と言うのはどういう意味だろう。飛道具は人間を変える、と言った昆虫屋の言葉どおり、彼自身が明らかに変調を来たしている。

「降りてこいってば、殺されるぞ」

「知らないんだよ、知らないことは、知っているだろ」

赤ジャンパーが全身脱力した感じで、梯子《はしご》をずり落ちてくる。青いシートの包みの上に倒れ込む。「それ、死体だぞ」斥候少年の注意に、赤ジャンパーが跳ね起き、数メートル移動して、倒れなおす。

「かかれ」副官が事務的に言う。「教わったとおりにやればいいんだ」

斥候少年が箒の柄《え》を赤ジャンパーの下腹に捩《ね》じ込んだ。

「痛いよ……」

「白状しろってば」

「知らないこと、白状なんか……痛い」

「いい加減にしてほしいな」女が副官をにらみつける。嫌悪《けんお》の視線だ。むしろ無関心をよそおったほうが効果的だったと思う。気持を読まれただけ、損をする。

「しかし、いったん下した命令を、そう簡単に撤回したんではしめしがつきません。また、下した命令に部下が従っているかぎり、批評や批判は禁物です。命令に反省は許されないのです」

赤ジャンパーが泣いている。斥候少年が汗みずくになって、箒の柄で犠牲者の下腹をこじりつづける。

「本当に知らないものなら、いくら責めたって、白状のしようがないだろう」サクラが呆然《ぼうぜん》と額に手を当て、指の隙間《すきま》から拷問《ごうもん》の光景をうかがっている。

「時間がかかりそうですね」便器の周囲を往《い》き来《き》していた副官が足を止め、昆虫屋の表情をうかがった。昆虫屋はわずかにうなずいただけで、仮面症にかかったように無表情のままだ。「そのあいだ、私は上の第三石室……ではありません、あそこ、何と呼べばよろしいでしょうか、リフトの上の部屋……」

「なんとでも勝手に呼べばいいさ」

「では、大食堂としましょうか。蜜柑口《みかんぐち》のと比べれば、優に四倍はありますからね。炊事班の監視もおろそかには出来ません。経理の不正も起き易《やす》い職場ですし、衛生上の規律がずさんだと実害をともないます。残念ながら、明朝も魚料理なんだ。せっかく専門の元肉屋が二人も庖丁ふるってくれているんですがね。失礼します」

副官が船倉を横切り、ドラム缶の傍を通り、作業船倉への坑道に姿を消した。数十分もの長さに感じられた。

「菰野さん」サクラが呼び掛けたが、昆虫屋はまるで反応を示さない。「やめさせろよ、あんなこと……菰野さん、どうしたんだ……おかしくなってしまったのかな……」

「やめさせようか」女がボウガンの安全装置を外し、矢をつがえた。

ぼくもこっそり行動に移っていた。百科事典から腰をずらし、上半身をねじって、女が便器の縁に立て掛けておいてくれたウージィに手をのばす。静かに昆虫屋の拳銃が上り、銃口がぼくを狙った。

「よせよ……」まわり込んできてウージィを奪い取る。「べつに、頭が狂ったわけじゃない。そう見えるかもしれないけど、たぶん大丈夫だ。もうしばらく待ってみてくれよ、いろいろ考えているところなんだ……そうだ、タバコを吸おう……」

安全な所まで後退して、壁際《かべぎわ》にしゃがみ込む。ウージィを膝に乗せ、拳銃を手にしたまま、タバコに火をつけた。斥候少年は餅《もち》でもつくように、機械的に箒の柄を上下にふるいつづけている。いちおう手加減しているようだ。赤ジャンパーも、箒の動きに合わせてうめきつづけている。決定的な打撃は受けていないようだ。感覚が鈍った脚の表面を、針をもったナメクジみたいなものが、何百匹も這いまわっている。

「おれ、小便してくる」

千石がシートの包みを横目で見ながら、ハッチに向った。誰も引き留める理由はなかったし、引き留めた者もいない。いずれ野犬の群れに引き留められてしまうのだ。多少気掛りなのは、赤ジャンパーの相棒の存在である。しかし犬に襲撃されたというのは、たぶん本当だろう。昆虫屋が、タバコを吸いながら腰を上げ、拳銃の撃鉄を起した。

その数秒間のあいだに、ぼくはコンクールに出場できそうな指さばきで脳細胞の鍵《けん》盤《ばん》を叩きまくり、結論を出していた。女に囁《ささや》きかける。

「頼まれてくれるかい、内証で」

自分にも聞きとりにくいほどの小声だったが、的確な反応があった。

「いいわよ」

「上のロッカーの二番、配電盤なんだ。ちょうど眼の高さの左端に、赤いレバーがあるから、上に押し上げてくれないか」

「ロッカーの鍵《かぎ》の合わせ番号は」

「ロッカーの番号と同じ2を、右、左、右、と繰り返すだけ。2、2、2……」

「赤いレバーね」

「すぐには何も起らないけど……」

ダイナマイトの起爆装置は、安全のために、二段構えになっている。手許《てもと》の発信器だけでは何事も起らない。配電盤のリレーの接触で、信管が眠りから覚め、受信の準備状態に入るのだ。ウージィは取り上げられてしまったが、彼女が配電盤の操作に成功してくれさえすれば、その数等倍もの強力な武器を手にしたことになる。

女がさりげない態度で、石段を上っていく。期待と緊張で脚の苦痛もわずかながら遠のいたようだ。階段の途中で、不審気に視線を交したサクラに、必死の合図を送る。理解は出来ないだろうが、いまや事態の打開以外に共有する内証事などありえないのだ。調子を合わせてくれた。計画通りに事が搬《はこ》べば、サクラだって見捨てたりするつもりはない。昆虫屋も、ちらと女の動きを視線の端で追っただけで、それ以上の反応は示さなかった。女には男と違った行動基準があって当然なのだ。男には見て見ぬふりをする義務がある。女の姿が無事ブリッジに消えた。死に瀕《ひん》している空気生物のことを思った。生きのびようとして集団自殺に突進する鯨《くじら》のことを思った。ユープケッチャの平和など幻想にすぎなかったのだろうか。だったら遊園地という遊園地に、なぜメリーゴーラウンドがあるのだろう。休日の子供たちがそっくり精神分裂症だと証明できるのなら、あきらめて引き退《さが》るしかないが……

ふくらはぎに破壊的な圧力を感じた。パイプの包帯にくるまれていなかったら、破裂してしまいそうだ。虫歯で歯茎《はぐき》が腫《は》れた時の感じだ。針で穴をあけて中の膿《うみ》をしぼり出してしまいたい。いまだったら医者がメスをふるうことになっても、拒み通す自信はなかった。肉屋の庖丁は死んでもごめんだが、医者のメスにならすがってもいい。しかしこの弱気が危険なのだ。薬の到着が遅いのは、モルヒネを出ししぶって伝令と押し問答が長引いているせいだろうが、医者が着替えに時間がかかっているのかもしれないし、車のエンジンの始動に手間どっているだけかもしれない。医者はすすんで執刀に協力するだろうか。苦痛を和らげるという大義名分はある。止血や血管縫合に成功し、化膿《かのう》予防のための処置が巧くいけば、べつに医師の倫理を問われることはないのかもしれない。そのあとぼくの切断された脚が、玩具《おもちゃ》のコルク銃のような音をたてて落下して行き、次々と死体の部分が処理されていくのに立ち会わされたとしても、医師の倫理とはなんの関係もないことだ。

胸壁の上から女の合図があった。

いよいよその時が来た。いずれ来ることは分っていたし、誰かに命じられてすることではなく、自分で決断しなければならないことも分っていた。その決断を今日まで先送りにしてきたのは、おもに核戦争が五分以内に始まるかどうか、昆虫屋との賭《かけ》に踏み切れなかったのと同じ理由による。しかし核戦争に予告はあり得ない。予告は相手に先手の機会を与えてしまうだけだ。ミサイルのボタンが押されるのは、突発事故か、力の均衡を破る先手必勝の技術が開発された瞬間以外にはありえないのだ。その瞬間は予告なしにやってくる。突然はじまり、気付いたときには終了しているのが核戦争なのだ。地震以上に不確定要素が多く、予知ははるかに困難だろう。核戦争に警報などありえない。警報システムに作動の余地を残す水準の攻撃力では、まだ相互の抑止力が働くはずである。方舟《はこぶね》出航は、ある平和な日に、人知れず行われるものなのだ。今日がその日であってもなんの不都合もない。いずれ決断は独断なのである。千石が小便から戻ってきた。

ベルトの物入れからリモート・コントロールの操作盤を取り出す。安全装置を横にずらせて、赤ボタンにのせた指を沈める。確信はわずかだが、期待は大きい、地下水脈の流れの変化。うまくすると便器から自力で抜け出せるかもしれない。乾杯の声ひとつない、ひっそりとした孤独な進水式。核戦争というのは、こんなふうに、始める前に始めるしかないのだと思った。現実の勃発《ぼっぱつ》に気付いた大半の者は死に絶え、勃発から耳をふさいで知らずに済ませた者だけが生きのびられるのだ。

24

閃光《せんこう》。肌《はだ》の露出した部分を無数の鞭《むち》が叩《たた》きながら走る。まずハッチが爆破されたのだ。これで海側の出入り口は消滅したことになる。予想していたような轟音《ごうおん》は聞えなかった。鼓膜を激痛が襲った。光がくるりと裏返って暗黒になる。停電だ。昆虫屋がライターを点《つ》けた。小さな光がかえって巨大な闇を際立《きわだ》たせる。ライターを持っている昆虫屋の影だけが、壁に揺れ、他の人間たちは影もない。赤ジャンパーのうめき声も止《や》んだ。うめいていたとしても、この耳鳴りでは聞えるわけがない。

つづいて遠く雷鳴に似たひびき。交錯する風の摩擦音。どうやら計画は成功してくれたらしい。

爆発音とくらべれば、いかにも弱々しいブザーの断続音。仕掛け人としてはまず発言の義務がある。

「核爆発らしいぞ。この合図、緊急事態の警報なんだ」

　すぐには誰も答えない。

「地震でしょう」女の乾いた声。「地震に決っているじゃないの」

「地震にしちゃ、地面の揺れがすくないな」千石だろうか。

「考えたくない事だけど、核爆発だと思う」こういう嘘は、昆虫屋に替ってもらいたい。「自動密閉のシステムになっていて、核爆発を感知すると、ダイナマイトで外界とつながっている坑道を自動的に封鎖してしまうんだ」

「どんなセンサーを使っているのか知らないけど、断定は出来ないんじゃないか」昆虫屋のジッポが太い炎の尾を揺らしながら近づいてきた。

「断定してなんかいない。可能性を言っているだけさ」

　室内や空洞《くうどう》のなかでは闇にも容積がある。押し入れていどの闇なら、気持を和ませる作用があり、べつに怖くはない。しかし容積が増すにつれて威嚇《いかく》的になる。死者を等身大の棺桶《かんおけ》におさめる風習も、大きな闇の不安から護《まも》ってやるために小さな闇でくるんでやるのが狙いだったのかもしれない。たった七人しかいないのに、酸素が欠乏した水槽《すいそう》のなかで何百匹もの魚があえいでいるような音がしていた。

「可能性の根拠を知りたいんだ」昆虫屋がジッポの炎を突き付けてくる。「ただの突風のあおりかもしれないだろ。前線が通過中なんだ。センサーが敏感すぎたのかもしれないじゃないか」

「それほど幼稚じゃないよ」舌の枚数が自慢の昆虫屋が相手だと思うと、こちらの舌はますます萎縮《いしゅく》してしまう。「マイコン制御さ。風圧計を山の南と北の両端に置いて、その差が三分の一以上なら、局地的でエネルギーも小さいものとみなして、次のステップには移行しない。他に圧力の持続時間、熱波の有無と、温度上昇のカーブ、それからもちろん放射線の検知……ただの突風だなんて、まさか……」

坑道口に明かりが落ちる。副官が肩からつるした大型のライト。自分の下半身だけは相手にも識別可能な、心得のある構え方だ。

「失礼します」

調子はまったく変っていない。この神経の強靱《きょうじん》さには、やはり敬意を表すべきだろう。

「緊急事態発生。核爆発の可能性が考えられる」昆虫屋が応じる。否定するよりは、むしろ肯定したがっているようだ。ジッポの炎のなかに光の粉がまじる。油が切れかけているらしい。「核兵器というのは本質的に先制攻撃用兵器なんだ。全面核戦争に宣戦布告がないのは、いまや軍事的常識だからね」

「ランプを取ってくる」サクラが手探りで石段を上って行った。

「これ、放射能の臭いかな」斥候少年の声だ。

「馬鹿野郎、ただの火薬だ」副官が平板な調子で一気に言う。「これを硝煙の臭いって言うんだ、男ならこれで心がはずむんだ」

「放射能は、遮蔽《しゃへい》されたんだよな」千石が自分に言いきかせる。

「ラジオはないでしょうか」副官が手のひらで耳を叩いた。肉体的にはけっこう衝撃を受けているようだ。

「放送局が残っているわけないだろ。一メガトンの爆発で、五キロ以内はぜんぶ蒸発しちゃうんだ。十キロ以内はガラスの風が吹きまくるんだ」

「ですから、ラジオが受信できれば、安心できるわけです」

油断は禁物だ。この男は狂気にとりつかれているだけでなく、頭の回転もけっして悪くない。

「この壁の厚さじゃ、電波なんか届きっこないだろ。仮にラジオがあったとしてもさ」

「こうなると分っていたら、船長、たんまり賭《か》けておけばよかったな。あんた、度胸がなさすぎたよ」昆虫屋が言い訳がましく副官に話しかけた。「おれ、船長と賭けたのさ、二十四時間以内に原爆が落ちるかどうかって」

「五分以内にだよ」

「同じことさ、これで金の値打ちも御破算だからな。賭ける物がなきゃ、賭けたくても、賭けようがないんだ」

「ありますよ」副官が食い下がる。「女子中学生なんか、最高の賭け札でしょう」

ブリッジの胸壁越しにランプの光が走った。まっすぐ天井を伝って、破壊されたハッチのうえで止まる。予想していた以上の破壊力だ。鉄扉の中心が破れ、石の砕片があふれ出していた。高級な和菓子の形に似ていた。野犬たちもさぞかし度胆《どぎも》を抜かれたことだろう。照明はさらに青い死体の包みの上に移動する。拳《こぶし》ほどの破片が数個、乗っかっている。死体でなかったら悲鳴をあげるか、それがもとで死んでいたかもしれない。

とつぜん千石が拳を手のひらに叩きつけて叫んだ。

「だったら、おれたち、生きのびられたんだよ」

照明が消えて、サクラが階段を降りてくる。

「死なずに済んだだけじゃないの」女が困惑気味に言い返す。

「おれたち、生きのびたんだよ」千石が涙声で、鼻をすすった。

「大変なのは、生きのびた後です。生き続けなけりゃなりませんからね」副官がライトで千石を一と撫《な》でした。「隊長、ご指示を願います」

「でも、生きのびたんだ」千石が床を蹴《け》って繰り返す。「外の奴等、ぜんぶくたばりやがったんだ。そうだよな、モグラさん」

「わめくなったら、頭が痛くなる」

鋭く澄んだ、しかし角のない打撃音。鼓《つづみ》の音に似ている。もし水滴の音だとしたら、期待どおり、地下水の流れに変化が起きたのかもしれない。ふくらはぎの中でうごめくミミズの動きに変化が感じられる。気のせいだろう、そんなに早く効果が現われるわけがない。

副官がライトで照しながら、赤ジャンパーに近付いた。最初の位置に倒れていたら、石の弾丸をくらって、大怪我《おおけが》をしていたかもしれない。

「失礼します」斥候少年が絶叫に近い声をあげる。

「死んだのか」

「生きています」

「白状したのか」

「していません」

「斥候《イ》号、命令を忘れたのか」

副官が鉄芯《てっしん》入りの箒を振り上げたのと同時に、昆虫屋が職業的なよどみのなさで号令をかけた。

「緊急命令。［ほうき隊］を班別に分け、空気浄化装置の分担をする。交代の時間表は追って作成する。足踏み式発電機によるバッテリー充電作業は全員参加を建て前とする。機械工の経験のあるものを選抜し、発電機の新規組み立てを突貫工事で行う。各種技能者の登録を行い、技能別名簿を作成し、責任者を指名する」

間違いなく水滴がドラム缶を叩いている音だ。つづいて三つ、間をおいて二つ。いよいよ水脈に変化がおきた兆候だ。

「復唱してみろ」副官が斥候少年を箒の柄で小突く。

「できません」少年の声が震えている。

「命令はすべて復唱できなければならない」少年を責めているようでもあり、昆虫屋を責めているようでもある。

ジッポの火が消えた。

「副官、行こう」昆虫屋が先に立ち、作業船倉に向って足を踏みだす。「捕虜は使役要員として連行しなさい」

昆虫屋も主導権を失うまいとして、やっきになっているようだ。後ろ姿を見送るサクラのライトの中で、ウージィの銃把《じゅうは》をしっかりと握りしめている。思い出したように振り向いて、「船長、空気浄化装置のフィルター、セット済みだろうね」はったりに決っている。こっちもはったりで答えてやる。「もちろんさ。BG方式の三重冷却フィルターだよ」

「手の空いている者は全員作業船倉に集合して下さい」

少年たちを追い立てるようにして、副官が続き、「生きのびたんだ……」呟《つぶや》きながら千石があとを追う。

「もともと空いている手を、これ以上空けようがないじゃないか」

「駄目よ、目を離していたら、何をされるか分らない」

渋るサクラを女が追いやり、ライトで足許を照してやる。そのまま壁に沿って天井に這《は》い上ったライトが、蜂《はち》の群れのような動きをとらえた。もちろん蜂であるはずがない。かなりの幅にわたって溢《あふ》れ出ている水の幕だ。ドラム缶を叩いていたのは、天井を伝ったごく一部の水滴だったのだ。これだけ急速な変化なら、遠からず便器のほうにも影響が期待できそうである。

「水が漏ってる……」女がライトであたりを探りまわす。「いつもこんなふうなの。

ドラム缶の裏なんか、もう金魚でも飼えそうなくらい……」

浸水は加速度的に進行していた。便器の底で衝撃があったのはその直後だ。耳には聞えなかったが、足に聞えた。高層ビルの底からひびくエレベーターのドアの音に似ている。いよいよ調節弁が反転したのだろうか。

「濡れないうちに、その辺のもの、拾っておいてくれないか。地図や、切符や、ユープケッチャの箱なんか……」

「ここまで水がくると思う」

「たぶんね」

「これ、チョコレートかな」

「リキュール入りだよ。ビールの肴《さかな》なんだ、変だろ。でも、味は悪くないから……」

「どうする」女がチョコレートを一つつまんで、不安そうに言った。「こうなったら、君の脚なんかより、どうしたって便器のほうが大事になるんじゃない」

女が便器の端に片足をかけて、上の棚《たな》にユープケッチャの箱を戻《もど》してくれた。スカートの裾《すそ》が、ちょうど眼の位置だ。裸の膝が、唇の位置にある。

「心配はいらないんだよ」慎重に、火薬の調合をする時のように息をひそめ、年収をそっくり注《つ》ぎ込んだ贈り物の包装を解く意気込みで、「ぜんぶ嘘なんだよ。驚かずに、冷静な気持で聞いてほしいんだ。核爆弾なんか、何処にも落ちていないんだ。嘘をついたんだ、核爆発なんか起きちゃいないんだよ」

女はすぐには何も答えなかった。つまんでいたリキュール入りのチョコレートが音もなく潰《つぶ》れた。

「嘘って……君の言ったことが嘘なの、爆発が嘘なの」

「ぜんぶ嘘さ、さっきのはただのダイナマイトだよ、君にも手伝ってもらっただろ。配電盤のレバーを上げて……」

「でも、なぜ……」

「理由は二つあるんだ。一つは、怖かった。核戦争が始まる前に、もうこの調子だろ、たまらないよ。もう一つは、利己的かもしれないけど、便器のことさ。ぼくの脚のこと……半分は、いや七割がた期待していなかったけど、君とも話し合ったじゃないか、パイプの下の弁のことさ……最後の望みをかけてみたんだよ、地下水の流れが変って、仕組みに影響を与えるんじゃないかって……」

「どうだった」

「あったさ、この天井からの水の漏れかた、見てごらんよ」

「脚のほうは」

「それも、ぼくの希望的観測どおりさ。感じがぜんぜん変ってきたよ」

「楽になったの」

「そうも言い切れないけど……脚のしびれだって、坐っている最中よりも、血が通いはじめた時のほうが嫌《いや》な感じだろ。咳《せき》をするのもつらいくらいだ。でも下に引き込まれる感じだけは確実になくなった。手を貸してもらえれば、なんとか抜け出せるんじゃないかな」

「内証にしたほうがいいね」

「もちろんさ。便器を駄目にしたと分ったら、半殺しだよ」

「なぜ、わたしに教えたの」

「だって、一緒に逃げるんだろ、空が見える所に」

「どうやって。通路はぜんぶ塞《ふさ》がれてしまったのよ」

「抜け目があるもんか。ちゃんと秘密の通路があるんだよ」

「何処に……」

「もちろん、内証だよ。最近は情報公開の原則なんてよく言うけど、嘘も方便のほうが、実用価値はあるんじゃないか。上のブリッジさ、ロッカーの一番……君にはすっかり打ち明けてしまうよ、鍵の合わせ番号は、1、1、1……ロッカーの裏蓋《うらぶた》を外すと、市庁舎の地下に通じる抜け穴があるんだ」

「外はまだ無事なのね」

「空もあるさ。曇り空も、夕焼けも、青空も、スモッグがかかった空だって……」

足許の水の跳ねに気をつかい、沼から足を引き抜くような足取りで、ペンライトの小さな光の輪をたよりにサクラが作業船倉から戻ってきた。

「手を借りるとしたら、彼の手を借りるしかないね」

「他にはいないだろうな」

足取りとは裏腹に、サクラの口ぶりはひどく軽快だった。すっかり［ほうき隊］仲間に融け込んでしまった感じだ。

「みんなよくやっているよ。自転車五台、交代でこぎつづけているけど、生きのいいのは全員、女子中学生の捜索班だろ、仏壇の蠟燭《ろうそく》みたいな豆電球がやっと七個さ。それでも話題は、サカリがついた猫《ねこ》みたいな話ばかりだ。薄汚いよな、まったく、年寄りってやつは」

「船長の脚、抜けそうなんだって」

女が便器のことだけを話題にし、市庁舎への抜け穴については触れようとしなかったことを、特別な意味にとるべきかどうか判断に迷ってしまう。

「なぜ」サクラが大げさすぎるほどの反応を示した。「血が逆流して、鬱血《うっけつ》が頭のほうに登ったのかな。そんなことって、あるのかな」

「彼には真相を打ち明けてもいいんじゃないか」

「なんだ、真相って」

女はぼくの意見を無視した。

「向こうの雰囲《ふんい》気《き》、どんな具合。菰野さんや副官と、なんとか馬を合わせられそう。ここでやっていける自信あるの」

「どうかな……」サクラが手のひらで顔を撫でまわす。「なんとかなるんじゃないか。神輿《みこし》かつぎは商売だし、あのポテト屋とはわけが違うよ。ああいうの、躁鬱《そううつ》病っていうんじゃないか、あんなに腐っていたくせに、こんどは燥《はしゃ》ぎすぎだ。じっとしていても、人生の喜びがへそから入って、頭のてっぺんに抜けるんだとさ。その時、アラーム付きの腕時計みたいな音がするってんだから、笑っちまうよ。おれはそれほどじゃないけど、変装してサラ金の取り立て屋から逃げまわらずに済むだけでも気が楽さ。付け狙っているのが、みんな昔の仲間と来ているから、よけい気が滅入っちゃうよな。もっとも船長直属の備品管理室の責任者なんて、柄《がら》じゃないと思うけどね。あそこ、大した独立要塞《ようさい》だろ……」

「鉄砲もあるし、薬もあるし、食料もあるし……」

「いや、食料関係だけは、ポテト屋の管轄《かんかつ》になった」

「でも、バズーカ砲まであったでしょう」

「あれは菰野さんの玩具《おもちゃ》さ。それより、銃器庫兼用の会議室、気に入ったな。おれたちも、あんな事務所が欲しかったよ。ぐるりとテーブルの回りに、肘掛《ひじか》け椅子《いす》なんかが並んでいてさ……」

「菰野さんと、副官の関係、あのまま続くと思う」

「あんたの意見を聞きたいな」サクラがぼくに片手で拝む手付きをした。「あんたの脚が抜けたとなると、指揮系統が二本立てになっちまう。ややっこしいことになるかも知れないぞ」

「みんな、トイレには困っているんでしょう」

「今のところはドラム缶で、先行き不安ってところだろう。でも、いいじゃないか、船長の脚が抜けてくれるのなら……何をそう未練がましく待っているんだい、早く出てこいよ。一人じゃ駄目なら手伝うぞ。加勢、呼んで来ようか」

「充分さ、君ひとりで。しびれが引くのを待っているんだ」

「たまんないからな、しびれってやつは。しかし、よかった。今だから言うけど、便器か、船長の脚かで、かなりの対立があったことは事実なんだ。ほら、『宝島』に出てくる海賊の頭目、シルバーって言ったっけ、片脚が義足で格好いいだろう。本気で船が大事なら、あれを見習えっていうわけさ」

「どうすればいいかな」

「肩につかまれよ。おれが石臼《いしうす》をひくロバみたいに、回ってみるから」

サクラの筋張った肩に上半身をあずける。つきたての餅《もち》を、木の枝に掛けたように見えるに違いない。女が棚の食用油を、潤滑油がわりにふくらはぎとパイプの間に流し込んでくれた。ペンライトを口にくわえて、サクラが回りはじめる。女も別のペンライトで足許を照してくれる。脚の皮、とくに脛《すね》の辺がすりむけ、千切れそうだ。それでも確実に回転しはじめた。そろそろと四分の一は回転したが、沈み込む感じはまったくない。

「調子いいぞ、奴ら、ど肝を抜かれるだろうな」

ペンライトで口をふさがれているので発音は不明瞭《ふめいりょう》だが、声は明るい。気が咎《とが》めた。出来れば彼女と二人っきりの脱出行にしたかったが、今はそんな事を言っている場合ではないだろう。サクラにだって権利はある。便器が（たぶん大掛かりな設計変更と施工なしには）使えなくなってしまったことも、ぼくが抜け穴から脱出しようとしていることも、隠したまま置き去りにしたりしたら、後でひどく悔むことになるだろう。特別な事情でもないかぎり――そんな事情は想像もつかないが――彼も一緒に逃げてもらうべきだ。

「痛くない」女が尋ねる。なぜサクラに真相を告げようとしないのだろう。

「多少痛いくらいのほうが、楽なんだよ、しびれが紛れてくれて」

「浮いて来たぞ、三センチくらいかな、がんばってね」

「妙なものだな」サクラがペンライトを含んだままのくぐもった声で、「こともあろうに、おれが生きのびられるだなんて思ってもみなかったよ、世間様を差し置いてさ」

「嘘でもかい」

とても黙ってはいられなかった。女の期待に反したことになるのだろうか。そうでもなさそうだ。女はぼくとサクラを見較《みくら》べ、小首を傾《かし》げ、唇《くちびる》を左右に引いただけだった。

「何が……」

「ダイナマイトを爆発させてみたんだ、便器の圧力を抜くために」

「大げさなことやらかしたもんだな」それほど衝撃を受けた様子もない。「すると、嘘ってのは、核爆発のことかい」

「そう、嘘だったんだ……」

「まあ、世間じゃよくあることだけど。こんどは反対に回ってみようか。だいぶ軽くなって来たんじゃないか」

「四センチは越えたみたい。もう一息だな、ふくらはぎがパイプの口から出てしまえば、もう大丈夫よね」

「痛いな」

「ゆっくりやろうか」

「平気さ、膝の関節にひびいただけだ」

「そうか……嘘か……世間は、今までどおりにやっているわけか……」

「閉じ込められてしまったわけでもないんだ、抜け穴があるんだよ、秘密にしておいたけど」

「すると、何も変っちゃいないんだな、これまでと……いいから遠慮せずに、もっと体重をあずけちゃえったら」

平然としすぎている。並外れた猜疑《さいぎ》心《しん》のせいで、感情が封印されてしまったのだろうか。そんなはずはない。むしろサクラはちょっとした刺激にも過剰反応が目立っていた。唾液《だえき》の分泌《ぶんぴつ》の多い人間は狂暴だから気をつけるようにと昆虫屋も言っていた。事の重大さに気付いていないのだろうか。それともぼくが思っているほど、もともと重大な事ではなかったのだろうか。あんがい手品自慢の人間には、明かされた種のからくりに、いちいち驚いたりしない自尊心があるのかもしれない。

作業船倉から集光性の強い懐中電灯の光が走り、靴音《くつおと》が近づいてくる。

「ライト、消したほうがいいかな」女の囁き。

「かえって怪しまれる、何くわぬ顔してろよ……」

人影が坑道口に立つ。そろそろ浸水がくるぶしに達しかけているので、そこから先には踏み出そうとしない。光が燈台《とうだい》の灯《ひ》のように回転して床を舐《な》めた。奥の灯油を入れた五本と、アルコールの三本と、週に一度交換している飲料水の二本を除いた空のドラム缶が十数本、すでに列を離れ、傾斜して、海岸寄りの壁面にただよいはじめている。床がそっちに傾いているのだろう。青いビニール・シートの包みは、底を水にひたしたまま依然として元の位置だ。あの風呂嫌《ふろぎら》いが無理矢理に行水させられて、今ごろは死んだことを後悔しているかもしれない。理解したところで手の貸しようもないし、貸す気もないが、救いようがなく孤独な男だったような気もしてくる。光が旋回して、ぼくらを捕えた。

「ひどい浸水だな。何をしているんだ」昆虫屋だった。しかしそれ以上の追及をする気はなさそうだ。ぼくに関して責任をとるのが面倒なのだろう。「点呼の結果、運よく隊員の七割は封鎖ラインの内側にいてくれたよ。でも、大忙しだ。手つかずの場所が減っただけに、捜索もやり方を変える必要があるね。集音マイクでしらみつぶしに探しまわっているんだ。掘削もやってみるつもりだよ。船長、頑張《がんば》れるかい、もうちょっとの辛抱だ。食い物や、飲み物、遠慮なく言ってくれよな。死体、まだ臭ったりはしないだろ」

「外はどんな様子なのかな」サクラがとぼけて型どおりの質問をする。

「この時間だと、ガラスの粉と、放射性物質の雨だろう。本当に、船長、遠慮なく言ってくれよな」

言いおえると、光を天井に飛ばし、昆虫屋は引き返してしまう。サクラは裏切らなかった。事の重大性を無視しているわけではなさそうだ。

「いま、ふくらはぎが抜けたような気がする」

女がペンライトで便器の中を照し、パイプとふくらはぎの間に指を差し入れた。感覚はない。

「うん、指一本分、隙間ができたみたい」

あとは予想外に簡単に搬《はこ》んでくれた。二人の肩を借りて、いったん体を宙に引き上げる。同時にパイプの底から水が噴き上ってきた。この下からの加圧も脱出に力を貸してくれたのだろう。しかしこの便器はもう便器ではなくなった。血まみれの脚を想像していたのだが、思ったほどでない。脛と脚の甲をすりむいただけで、外傷はほとんど無い。ただ全体が赤紫に腫《は》れあがり、神社の記念スタンプのインクを塗りたくって、重傷度の保証をしてもらったようにも見える。よく観察すると、鎖でつながれた時の傷跡に、にじんだ血の跡が点々と荒挽《あらび》きコショウをまぶしたように散っていた。しばらく靴は履けそうにない。関節に異常はなさそうだから、しびれから恢復《かいふく》すれば、歩くのに支障はないだろう。むしろ全身の疲労のほうがはげしかった。百科事典に腰をかけ、足の裏の感覚が戻り、足首のひきつりがとれるまで、いちおう便器の中に隠しておくことにする。

「助かった、いったんは諦《あきら》めかけていたんだ」

「そうか……元の木阿弥《もくあみ》か……べつに生きのびたわけじゃなかったのか……」

便器のなかに爪先《つまさき》を立て、むき出しの神経を風にさらすようなしびれに耐えながら、足首の屈伸運動を繰り返す。

「変り者だな、君も。まるで残念がっているみたいじゃないか。別れを惜しむほどの連中じゃないだろ」

「たしかに薄汚いよな、爺《じい》さんなんて。眉《まゆ》の毛がのびて、鼻毛が飛び出して、顎の下に河馬《かば》みたいな皺《しわ》がよって……まあ、外見のことは勘弁してやってもいいさ。でも許せないのは、おれには何でも分っているって感じの、あのみじめったらしい鈍感さだね」

「話が決ったら、出掛けよう。ぐずぐずしていると、また呼び出しがかかるぞ」

「そうよ、資材管理なんて、けっこう忙しそうな名前じゃないの」女が笑いながらぼくの傍で、馬飛びの馬の姿勢をとる。

女の肩に手を乗せ、右脚で立ち、便器から抜いた左脚を床に下す。痛みはないし、股《こ》関節《かんせつ》も膝の関節も、意志どおりに動いてくれる。腐った茄子《なす》のような外見ほどには中身は痛んでいないようだ。気をよくして体重を移し替える。視界が大きく旋回した。何がどうなったのか分らないうちに、腕と肩に痛みが走り、顔が床の水に浸っている。まだ左脚の感覚が戻っていないらしい。サクラと女が抱え起してくれた。

「おぶってやるよ。遠慮なんかしている場合じゃない。便器を出たら一刻を争うんだ」

そのとおりだ。便器から抜け出したことが分れば、脱出の機会はさらに遠のく。サクラの負担を軽くするように、右脚は地面につけたままサクラの首に腕を巻く。サクラがよろけて、声をあげる。

「何キロあるんだい、さすがだな」

女の声が追い掛けてきた。

「カメラ、持っていくんでしょう。取ってあげようか」

「外に出ている一台と、隣のアルミのケースごと、重いけど……ついでに、ユープケッチャも頼みたいな」

外のジープに、売れ残りのユープケッチャがまだ何十匹か置きっぱなしになっているはずだ。しかしなんとなく、同じもののような気がしなかった。自分の目で確認した、あのユープケッチャでないと納得できなかったのだ。

「気になっていることがあるんだ……」サクラが息をはずませながら、「浸水の量のことだけど、まさか洞窟《どうくつ》ぜんたいが、水浸しになっちまうんじゃないだろうな」

「地形から考えて、せいぜい床上三十センチ止りかな。作業船倉のほうは、大丈夫だと思うよ」

「ここより低い所は……」

「天井までいっぱいのプールになってしまう所も出てくるね」

「もし女子中学生が、本当に何処《どこ》かにもぐり込んでいるとして、水に追われて向こうから網にかかってくる可能性もあるわけか……」

考えても見ないことだった。たしかにその可能性はある。ぼくはその責任まで取らされるのだろうか。若い女は濡れた紙みたいなものだと言った副官の言葉が頭にこびりついて離れない。ありえないことだとは思うが、もしこの偽の方舟《はこぶね》のなかで、一年なり、二年なり、三年なり、四年なり、場合によっては十年以上、ここにしか世界がないのだと信じ込んでしまった連中が、あらたな日々を紡《つむ》ぎ出し……

ロッカーの前で女が追い付いた。

「重いよ、カメラって写すだけじゃなく、労働なんだな」

「そりゃそうさ、ノミのサーカスの調教だって、ギックリ腰になるだろ」サクラが顎の下の汗を拭った手の甲をズボンの脇《わき》にこすりつける。

【ロッカーNo.1】扉《とびら》のラベルの表示――引火性溶剤・旋盤替刃各種・ゴム引作業用前掛・乾燥用赤外ランプ・加工用ガラス原料・各種耐水性紙ヤスリ・パッキング各種・コーキング材・アルミ角棒・耐熱性顔料――めったに誰も必要を感じる者はなく、興味を持つ者もなく、しかも疑惑を感じさせない、もっともらしい材料や道具類の品名の羅列《られつ》。いくら欲の深い泥棒《どろぼう》でも、このロッカーの合わせ番号に挑戦《ちょうせん》する無駄だけは避けるだろう。

右に《1》……左に《1》……右に《1》……

実際に納めてある物も、ドアの表示とほぼ一致している。もっとも容器入りの物は中身が少なかったり、ものによっては空っぽだ。全体の重量を軽くするためだが、それでも疑問を感じるほどには軽くない。ロッカーの天井にはレールがついていて、フックを外すと、整理棚が中身ごとせり出してくる。その棚がそっくり、ドアの反対側に開くのだ。棚が隠しドアの役目をしているわけである。

切り取られたロッカーの裏板の奥から、魚市場の倉庫を思わせる水っぽい風が吹き上がってきた。サクラのペンライトに、幅六十五センチ、高さ八十センチの抜け穴の額縁が照し出される。サクラがうめいた。

「こいつは騙《だま》されるね」

「こういう場合を、予感していたのかもしれないね」

「何処に通じているんだ」

「市役所の地下だって」女がかわって答えてくれた。長いトンネルの向こう端に光を見たようなはずみが感じられる。

「安全なのかい」

「きまっているだろう、核爆発は作り事だし、発破《はっぱ》もこのルートだけは接点を外したままにしてあるんだ。行こうよ、ぐずぐずしている場合じゃない、感付かれたらそれっきりだぞ」

「逃げたことに気付いたら、菰野《こもの》さんたち、どうするかな」女が首をすくめてしのび笑いをもらす。

「大丈夫、女子中学生探しのほうが優先さ」サクラがあら探しの手付きで、ロッカーの扉をさすりまわした。

「わたしだって女よ」

「射撃の名人に、手出しなんかしっこないよ」

「それ、どういう意味だい。一緒に逃げるんだろ」

「どうしようか……」

「考える余地なんかないじゃないか、爺さん連中にはうんざりなんだろ」

「でも、どうかな……」サクラがロッカーから身を引き、下唇を咬《か》む。作業船倉からの反響らしい、不揃《ふぞろ》いな手拍子に似た物音が、繰り返し軒を打つ雨のように近づいては遠ざかる。

「外の世界は今までどおりなんだぜ。核戦争なんて出まかせの嘘っ八なんだ。嘘を承知でこんな所にいられるわけがないじゃないか」

「でも、本当だと思えば、本当みたいな気もしてくるよ。あんたも言っていただろう、いずれは本当になるんだって。核戦争ってやつは、始まる前から、始まっているんだって……」三人がそろって闇《やみ》に耳をそばだてる。内容は聞き取れないが、昆虫屋の号令、もしくは千石の高笑い、あるいは悲鳴。サクラが続ける。「おれはどっちでも構わないんだ。しばらく、ここで、このまま続けてみても……」

「正気じゃないよ」女に視線を据えて、口添えを懇願する。「いくら君が射撃の名人だからって、二十四時間起きつづけていられるわけじゃなし……」

「そうよね、ここ、空気が悪すぎる」女のためらいがちな含み声。

「空気どころじゃない、空もなけりゃ、昼夜の区別もないんだ。写真だって撮れやしないぞ……」

「出掛けるなら、急いだほうがいいかな」

女が唇を左右に引き、小首をかしげてぼくとサクラを見較べた。まったく妙な男だ、何をためらっているのだろう。

「行こうよ、冗談を言い合っている暇はないんだ」

「いや……やはり遠慮しておこう。何処でどう生きようと、たいして代り映えはしないよ。それに本来、嘘を承知ではしゃいで見せるのがサクラだろ」

「よし、それじゃ菰野さんを呼んでみてくれ」無謀な提案だとは思ったが、二人を見殺しには出来ない。「ぼくが話をつけてやる」

「よしたほうがいいね。腹を立てられるのが落ちさ、いらんお節介だって」

「そうね、信じていられれば、そのほうが幸せかもしれない……」女が呟く。

「おれたちも、嘘とは合性がいいのさ、サクラだからな」

そこまで言い張るのなら、勝手にすればいい。便器から脚を抜くのに手を貸してもらったことを恩に着て、脱出の機会を提供する義務を感じたまでである。しかし女まで道連れにすることはないだろう。ぼくとしては彼女と二人きりで逃げるのが最初からの夢であり、たぶん彼女もサクラの干渉さえなければその気でいるはずだ。抜け穴の存在をサクラに告げたのはぼくで、彼女は口をつぐんだままだった。

「せめて彼女だけでも、自由にさせてやったらどうなんだ」

「彼女は自由さ、人聞きの悪いこと言うなよ。なあ、自由だよな……」サクラがくすぐるような声で言い、女がためらいがちに首肯《うなず》く。「それはそうと、あんた、サクラの語源を知っているかい。『花見は只見《ただみ》』……サクラ見物に料金はいらないっていう意味なんだとさ」

もう船長と呼ぶつもりはないらしい。いいだろう、サクラにスイッチの操作盤を渡す、言うべきことは言って、一応の義務ははたしたのだ。

「ジープのキー、付けっぱなしだったね」

サクラがうなずいて操作盤を受け取る。

「そう、付けっぱなし……」

「ぼくの脱走を見逃したことで、連中から痛い目にあわされるぞ」

「おれが……まさか……」

「どう言って言いのがれるんだ。菰野さんはともかく、副官は手強《てごわ》いぞ」

「コンニャクみたいに柔らかくなって、ぺろんと便器に呑《の》み込まれてしまったって言ってやるよ」

「信じるものか」

「信じるさ。さあ、もう行ってくれ……船の面倒は見てやるよ、責任を持つほどの自信はないけどね。せっかく錨《いかり》を揚げたのに、このまま沈没じゃもったいない」

「惜しいことしたね、百科事典、下の三冊、水びたしになっちゃった」

女がカメラケースをロッカーの床に置き、靴先で奥に滑り込ませる。後に続こうとして、女の足につまずき、前のめりに倒れこむ。そのはずみを利用して、覆《おお》いかぶさる感じで女をロッカーの中に押し込んだ。これくらいのことで臆《おく》していては先が思いやられる。やがて長い二人きりのトンネルの旅なのだ。夜明けを待つまでの間、互いの体温で温めあい、冷えと暗闇から身を守らなければならないのだ。しかし両肩をロッカーにはばまれ、ぼくの上体は傾いたまま宙に残った。ぼくの肩幅が四十三センチ、ロッカーの幅が三十八センチだから、正面向きでは通過できるわけがない。

「しっかりしろよ」サクラが苦笑をにじませ、ぼくの左肩を摑んで引き、右肩を押して九十度回転させた。

脚の感覚がまだ十分には戻っていなかったようだ。そのまま右に倒れていくのを感じながら、平衡を取り戻すことが出来ない。腰の下を女がすり抜けた。なぜかサクラのペンライトが消えた。倒れながら女のスカートの裾を握りしめる。シャツの背が破れる音がした。ボタンも二つばかり千切れたようだ。ロッカーの内部の仕上げの悪さのせいもあるが、やはり腹についた脂肪のせいが大きいだろう。肋骨《ろっこつ》がカメラケースに当って餅をつくような音をたてた。打った場所よりも、膝と首筋に激痛が走った。誰かがぼくの足首を摑んで押している。カメラケースと一緒に石の床を滑っているのが分る。何かが腰の上に落ちてきた。靴だった。女は何処にいるのだろう。スカートの手触りは確かなのに、彼女の居場所がつかめない。

「気をつけてね……」遠すぎる声。

ロッカーの荷棚が移動する音。つづいて扉が閉る鉄板の音。スカートを摑んでいた腕に力をこめた。彼女が倒れかかってくる……はずだったが、なんの抵抗もなくスカートだけが手の中に残った。脱げてしまったのだろうか。諦《あきら》めの悪い話だ。一瞬前からそれがスカートではなく、ゴム引きの作業用前掛であることに気付いていた。どの時点からこんな読み違いが始まったのだろう。彼女は自由だったのだ。自由意志で自分を閉じ込めてしまったのだ。それとも閉じ込められたのはぼくの方だろうか。しばらくケースにすがったまま横になって休んだ。彼女がいるのはここからほんの数メートル先である。いやでも人を信じ込ませずにはおかない、あの両眼を見開いて、闇の何処かを見据えているのだろう。しかしその距離を現わす単位に、いまさらなんの意味もない。立ち上ってみたが、すぐまた倒れ込んでしまう。靴紐《くつひも》をゆわえて首に掛け、カメラケースを引きずりながら、両手と片膝で這って進んだ。

25

永い時間がかかった。途中、何度か眠ったようだ。しびれはおさまったし、膝《ひざ》の感覚も戻ったが、合同市庁舎の地下に辿《たど》り着いたときには、夜が明けていた。人の出入りが始まるのを待って、外に出る。

ひさしぶりに透明な日差しが、街を赤く染めあげている。北から魚河岸《うおがし》にむかう自転車の流れと、南から駅に向う通勤の急ぎ足とが交錯して、すでにかなりの賑《にぎ》わいだ。《活魚》の印のトラックが小旗をなびかせていた。旗には「人の命より魚の命」と書いてある。別のトラックが信号待ちをしていた。その荷台には「俺が散って　桜が咲くころ　恋も咲くだろう」と書かれていた。合同市庁舎の黒いガラス張りの壁に向って、カメラを構えてみる。二十四ミリの広角レンズをつけて絞り込み、自分を入れて街の記念撮影をしようと思ったのだ。それにしても透明すぎた。日差しだけではなく、人間までが透けて見える。透けた人間の向こうは、やはり透明な街だ。

ぼくもあんなふうに透明なのだろうか。顔のまえに手をひろげてみた。手を透《とお》して街が見えた。振り返って見ても、やはり街は透き通っていた。街ぜんたいが生き生きと死んでいた。誰が生きのびられるのか、誰が生きのびるのか、ぼくはもう考えるのを止《や》めることにした。

解　説

J・W・カーペンター

旧約聖書の記載を信じるなら、破滅に瀕《ひん》した世界からの脱出をこころみた第一方舟《はこぶね》丸《まる》の船長はノアという人物だったらしい。さすがに神から「選ばれた」者だけのことはあり、洪水《こうずい》からの脱出に見事成功したようだ。それにしても、まだ羅針盤《らしんばん》も発明されていなかった時代、地球が死滅するほどの暴風雨のなかで、その大航海はさぞかし難儀なものだったにちがいない。現代人であるわれわれは、なによりその過程に興味をそそられてしまいがちだが、おおらかな創世記時代の人々には成功したという結果だけでじゅうぶんだったのだろうか。たとえばノアが同乗させた動物たちの共食い防止にどんな気配りをしたか、などについてはまったく触れられていないのである。

その点、現代作家である安部公房の《方舟さくら丸》になると、おもむきが一変してしまう。ひたすら出航前の準備に手間をくうばかりで、航海日誌の一頁《ページ》も書かれないまま、破局を迎えてしまうのだ。しかし読み終わってみれば、それが必然だったことに気づくはずである。現代の方舟は、もともと出航不能なものとして運命づけられていたのだ。安部はその証明のために、この複雑で精緻《せいち》な模様を織り上げてみせたのだろう。

「モグラ」を自認する小心者の主人公は、おずおずと、いかにも不器用な仕種《しぐさ》で、乗組員の選別を開始する。一度はこれと見込んで乗船切符を手渡してみても、完全には相手を信用しきれず、その不信が次から次へと事件を生み展開することになる。考えてみれば当然なことだろう。ノアの時代とは違って、《選別者》の免許証を自分で自分に発行出来る《神》という例外者が、すでにその資格を剝奪《はくだつ》されてしまったのだ。いまさら《選別者》などもう結構。数度にわたる世界規模での戦争を経験し、他者を排除する「選別」の思想こそ、ファシズムをひきあいに出すまでもなくあらゆる悲劇の根源であることを、誰もが嫌《いや》というほど思い知らされたはずである。

もちろんこうした問題が、ただ重々しく語られているわけではない。いつもの安部の登場人物たち同様、苦悩にもがけばもがくほど、逆にすべてが滑稽《こっけい》な笑劇に変わってしまうのだ。笑いと奇怪な事件の連鎖となれば安部の独壇場である。その魔術的仕掛には息をのみ、目をくらまされてしまう。

エピソードは多彩で、飽きさせない。グロテスクな詩情とでもいうべき、ブラックユーモアが、ページの隅々《すみずみ》にひそんでいて読者をたのしませる。

例えば乗組員第一号である昆虫屋《こんちゅうや》から、つい買わされてしまう『ユープケッチャ』という変な虫。自分の糞《ふん》を餌《えさ》にして半永久的に生き続ける、夢の虫。作者はこの虫に何を托《たく》するつもりだったのだろう？　方舟にかかげる旗の紋章にしようかと「モグラ」に思わせたほどだから、作者自身もかなり強い関心をよせていたにちがいない。閉鎖体系のなかでの植物的自足、樽《たる》のディオゲネスの心情、そうした他者との関係なしに生きる理想の象徴のようでもあるが、「モグラ」はその虫が人工的に作られた贋《にせ》物《もの》であることをちゃんと承知しているのだ。贋物だと承知のうえで、なお拭《ぬぐ》いきれない『ユープケッチャ』の魅力。その不思議な詩情には、何か言葉を越えたものを感じさせる。

重要な登場人物として、題名の由来にもなっている「サクラ」のことも、忘れ難い。まさに落伍者《らくごしゃ》の吹き溜《だ》まりみたいな、乗組員たちのなかにあっても、「サクラ」の不徳ぶりは群を抜いている。断るまでもなくこの「サクラ」は、売手とぐるになって客を騙《だま》す例の的屋《てきや》のことだ。まったく罪の意識なしに奔放な嘘《うそ》をつきまくれる天分の持ち主だ。しかも作者はこの悪党をけっして憎まず、むしろ好意をよせている感じさえする。もっとも一筋縄《ひとすじなわ》ではいかないのが、安部文学らしい手強《てごわ》さだ。「サクラ」が同時に日本的なものの象徴である桜にもかかっていることを、あらためて強調するのは蛇足《だそく》というものだろう。

さらには女子中学生狩りに熱中する「ほうき隊」の老人たち。たまらなくグロテスクなくせに、妙な実在感もぬぐいきれない。醜悪なものによる、浄化のメカニズムだろうか。終りのないサバイバル・ゲーム……オリンピック阻止同盟……選ばれなかった者たちの、終りのない報復というべきだろうか。

そしてクライマックスは、主人公のトイレの穴への墜落である。トイレの穴に片足をくわえられ、「モグラ」は身動き出来なくなってしまうのだ。この悲惨な滑稽さこそが、脱出の夢という主題をうきたたせてくれる、鮮烈なバックライトなのである。

それから結末の透明すぎる静寂……立ち止まり、ここでもう一度、あの『ユープケッチャ』という奇妙な昆虫の存在に思いを致してみるべきなのだろうか。

（平成二年十月、同志社女子大学助教授）

この作品は昭和五十九年十一月新潮社より刊行された。

方《はこ》舟《ぶね》さくら丸《まる》

新潮文庫　あ－4－22

平成二年十月二十五日　発行
令和二年一月三十日　十四刷改版
令和六年十一月三十日　十七刷

著者　安《あ》部《べ》公《こう》房《ぼう》

発行者　佐藤隆信
発行所　株式会社　新潮社
郵便番号　一六二―八七一一
東京都新宿区矢来町七一
電話　編集部(〇三)三二六六―五四四〇
　　　読者係(〇三)三二六六―五一一一
https://www.shinchosha.co.jp

価格はカバーに表示してあります。

乱丁・落丁本は、ご面倒ですが小社読者係宛ご送付ください。送料小社負担にてお取替えいたします。

印刷・大日本印刷株式会社　製本・加藤製本株式会社

ISBN978-4-10-112122-2　C0193